SPRINGSTEEN
VIDA Y DISCOGRAFÍA

RYAN WHITE

INTRODUCCIÓN DE
PETER AMES CARLIN

BLUME

BLUME

Título original
Springsteen. Album by album

Edición James Hodgson, Colin Webb
Dirección de arte Emma Wicks
Edición de fotografía David Brolan
Traducción Antøn Antøn
Revisión de la edición en lengua española
Llorenç Esteve de Udaeta
Historiador de música
Coordinación de la edición en lengua española
Cristina Rodríguez Fischer

Primera edición en lengua española 2014
Nueva edición actualizada y en formato reducido 2017

© 2017 Naturart, S. A. Editado por BLUME
Carrer de les Alberes, 52, 2.º, Vallvidrera
08017 Barcelona
Tel. 93 205 40 00 e-mail: info@blume.net
© 2014 Art Blume, S. L.
© 2014, 2017 Palazzo Editions Ltd, Londres
© 2014, 2017 del texto Ryan White
© 2014, 2017 de la introducción Peter Ames Carlin

ISBN: 978-84-16965-41-0

Impreso en China

WWW.BLUME.NET

Página 1: Retrato realizado por Tom Hill, en agosto de 1975, poco antes del lanzamiento de *Born to Run*.
Página 2: Retrato realizado por Danny Clinch, en 2010.
Páginas 268-269: Alex Cooley's Electric Ballroom, Atlanta, el 22 de agosto de 1975.
Páginas 284-285: Atlanta, 2007.
Página 288: La gira Amnesty International Human Rights Now!, en 1988.
Guardas: Spectrum, Filadelfia, en septiembre de 1984.

CONTENIDO

INTRODUCCIÓN

PETER AMES CARLIN

En la actualidad, Bruce Springsteen aparece a ojos del mundo rodeado de un halo de esplendor.

La voz del hombre de la calle. La encarnación de las virtudes estadounidenses elementales. Movido por la inspiración, Springsteen entona el himno eléctrico de la clase trabajadora: el sonido de los sueños que nacen, se persiguen y se aplastan solo para volver a nacer. Las leyendas acerca de los conciertos de vivencias religiosas de Springsteen han pasado del balbuceo cultista al cliché generalizado y a la perogrullada reconocida por el expresidente de Estados Unidos. «Puede que yo sea el presidente –declaraba Barack Obama en 2009–, pero él es el Jefe».

Lo cual no es poco para un chico tímido procedente de una deprimida ciudad industrial del centro de Nueva Jersey. Criado en el seno de una familia pobre trabajadora, pero con apuros, el Springsteen colegial contempló su propia trascendencia cuando vislumbró el rostro de Elvis en televisión. Cuando tenía quince años, le regalaron una guitarra eléctrica, con la que practicaba sin cesar; los siguientes siete años estuvo actuando en bares y granjeándose la fama de ser el mejor guitarrista principal entre Jersey Shore y el estado de Virginia. En el invierno de 1971-1972, con veintidós años de edad, agarró su guitarra y unas cuantas canciones recién escritas y se las llevó a los custodios de la cultura en la ciudad de Nueva York.

A primera vista, estas ambiciones resultaban ridículas. Con el pelo largo, delgado como un palillo y tembloroso, ataviado con sus vaqueros rotos y una camiseta sucia, apenas podía sostener la mirada, y mucho menos mantener una conversación más allá del «Eh, ¿cómo va eso?». Pero todo cambiaba una vez que Springsteen agarraba la guitarra. Se convertía en el rey de la fiesta, en el joven torero afortunado, en el perdedor que se había encontrado las llaves del universo en un automóvil oxidado y destartalado. También en un visionario letrista cuya incisiva mirada se centraba en las grietas más temibles de la sociedad y con una salvaje energía que parecía hacer que crepitase el aire a su alrededor.

Eso es lo que al menos le pareció al grupo de profesionales del sector que dejaron sus puestos de trabajo, hipotecaron sus casas y/o se desplazaron por todo el país para asumir un papel en la aventura del artista. Cuando Springsteen firmó un contrato con Columbia Records a mediados de 1972, la misma fiebre se apoderó del reputado cazatalentos John Hammond (descubridor, entre otros, de Benny Goodman, Billie Holiday y Bob Dylan), del presidente discográfico Clive Davis y de un enfervorecido culto de empleados cuya pasión por el nuevo artista les hizo saltar del sofá y maldecir a los colegas que se negaron a escuchar el verdadero espíritu del rock 'n' roll en la escarpada voz de Springsteen.

Los escépticos fueron los primeros en reír. Promocionado en gran medida como una especie de hijo de Bob Dylan, Springsteen no obtuvo ningún éxito comercial con la publicación de su álbum de debut, *Greetings From Asbury Park, N.J.*, que apareció a comienzos de 1973. *The Wild, the Innocent & the E Street Shuffle*, un disco más *funky* y conceptual, fracasó de forma semejante diez meses después. Mientras tanto, Springsteen no dejaba de dar conciertos con su banda habitual de Jersey Shore –compuesta, en su mayoría, por músicos con los que llevaba tocando desde la adolescencia– de un lado a otro de la Costa Este y el Medio Oeste estadounidenses, conciertos que le llevaron a todos los locales, bares de carretera y pequeños auditorios que lo acogieran. Fueron semanas, meses y años de padecimientos espirituales y trabajo mal pagado, una época que fue cobrando importancia con el tiempo al narrarse como parte del viaje de un héroe.

Springsteen estaba completamente vinculado al lado más heroico del rock 'n' roll. Aún fascinado por la visión que tuvo en la infancia de un Elvis santificado por las luces del escenario, persiguió esa promesa y ese compromiso en todos sus conciertos, en los que actúa con una pasión suficientemente intensa como para dejar un rastro de conversos a su paso. Entre ellos, no pocos fueron críticos de música cuyos éxtasis publicados ayudaron a atraer más aún a no conversos a los espectáculos, aunque ninguno puede competir con la lapidaria reacción que mostró el importante crítico de rock Jon Landau ante un concierto celebrado en Cambridge, Massachusetts, en mayo de 1974: «He visto el futuro del rock and roll –dijo–, y su nombre es Bruce Springsteen».

El futuro llegó un año después, montado en un *tsunami* de contenida adoración mediática, alimentada tanto por el crítico romanticismo del anhelado *Born to Run* como por la saga artúrica que protagonizó el artista en su búsqueda de la grandeza. Springsteen, ataviado con la clásica chaqueta de cuero al estilo rebelde, una camisa rasgada y la insignia del Elvis Presley Fan Club, se apoya en el hombro del saxofonista Clarence Clemons y sonríe con complicidad mientras su hermano musical afroamericano desata lo que parece ser un riff de los que remueven las entrañas. Y, a partir de entonces, todo comenzó: las reseñas en las que se proclamaba su llegada con tintes casi bíblicos, las desafiantes portadas de *Time* y de *Newsweek*, un viaje en cohete al podio de las listas de álbumes de *Billboard* y, casi de inmediato, la resaca espeluznante del éxito del *mainstream*: relaciones rotas, amargos litigios y crisis existenciales.

Apartado del estudio de grabación durante dos años debido a un problema contractual, Springsteen volvió a la carretera, lo que fomentó su reputación de artista de inspiración indómita. Afamado de nuevo por el tocado, pero no hundido, *Darkness on the Edge of Town* en 1978 y las posteriores concatenaciones de singles de éxito y ventas multiplatino con aquel «celébralo como si no hubiera un mañana, porque tú eres *The River*», el roquero evangélico se aventuró a pasar a Europa, donde el inesperado fervor llegó con un toque político. En una época marcada por la estrategia militar del presidente estadounidense durante la guerra fría, Springsteen presentó el rostro más amable de su país: el de los salvadores de la segunda guerra mundial en lugar del de los provocadores imperialistas de la tercera.

Imbuido ya de la visión de Elvis que había imaginado de niño, Springsteen se aventuró por los rincones más lúgubres de su alma para dar rienda suelta a los impulsos más oscuros en el álbum de grabación casera titulado *Nebraska*. Esta medida deliberadamente anticomercial dio más peso a la reputada crudeza que se había granjeado la estrella, lo cual parecía bastante útil durante la ascensión al éter de filigrana del estrellato global, la cual culminaría en 1984.

El nuevo álbum, titulado *Born in the U.S.A.*, marcó el comienzo de un Springsteen recreado como una especie de superhéroe del hombre corriente: físico radicalmente hercúleo, pantalones vaqueros ceñidos al muslo, camiseta blanca y pañuelo de rojo camión de bomberos adornándole la frente. Las bailables canciones del álbum brillaban con arreglos de sintetizador; además, el primer single, «Dancing in the Dark», se presentó con un glamuroso videoclip en el que figuraba una joven y bella modelo. La intención de lograr el éxito comercial no podía ser más clara, ni tampoco más certera. A finales de 1984, todo el mundo parecía saber ya lo que los fanáticos de Springsteen llevaban tanto tiempo proclamando. El álbum *Born in the U.S.A.* vendió quince millones de copias en Estados Unidos y otros tantos fuera del país; además, la demanda mundial de entradas para conciertos hizo que la gira se celebrase en multitudinarios estadios, en los cuales a veces se realizaban varias actuaciones. Demasiado grande como para ser una mera estrella del rock, Springsteen alcanzó proporciones dignas de un héroe popular. Más que en fulgurante estrella del rock o en primer ministro de la Primera Iglesia del Rock 'n' Roll, se había convertido en portavoz de la clase trabajadora, un ejemplo vivo del músculo, la determinación y el poderío estadounidenses a la antigua usanza. Y también en símbolo político reivindicado por candidatos y editorialistas de todas las posiciones del espectro. A partir de Reagan, los conservadores tomaron nota de la arrolladora melodía de la canción que daba título al álbum –«¡Nacido

en Estados Unidos!, ¡Nacido en Estados Unidos! ¡Nací en Estados Unidos! ¡Soy un papi molón rocanroleando por Estados Unidos!»– y la equipararon a un patriotismo devoto e incondicional.

Solo que era lo contrario de lo que pretendía Springsteen, ya que «Born in the U.S.A.» en realidad trataba de la incapacidad del gobierno estadounidense para ocuparse de sus veteranos de guerra, con lo que cada estribillo se cargaba de una amarga ironía mayor que el anterior. El resto del álbum *Born in the U.S.A.*, del que puede decirse que es agradable de escuchar, narra la historia en términos de fábricas cerradas, escaparates vacíos, trabajadores en paro, amantes abandonados y vidas fracasadas. Mientras tanto, Springsteen, en los conciertos de los estadios, tocaba las canciones más sombrías de *Nebraska*, con lo que trazaba una línea que unía las fechorías empresariales y políticas con las comunidades destrozadas en las que habitaban sus personajes. Y en lo relativo a presidentes, primeros ministros y gobiernos en general, Springsteen dejó claro su sentimiento al presentar su versión en directo de «War», el éxito de Edwin Starr popularizado durante la guerra de Vietnam: «En 1985, tener fe ciega en los líderes o en cualquier otra cosa puede llevarte a la muerte».

La mayor parte del tiempo, Springsteen se mantuvo alejado de temas y candidatos concretos, y, en su lugar, optó por apoyar y dirigir donaciones a bancos de alimentos locales en cada concierto. A pesar de que en 1985 colaboró con su voz en Estados Unidos con el fin de recaudar fondos para África con «We Are the World», y de que participó con el guitarrista y viejo amigo Steve Van Zandt en la protesta mucho más audaz contra el *apartheid* sudafricano con «Sun City», los impulsos políticos de Springsteen todavía ocupaban un segundo plano con respecto al compromiso para toda la vida con su arte y la elevación espiritual que siempre había buscado para este. El lanzamiento, a finales de 1986, de una colección de directos, compuesta de tres CDs o cinco LPs, fue noticia en todo el mundo y tuvo una acogida a la altura de la beatlemanía tanto por parte de comerciantes como de los ansiosos compradores.

Ese fue el fin de la carrera de Springsteen como el músico de rock más importante del planeta.

Springsteen volvió en 1987 con *Tunnel of Love*, una serie de canciones íntimas en las que celebró, diseccionó y lamentó el matrimonio que había contraído recientemente con la actriz y modelo Julianne Phillips. De nuevo en la línea de la portada del álbum, Springsteen posó vestido de vaquero citadino de gala, con las puntas plateadas de la corbata de bolo brillando junto con el chasis amarillo recio del descapotable que había detrás de él. Parecía estar a un continente de distancia de Jersey Shore (lugar en el que, en realidad, se tomó la fotografía), anticipando el camino que lo conduciría a la otra costa de Estados Unidos, mano a mano con sus compañeros de toda la vida y sin ningún sentido fijo de hacia dónde se dirigía ni por qué.

Y así llegó la década de 1990 para Springsteen: el cruzado de Hollywood Hills en busca de una batalla que librar. Batalla que había iniciado con la disolución de la E Street Band y, después, con los más de dos años que había empleado en la producción del elegante y minucioso álbum de estudio titulado *Human Touch*, el cual no tardó en verse eclipsado por la cruda colección de temas que habían estallado de él durante las siguientes tres semanas (*Lucky Town*). La gira de un año de duración con los nuevos músicos dejó a los fans tanto emocionados («¡Bruce ha vuelto!») como consternados («¿Pero quiénes son *esos* tipos?»); después, otro año de experimentación con sonidos electrónicos dio lugar a un álbum no publicado y a una canción («Streets Of Philadelphia»), que le valió un Oscar a Springsteen y le hizo volver a situarse en la parte alta de las listas de ventas de todo el mundo. Más adelante llegó el heredero espiritual de *Nebraska*, el austero *The Ghost of Tom Joad*. En él, el artista se viste con un atuendo académico y lo ciñe de duras narraciones acerca de los parias del suroeste con una bibliografía en la que se cita a los autores y publicaciones que le sirvieron de inspiración. Aunque, como siempre, la empatía y los instintos morales y artísticos de Springsteen parecían puros, un fan de toda la vida escribió lo siguiente: «Estoy seguro de que no le hizo falta leer ningún periódico para componer "Born to Run"».

Al final, el camino que Springsteen había tomado le condujo otra vez a Nueva Jersey y, después, a la E Street Band, cuya gira de reunión, celebrada en 1999, se dejó sentir como la recuperación de una institución estadounidense, hasta el punto de que se publicaban insustanciales imágenes de los ensayos en los periódicos, y el anuncio tuvo cobertura en las revistas del país y en los telediarios de todo el mundo. Paradójicamente, este paso atrás devolvió a Springsteen su vigencia cultural. Además de proseguir con su continua búsqueda en pos de la comunión del rock 'n' roll (recientemente descrita en el nuevo tema con el que cierra los conciertos titulado «Land of Hope and Dreams»), Springsteen fue noticia a mediados del año 2000 gracias a la presentación de «American Skin (41 Shots)», un canción de duelo por la muerte accidental de un inmigrante africano a manos de agentes del Departamento de Policía de Nueva York. La canción dio lugar a cierta controversia política en Nueva York, pero cuando los terroristas atacaron la ciudad y el resto de la nación el 11 de septiembre de 2001, el álbum de Springsteen titulado *The Rising* llegó al público con la fuerza de un monumento nacional. Además, el hecho de que fuera de los primeros en apoyar la campaña presidencial de Barack Obama sigue considerándose como un punto de inflexión en su carrera.

Springsteen no ha dejado de trabajar durante los últimos quince años: ha revisitado el rock con la E Street Band, ha compuesto canciones meditabundas y pesimistas en solitario (*Devils & Dust*), ha tocado canciones populares de porche con la Seeger Sessions Band (llamada así por el álbum tributo a Pete Seeger para el cual grabó su primera canción), ha vuelto a la vertiente principal del rock y un largo etcétera. El discurso y la actuación de Springsteen en el South by Southwest (SXSW) –la más importante

congregación de rock alternativo estadounidense– de 2012 dominaron el festival y le abrió las puertas a una nueva generación de admiradores al calor de *Nebraska* y a todas las visiones y pesadillas más allá de los márgenes y que acechan en sus demás álbumes.

La presencia habitual de Springsteen durante años en las celebraciones anuales del Rock and Roll Hall of Fame, en el que ingresó en 1999, le ha llevado a afirmar un estatus que va más allá de la leyenda y lo sitúa en la esfera de lo supralegendario: el roquero laureado del mundo libre. Y, sin embargo, todo eso suena muy pretencioso y petulante. El último *objetivo* del rock 'n' roll es desestabilizar las instituciones y hacer añicos sus leyendas. Incluso a sus sesenta y ocho años, Springsteen sigue manteniendo esta llamada a las armas latente en las entrañas.

«¡A por ello, jóvenes músicos, a por ello! Abrid los oídos y el corazón. No os toméis demasiado en serio, y tomaos tan en serio como a la propia muerte».

Así sonaba Springsteen, un veterano de mirada febril y curtido en la batalla, al dirigirse a todos los músicos que había ante él en el South by Southwest, y fuera de él también.

«No os preocupéis. Preocupaos por vuestros culos. Tened una confianza férrea, pero dudad: eso os mantendrá despiertos y alerta. Pensad que sois la leche y, a la vez, ¡que no valéis un pimiento! Sed capaces de albergar siempre dos ideas completamente contradictorias en el corazón y en la cabeza. Si eso no os vuelve locos, os hará más fuertes».

Estaba, por supuesto, dirigiéndose también a sí mismo. Otro álbum acababa de ver la luz; estaba a punto de comenzar otra mastodóntica gira mundial. Y lo que era más apremiante es que tenía que dar un concierto en unas horas.

«Y seguid firmes, hambrientos y vivos. Y cuando salgáis al escenario esta noche a hacer ruido, tratadlo como si no tuvierais otra cosa. Y en ese momento recordad que es solo rock 'n' roll».

LA CASA DE NUEVA JERSEY

«LA GENTE PENSABA DE MÍ QUE ERA RARO PORQUE SIEMPRE TENÍA ESE GESTO. PENSABA EN COSAS, AUNQUE SIEMPRE ESTABA EN EL EXTERIOR CUANDO MIRABA HACIA EL INTERIOR».

BRUCE SPRINGSTEEN, 1979

1949

23 de septiembre: nace Bruce Frederick Springsteen en el Long Branch Hospital, Long Branch, Nueva Jersey; es el primogénito de Adele y Doug Springsteen.

1951

Invierno: nace Virginia (Ginny), la primera de las hermanas de Bruce. Doug y Adele dejan su pequeño apartamento y se van a vivir con los padres de él, Fred y Alice, a Randolph Street, Freehold.

1954

Octubre: Doug y Adele adquieren su propia casa en Institute Street, Freehold.

1955

Otoño: Bruce entra en la escuela primaria St. Rose of Lima, Freehold.

h. 1956

Inspirado por la actuación de Elvis Presley en *The Ed Sullivan Show*, Bruce asiste a algunas clases formales de guitarra acústica.

1961

Julio: Adele lleva a sus hijos a ver una actuación de Chubby Checker en Steel Pier, Atlantic City.

1962

8 de febrero: nace Pamela, la segunda hermana de Bruce. Fred y Alice Springsteen fallecen con una diferencia de pocos meses.
Noviembre: la familia Springsteen se traslada a una casa alquilada más grande en South Street, Freehold.

1963

Otoño: Bruce entra en la Freehold Regional High School.

1964

Enero: «I Want to Hold your Hand», de los Beatles, reaviva sus ambiciones musicales.
Verano: compra su primera guitarra acústica y empieza a aprender en serio.
25 de diciembre: por Navidad le regalan su primera guitarra eléctrica, una Kent de 60 dólares.

1965

Primavera: se une a su primer grupo, The Rogues, y actúa en público por primera vez, en Freehold Elks Club, aunque no tarda en perder su lugar en la banda.
Junio: pasa a formar parte de The Castiles como guitarrista principal.
Verano y otoño: The Castiles perfeccionan sus habilidades en una serie de conciertos de baile locales que les organiza su representante, Tex Vinyard.

1966

18 de mayo: The Castiles graban su primer y último single, «Baby I»/ «That's What You Get».
Otoño: Springsteen conoce a Steve Van Zandt, guitarrista del grupo rival The Shadows.

1967

19 de junio: a Springsteen le prohíben que participe en la fiesta de graduación de la escuela secundaria por tener el pelo demasiado largo.
Septiembre: entra en el Ocean County Community College, cerca de Toms River.
22 de octubre: Bart Haynes, el que fuera el primer batería de The Castiles, muere en acto de servicio en Vietnam.

1968

h. invierno: tras quedarse embarazada, Ginny contrae matrimonio con su novio, Michael *Mickey* Shave.
Invierno: Springsteen sufre contusiones en un accidente de motocicleta.
Comienzos de agosto: una gran incautación de drogas en Freehold hace que se detenga a la mayoría de los miembros de The Castiles (aunque no al propio Springsteen), lo que conlleva la inmediata disolución de la banda.
10 de agosto: Earth, el nuevo grupo de Springsteen, debuta en Le Teendezvous, New Shrewsbury.

1969

14 de febrero: la última actuación de Earth tiene lugar en la Italian American Men's Association Clubhouse, Long Branch.
23 de febrero: una *jam-session* de madrugada en el Upstage Club, Asbury Park, desemboca en la formación de Child, la nueva banda de Springsteen, en la cual militan también Vini Lopez (batería), Danny Federici (teclados) y Vinnie Roslin (bajo).
Febrero-marzo: Carl *Tinker* West, empresario del mundo del surf, se convierte en representante de Child y les cede un espacio para que ensayen en su fábrica.
2 de abril: la primera actuación de Child se celebra en un club de Wanamassa llamado Pandemonium.
Junio: Doug y Adele (junto con Pamela) se trasladan a San Mateo, California, por lo que Springsteen se queda solo en la casa familiar de Freehold hasta que los compañeros de banda Lopez y Federici se mudan con él.
15-17 de agosto: Child se compromete a tocar tres noches en Student Prince, Asbury Park, lo que impide que la banda acepte la invitación para participar en el festival de Woodstock.
Septiembre: una vez finalizados los meses de alquiler de la casa familiar que ya estaban pagados, Springsteen, Vini Lopez y Danny Federici se trasladan a la fábrica de tablas de surf de West.
Comienzos de noviembre: tras conocer la existencia de otro grupo llamado Child, los miembros de la banda deciden un nuevo nombre: Steel Mill.
31 de diciembre: la banda se dirige hacia el oeste para tocar en la fiesta de Nochevieja con la que se cierra la década de 1960 en el Esalen Institute, uno de los centros contraculturales más importantes del gran sur californiano.

1970

13 de enero: se publica en el *San Francisco Examiner* una crítica muy favorable de la actuación en The Matrix, San Francisco, que llama la atención de Bill Graham, el más importante promotor musical de la ciudad.

Febrero: Graham le ofrece a Steel Mill un contrato con su discográfica, pero la banda, poco dispuesta a ceder los derechos de publicación, lo rechaza.

18 de febrero: Springsteen conoce a Nils Lofgren en el legendario Fillmore West, San Francisco.

24 de febrero: antes de volver a la Costa Este, Steel Mill da el último concierto de su gira californiana en el College of Marin de Kentfield.

28 de febrero: Vinnie Roslin participa en su última actuación con Steel Mill, celebrada en la Free University, Richmond, Virginia.

27 de marzo: la banda toca en Hullabaloo, Richmond, con Steve Van Zandt al bajo para suplir la ausencia de Roslin, a quien habían obligado a que abandonara la banda hacía poco.

Agosto: Springsteen invita a Robbin Thompson, cantante principal de la banda amiga de Jersey Shore llamada Mercy Flight, a que se una a Steel Mill y comparta las tareas de *frontman*.

29 de agosto: la banda hace de telonera de Roy Orbison en el Nashville Music Festival.

Comienzos de septiembre: Vini Lopez, que se encontraba en el sitio equivocado en el momento equivocado, es arrestado en una gran redada antinarcóticos en Richmond.

11 de septiembre: Steel Mill da un concierto benéfico en el Clearwater Swim Club, Atlantic Highlands, Nueva Jersey, para recaudar fondos para la defensa de Lopez. La actuación casi desemboca en una revuelta.

Comienzos de octubre: Lopez sale de prisión y se une de nuevo a la banda.

1971

23 de enero: Steel Mill da su concierto de despedida en el Upstage.

Febrero-marzo: Springsteen hace una selección de músicos para una nueva banda. Rechaza a Patti Scialfa como corista porque solo tiene diecisiete años.

27 de marzo: los nuevos músicos para la «banda festiva» llamada Bruce Springsteen & The Friendly Enemies dan un único concierto como telonera de The Allman Brothers en el Sunshine In, Asbury Park.

14 y 15 de mayo: con el nuevo nombre de Dr. Zoom and the Sonic Boom, la gran banda de Springsteen ofrece otras dos actuaciones, una en el Sunshine In y la siguiente en el Newark State College de Union, Nueva Jersey.

10 de julio: tiene lugar la primera actuación de los nueve miembros de la Bruce Springsteen Band, la cual se celebra en el Nothings Festival del Brookdale Community College.

11 de julio: el concierto de la banda como teloneros de Humble Pie en el Sunshine In tiene tal éxito que se tiene que convencer a los cabezas de cartel para que no se marchen sin tocar.

4 de septiembre: Springsteen conoce a Clarence Clemons, con el que realiza *jams* cuando la Bruce Springsteen Band y el grupo de Clemons –Norman Seldin and the Joyful Noyze– dan conciertos en clubes cercanos de Asbury Park.

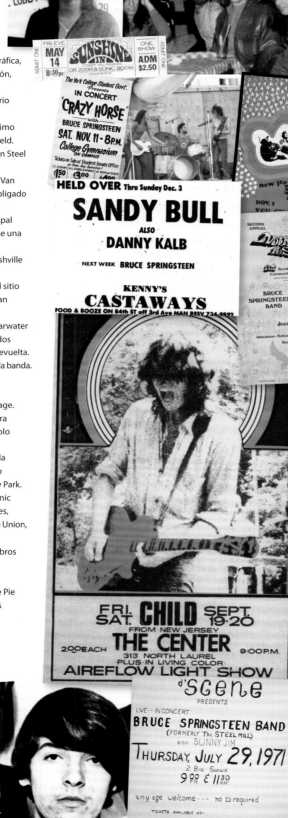

Al principio, todo músico tiene su momento de génesis".

Bruce Springsteen estaba de pie tras un atril, en el escenario del salón de baile de la cuarta planta de un centro de convenciones en Austin, Texas. Tenía sesenta y dos años; era un icono haciendo un trabajo que a veces tal título requiere. Estaba pronunciando un discurso. Para ser exactos, el discurso inaugural de la conferencia de música de la edición de 2012 del South by Southwest. Con las mangas de su camisa de vestir azul remangadas para ponerse manos a la obra, abordó tres historias inseparables: la suya, la del rock 'n' roll y la de Estados Unidos. «El mío tuvo lugar en 1956, cuando vi a Elvis en *The Ed Sullivan Show*».

Elvis. El muchacho blanco y pobre de Mississippi que tomó el góspel, el rhythm and blues y el blues –es decir, la música negra–, los mezcló con el country, contoneó las caderas y marcó un hito cultural. Elvis hizo que el mundo se dividiera en dos bandos. O se estaba con él o contra él. Y, con todo, la elección podía acabar dinamitada, tal y como sucedió con Sullivan, quien dijo que Elvis jamás actuaría en su programa… hasta que le pagó 50.000 dólares para que lo hiciera.

«Fue la noche en que me di cuenta de que un hombre blanco podía hacer magia, que una persona no tiene por qué estar limitada por la educación que haya recibido, el aspecto o el contexto social que le oprimiese. Se podía recurrir a los propios poderes de la imaginación y crearse un yo transformador».

No es que ese «yo transformador» fuese parte del vocabulario de Springsteen en 1956 (ni en 1957, el otro año que el cantante ha señalado como fecha en la que se le presentó el primer destello de grandeza ante los ojos). Para un niño de seis o siete años sentado delante de un televisor en blanco y negro, Elvis debía de resultar sobre todo algo muy divertido. Elvis era efusivo y no se parecía a nada de lo que había en el mundo de Springsteen, el cual, por aquel entonces, estaba limitado a unas pocas manzanas de la ciudad obrera de Freehold, Nueva Jersey.

«El sur empobrecido que Elvis conocía tomaba su fuerza de la comunidad», señalaba Greil Marcus en *Mystery train: imágenes de América en la música rock & roll*. Dicha comunidad, según Marcus, estaba «organizada por la religión, la moral y la música».

Del mismo modo que el sur había influido en Elvis, Freehold lo hizo en Springsteen desde el momento de su nacimiento, el 23 de septiembre de 1949. El espíritu alegre, la inquietud, la oscuridad y el ímpetu que definen a Springsteen fueron sus inseparables compañeros de infancia.

Veintidós años antes de que naciera Springsteen, la hermana mayor de su padre, Virginia, fallecía en un accidente de tráfico. Tenía cinco años; Douglas Springsteen apenas dos. El dolor de Fred y Alice, los padres de Doug, hizo que este estuviera descuidado al principio, por lo que acabaron mandándolo con unos familiares para que cuidaran de él.

Al volver a casa, pudo comprobar que su familia había caído en la desesperación y el abandono. Doug acabó por abandonar la escuela, conseguir un trabajo en la fábrica y, después, enrolarse en el ejército, con el que fue a la segunda

«LAS IDEAS DE TODOS CAMBIARON POR COMPLETO DESPUÉS DE AQUELLO [DE ELVIS]: DE LAS RAZAS, DEL SEXO, DE LAS DESCRIPCIONES DE GÉNERO, DEL ASPECTO QUE SE PODÍA TENER O DE QUÉ SE PODÍA LLEVAR».

Bruce Springsteen, 2011

guerra mundial como conductor de camiones, hasta volver a Freehold en 1945, donde no hizo gran cosa. Al menos hasta que conoció a Adele Zerilli. Le llamó la atención. «No podía quitármelo de encima», comentó ella en una entrevista no publicada de 2011. En ese sentido al menos, Doug dejó entrever parte de la determinación que caracterizaría a su hijo.

Adele tenía su propia historia. Se había criado con relativa comodidad gracias a su padre, Anthony, un carismático y desenfadado abogado. Pero dos acontecimientos truncaron esa comodidad: la Depresión y la condena por malversación de fondos que llevó a Anthony a la prisión de Sing Sing.

Con todo, el abogado compró una pequeña casa antes de que se conociera la sentencia. Sus tres hijas vivieron en ella, se las arreglaron lo mejor que pudieron y mantuvieron intactas sus joviales personalidades. Bailar ayudaba. Siempre estaban bailando.

La alegría de Adele y los demonios de Douglas contrajeron matrimonio en febrero de 1947. Él comenzó a trabajar en una

Página 15: con la vista puesta en un futuro mejor, 1971.

Superior izquierda: en un tiovivo con su hermana Ginny, 1954.

Superior: fotografía del anuario de su último año en la Freehold Regional High School, 1967.

fábrica de Ford y ella encontró empleo como secretaria.
Nació Bruce y, menos de dos años después, su hermana
Ginny. Agobiados por la falta de espacio, se trasladaron a la
vieja y desvencijada casa de Fred y Alice en Randolph Street,
casa que Bruce compararía en una canción no publicada
con el título de «Randolph Street» con imágenes de la
segunda guerra mundial. La única fuente de calor procedía
de una vieja estufa que silbaba cuando Bruce le disparaba
con una pistola de agua. Allí, el «amor era una locura»,
tal y como cantaría en la mencionada canción.

Bruce se convirtió en una figura sustituta de la hija que
Fred y Alice habían perdido tantos años atrás. En Randolph
Street era él el que recibía más atención. Casi todo lo que
se hacía era por él, y él podía hacer casi todo lo que quería.

Aunque el trabajo de Adele, así como el objetivo con el
que se desempeñaba, era estable, el resto de los adultos
en la vida de Bruce iban a la deriva por el mundo. El trabajo
de Doug iba y venía. Fred, un electricista al que se menciona
en «Randolph Street» como «maestro en el arte de la
electricidad», buscaba radios estropeadas que arreglaba
para después venderlas.

A esta mezcla hay que añadirle la religión, procedente
de la cercana iglesia católica. Bodas y funerales. Sombras
y luces. «Todo emanaba una sensación de terror, misterio,
poesía y poder de la que, aunque estaba mucho más allá de
la comprensión –dijo Springsteen en el escenario en 2005–,
uno se empapaba de todos modos». Él se empapaba de todo.

Antes de Elvis, en la cocina había una radio que captaba
emisoras de Nueva York y Filadelfia. El du-duá y el sonido
«de las medias de seda frotándose en la tapicería del asiento
trasero», según le contaba al público del South by Southwest.
Esta era la música que se podía oír en gasolineras,
automóviles, billares y fábricas.

Había canciones nuevas tales como «Purple People Eater»
y «They're Coming to Take Me Away, Ha-Haaa!», deliciosa
comida basura musical. En 1961, la familia Springsteen
fue a Atlantic City para ver cómo interpretaba Chubby
Checker «The Twist». Ese mismo año, la fábrica de alfombras
en la que trabajaban Doug y tantos otros de Freehold se
trasladó a Carolina del Norte.

Aparecieron Roy Orbison y Johnny Cash. Después
lo hizo Bob Dylan. Phil Spector se convirtió en sinónimo
de su «wall of sound» («muro de sonido»). La música soul
encendió la imaginación. «Era una música de transpiración
y demandas bañadas de placer y respeto –comentaba
Springsteen–. Era música para adultos, cantada
por hombres y mujeres afroamericanos,
no por ídolos adolescentes».

Cuando uno anhela alguna otra cosa,
algo más –aun cuando no se sabe de qué
se trata exactamente–, no puede permitirse
el lujo de dejar pasar nada.

El año 1964 se inauguró con los
Beatles en el programa de Ed Sullivan
y se cerró con la proyección de *T.A.M.I.
Show* en los cines. Teenage Awards Music
International contó con la presencia
de Chuck Berry, The Beach Boys, Jan

and Dean, Marvin Gaye, The Supremes, Smokey Robinson,
The Rolling Stones y el celebérrimo James Brown,
un Brown que arrasaba y daba lo mejor de sí mismo.

«Basta con verlo para saber todo lo que hace falta saber
–dijo Springsteen de la actuación de Brown–. Prácticamente
es cierto que no hace falta saber nada más».

Mientras tanto, sumido en una gran preocupación por
los niños de Estados Unidos que esta nueva forma de arte
estaba quizás descarriando, el FBI abrió una investigación
en torno a The Kingsmen y su versión del éxito «Louie
Louie».

En su dormitorio, guitarra en mano, analizando sus
movimientos frente al espejo, Springsteen no se cansaba
de ensayar. Practicaba una y otra vez y, después, volvía a
practicar de nuevo. Se unió a su primer
grupo, The Rogues. Dio un concierto en el
Freehold Elks Club. La actuación se abrió
con una versión del «Twist and Shout» de
los Beatles. A Springsteen lo echaron poco
después de este concierto. Practicó más.
Se incorporó al que fue su segundo grupo,
The Castiles (cuyo nombre tomaron de
una famosa marca de champú). Querían
que aprendiese más como guitarra solista.
Se fue a casa y comenzó a practicar.
Aprendió *muchísimo* acerca de la guitarra
solista.

Extremo superior: «¿Es que no eres
más que un sabueso […]?».

Superior: el incomparable James
Brown ilumina el *T.A.M.I. Show,*
diciembre de 1964.

Izquierda: Springsteen fue uno
de los asombrados espectadores
que presenciaron la invasión de
los hogares estadounidenses que
llevaron a cabo los Beatles en *The Ed
Sullivan Show* en febrero de 1964.

Rock'n Roll - Rhythm'n Blues

"The Castiles"

Management:
Gordon Vinyard

After 5 P.M.
(201) 462-6107

Era el año 1965. La intervención de Estados Unidos en Vietnam estaba aumentando. Dylan se pasó a la instrumentación eléctrica en el Newport Folk Festival. The Animals publicaron el éxito «We Gotta Get Out of This Place».

«Aquella fue la primera vez que oía de la radio algo que reflejaba mi vida cotidiana y mi infancia», declaró Springsteen.

Gordon *Tex* Vinyard –cuya casa colindaba con la de Bart Haynes, batería de la banda– se convirtió en mentor y representante de los Castiles. El grupo se dedicó sobre todo a realizar versiones, tales como «Hold On, I'm Comin'», de Sam and Dave, o «Fire», de Jimi Hendrix, aunque también otras como «In the Mood», de Glenn Miller.

En 1966, los Castiles grabaron dos canciones propias –«Baby I» y «That's What You Get»–, escritas entre Springsteen y George Theiss, que era el otro guitarrista del grupo. Tocaban donde conseguían una actuación: en colegios, en supermercados, en un club de natación, en el Elks Club, en una pista de patinaje, en un *psiquiátrico* y en el Café Wha? de Greenwich Village.

Springsteen se hizo un hueco en el mundillo y fue haciendo amigos y reclutando a futuros colaboradores. Entre ellos, Steve Van Zandt, con el que podía pasarse toda la noche discutiendo acerca de un cambio de acorde o de tono. No existe ninguna historia mítica acerca de cómo se conocieron. Tenían, sencillamente, demasiadas cosas en común como para no acabar conociéndose. Van Zandt, como casi todo el mundo, percibió en Springsteen la combinación de talento y determinación que le permitiría traspasar los estrechos confines de Nueva Jersey.

Los cambios de trabajo y de humor definieron el comportamiento de Doug. Cuando llegaba la noche, se dedicaba a beber cerveza y a fumar sentado en la oscuridad de la cocina, donde la única luz procedía del cigarrillo. Cruda imagen de la torturada soledad. Cuando no estaba distante, se dedicaba a lo que muchos otros padres: preguntarse en qué estaría pensando su hijo.

En cuanto a Adele, Springsteen la retrataría algunos años después en la canción no publicada «Family Song»: «Mi madre es un arcoíris que ha venido a dar un descanso a las nubes de tormenta».

La brecha generacional entre el estoicismo de los que vivieron la segunda guerra mundial y la libertad espiritual de su progenie no se dejó sentir menos en los Springsteen ni en su ciudad.

A comienzos de 1968 Springsteen se vio involucrado en un accidente de motocicleta que le dejó contusiones. Su madre contrató a un abogado para que presentara una demanda civil contra el otro conductor implicado. Con objeto de preparar a Springsteen para el juicio, su padre llevó a un peluquero al hospital para que le cortase el pelo, anécdota que en el futuro contaría el cantante en el escenario. Aquel verano, la policía de Freehold realizó varias redadas por la ciudad a la caza de chicos de los que sospechaban que estaban consumiendo drogas.

La violencia de la época era igualmente ineludible. En 1967, Haynes había sido asesinado en Vietnam. En abril de 1968 habían matado a Martin Luther King en Memphis, la misma ciudad en la que se había gestado la leyenda de Elvis. Los disturbios comenzaron en agosto durante la Convención Nacional Demócrata de Chicago. La cultura dio un enorme sprint en el que los más jóvenes trataban de poner la mayor distancia posible entre ellos y sus padres, los cuales no estaban dispuestos a dejar que corrieran. La tensión podía notarse en el ambiente.

«El hecho es que fue el mayor cambio de paradigma del mundo –dijo Van Zandt en el año 2011–. El mayor. En mi opinión, dentro de cinco siglos, la historia se dividirá entre lo anterior y lo posterior a la década de 1960. En serio. Todo cambió».

Los miembros de los Castiles hacían lo mismo que los demás adolescentes. Se fueron distanciando y, al final, se separaron. Earth, el efímero *power trio* de Springsteen al estilo de Cream, fue el siguiente paso. Earth tocaba canciones heavy largas e improvisadas, y Springsteen, gracias a las miles de horas de

«[LOS CASTILES] EMPEZAMOS COMO UN PEQUEÑO GRUPO DE GREASERS DE FREEHOLD Y DESPUÉS NOS SEPARAMOS; ESTAMOS HABLANDO DE 1967, CUANDO TODOS ÉRAMOS HIPPIES Y LLEVÁBAMOS EL PELO LARGO».

Bruce Springsteen, 2011

Izquierda e inferior: en mayo de 1966, como miembro de los Castiles, Springsteen grabó su primer single, «Baby I»/ «That's What You Get».

Derecha: prueba un sonido más heavy con Steel Mill, h. 1970.

práctica, comenzó a ganarse la fama de dios de la guitarra de Nueva Jersey.

Era el año 1969 cuando Springsteen llegó al Upstage Club de Asbury Park y preguntó si podía conectar la guitarra. Muchos años después, en el Austin desbordante de músicos por el SXSW, lo rememoraría como «el sueño húmedo de un adolescente aficionado a la música». En 1969, ese sueño era el Upstage. Abría tarde y permanecía abierto hasta aún más tarde. Era el lugar donde se iba a improvisar después de la actuación. Rebosaba energía.

Springsteen subió al escenario y dejó ver su fuerza. Los músicos se congregaron a su alrededor y comenzó la improvisación. Aquella noche surgió el que sería un nuevo grupo, formado por el batería Vini *Mad Dog* Lopez (que impulsó la creación de la banda al ver el potencial de Springsteen) y el teclista Danny Federici.

La formación adoptó el nombre de Child, aunque acabó por conocerse como Steel Mill. A excepción de algunos meses del verano de 1969 después de que los padres de Springsteen y Pamela, la segunda hija, se fueran a vivir a California dejando pagados algunos meses de la casa de Freehold, el grupo vivió y ensayó en una tienda propiedad del que era su nuevo representante, Carl *Tinker* West. Lopez actuaba como contacto entre el grupo y el representante. West era, literalmente, un genio –ingeniero científico, para ser más exactos– y una persona muy exigente. La regla era esta: si se estaban fabricando tablas de surf en una habitación, el grupo tenía que irse a tocar a otra. Sin ningún tipo de problema.

Unos trabajaban y otros escribían. Canciones largas, canciones heavy. Rock progresivo, rock sureño, rock que te agarraba del cuello y te zarandeaba. Temas de tono épico y envolvente, como la canción de desamor «The Wind and The Rain», que podía llegar a durar veinte minutos, explotaban contra la multitud en oleadas. Con todo, no era más que un simple éxito pop si se compara con «Garden State Parkway Blues», cuya ejecución se aproximaba a la media hora. El tema deja ver los tempranos intereses de Springsteen por las cuestiones relacionadas con la clase trabajadora; además, hace referencia a la caótica y mortal actuación de The Rolling Stones en Altamont en 1969 al mencionar a Sonny Barger –uno de los fundadores de los Hells Angels (Ángeles del Infierno)– y un palo de billar con refuerzos de plomo.

Fotografía principal: Child actúa en un festival del Día Nacional del Trabajo en la playa de Long Branch, 1 de septiembre de 1969.

Recuadro: tras disolver Steel Mill a comienzos de 1971, Springsteen formó varias bandas más grandes, entre ellas Dr. Zoom and the Sonic Boom.

«The War is Over» era una taciturna canción contra la guerra de las que parecían escribirse ellas solas por aquella época. No importaba que Springsteen fuera una rata costera apolítica. El paso de los años se encargó de moldear su arte.

Sea como fuere, las letras eran secundarias. El poder de atracción residía en la energía y en la ambición de la música que tocaba Steel Mill; es decir, en la energía y en la ambición de Springsteen. Y atraían a miles de personas. West les conseguía a un público cada vez más numeroso, y Springsteen se convirtió en una estrella del rock. Llenaron salas de conciertos de la Costa Este. Pusieron rumbo al oeste, se dirigieron a San Francisco y realizaron una audición ante Bill Graham. Hicieron de teloneros de Grand Funk Railroad, Chicago y Black Sabbath. Acompañaron a Roy Orbison en un festival de Nashville. Como se habían comprometido a dar un concierto en Asbury Park, tuvieron que rechazar la invitación para tocar en Woodstock.

Incluso sufrieron su propio *incidente*. En septiembre de 1970, la policía local irrumpió en medio de la actuación de Steel Mill en el Clearwater Swim Club.

«Seguimos sin saber todavía si se trató de una revuelta, un alboroto o un caso de reacción exagerada por parte de la policía ante una amenaza real o imaginaria de los jóvenes asistentes al concierto», declaraba el semanario *Courier*.

Federici, quien empujó una torre de altavoces sobre la policía para luego darse a la fuga –lo que le valió el apodo de The Phantom, «el Fantasma»–, terminó buscado por agresión. En el pie de una fotografía de Van Zandt, puede leerse una nota que dice lo siguiente: «Su madre estaba allí».

Aunque ahora pueda parecer divertido al verse impreso –el libro que publicó en 2006 Robert Santelli con el título de *Greetings from E Street: la historia de Bruce Springsteen y The E Street Band* incluye una reproducción–, en aquel momento el episodio resultó perturbador. Después de esto, Springsteen comenzó a dar más conciertos en solitario, a la vez que albergaba ideas creativas de mayor envergadura. Tras un viaje vacacional a California para visitar a su familia, Springsteen regresó a Nueva Jersey, disolvió Steel Mill y montó la Bruce Springsteen Band.

Vini Lopez siguió a la batería. Van Zandt, que había asumido la función de bajista en Steel Mill, volvió a la guitarra. David Sancious tomó el relevo a los teclados (Federici quedó fuera) y Garry Tallent se encargó del bajo. Con todo, Springsteen no se quedó aquí. Incorporó instrumentos de viento y coros.

Mientras preparaba esa banda, también creó Dr. Zoom and the Sonic Boom, un grupo formado por casi todo el elenco de personalidades de la música que había reclutado en los últimos años. En esa banda se incluía un cantante llamado John Lyon, el cual acabaría por conocerse por su apodo, Southside.

A pesar de que la Bruce Springsteen Band era muy buena –a la energía de Steel Mill se le sumaron las florituras jazz, funk y soul en canciones en las que comenzaban a apreciarse ciertos cambios narrativos–, también devoraba grandes cantidades de dinero. Aun cuando se vio obligado a reducir la banda para que pasase de diez a cinco miembros, no consiguió público.

Era difícil repetir el poderío y la popularidad de Steel Mill; además, Springsteen seguía buscando su talento –¿compositor, guitarrista, líder del grupo, miembro de la banda?– y tratando de averiguar qué quería ser.

«En aquel momento tuve que tomar una decisión –comentó Springsteen en 2011–. Opté por ser la voz que suena en *Greetings from Asbury Park*».

«NO PODÍA CREERME LO BUENO QUE ERA. VINI [LOPEZ] Y YO NOS MIRAMOS. ESTÁBAMOS PENSANDO LO MISMO: TENÍAMOS QUE CREAR UN NUEVO GRUPO, Y SPRINGSTEEN TENÍA QUE FORMAR PARTE DE ÉL».

Danny Federici, 2006

Página siguiente, fotografía principal: The Big Man se alza en Los Ángeles Coliseum antes del último concierto del Born in the U.S.A. Tour, celebrado el 7 de octubre de 1985.

Página siguiente, recuadro: la puerta sigue en las bisagras, 1978.

THE BIG MAN SE UNE A LA BANDA

Hubo un día en el que Clarence Clemons no existía.
Al día siguiente, se montó la E Street Band. ¿Que es
una simplificación? Pues sí. ¿Tiene sentido guiarse
por una cronología? No mucho. Pero ¿de verdad queremos
conocer los pormenores de la noche en la que Clemons
se unió a la banda? ¿Es que no nos merecemos un poco
de magia?

Puede que Bruce Springsteen y Steve Van Zandt
estuvieran solos en el paseo marítimo, refugiados
contra el frío, cuando una figura misteriosa surgió de la
nada como cortando ese frío. «Y, lo que era peor, eran
las cuatro de la madrugada y, aunque no estaba seguro,
Steve dijo que no le cabía ninguna duda de que llevaba un
saxofón», comentaba Springsteen en 1975 al rememorar
el encuentro.

Metafóricamente hablando, eso podría explicar la
calidez que aportó Clarence Clemons a la música.

«La historia de verdad es la mejor», comentaba
Clemons durante la promoción en 2009 de la autobiografía,
semiverídica y semificticia, titulada *Big Man: Real Life & Tall
Tales* («The Big Man: la realidad y las exageraciones»),
biografía en la que puede leerse «Clarence Clemons
es Clarence Clemons».

También en esta versión se trataba de una noche oscura
y tormentosa en la que el viento aullaba a las puertas del
Student Prince de Asbury Park. Clemons, que se encontraba
allí para conocer al personaje llamado Springsteen del
que no dejaba de oír hablar, abrió la puerta cuando
un viento noreste la desencajó de las bisagras y la dejó
en mitad de Kingsley Street.

Este hecho hizo que Clemons, que había sido jugador
de fútbol americano, quedase junto a la entrada con su
saxofón perfilado por el relámpago, como si el trueno
hubiese anunciado la aparición del músico.

«Así fue exactamente como sucedió», comentaba.

¿Por qué habría de querer nadie saber más? Aunque
Springsteen insiste en que fue así como ocurrió,
en el prólogo del libro de Clemons reconoció que
los «meros hechos nunca trascienden los misterios
de The Big Man».

GREETINGS FROM ASBURY PARK, N.J.

1973

«AL ACABAR EL DÍA, PENSABA QUE LO QUE ESTABA HACIENDO EN SOLITARIO ERA MÁS INTERESANTE. HABÍA UNA VOZ MÁS ORIGINAL».

BRUCE SPRINGSTEEN, 2011

1971

Otoño: Tinker West deja de ser el representante de Springsteen, no sin antes presentarle a Mike Appel.

Diciembre: Springsteen escribe nuevo material, entre el que se encuentra «It's Hard to Be a Saint in the City», durante una visita a su familia en California.

1972

Febrero: toca sus nuevas canciones ante Mike Appel y su socio productor, Jimmy Cretecos, los cuales le ofrecen de inmediato ser sus nuevos representantes.

Marzo: firma con Laurel Canyon, la recién creada compañía de representación de Appel y Cretecos.

2 de mayo: realiza una audición para John Hammond, el legendario miembro de Columbia A&R.

9 de junio: Appel y Cretecos firman un contrato de grabación entre Laurel Canyon y Columbia mediante el cual se subcontratan los servicios de Springsteen.

Julio-septiembre: tiene lugar la grabación de *Greetings from Asbury Park, N.J.* en 914 Sound Studios, Blauvelt, Nueva York.

5 de julio: la Bruce Springsteen Band da un concierto benéfico en 1972 a favor del candidato demócrata a la presidencia de Estados Unidos, George McGovern, en el Cinema III de Red Bank, Nueva Jersey.

21 de octubre: Clarence Clemons da su último concierto con Norman Seldin e inmediatamente se une a la banda de Springsteen, la cual aún no tiene nombre.

Octubre: Danny Federici se vuelve a unir a Springsteen, con el que no había tocado con regularidad desde la época de Steel Mill.

28 de octubre: la nueva alineación da su primer concierto en el West Chester College de Pensilvania.

7 de diciembre: el grupo da un concierto especial en la capilla de la prisión de Sing Sing.

1973

5 de enero: se lanza el álbum *Greetings from Asbury Park, N.J.* (Estados Unidos: n.º 60; Reino Unido: n.º 41).

Página 27: con una fajo de nuevo material, Springsteen dio el salto del escenario al estudio sin que le temblase el pulso.

Derecha: Springsteen tomó esta postal de Asbury Park en sus buenos tiempos y convenció a John Berg, jefe de diseño de Columbia, para que la usase en el que sería un álbum de debut.

El nombre de Bruce Springsteen apareció por primera vez en la revista *Rolling Stone* el 15 de marzo de 1973. Hacía más de dos meses que se había lanzado el disco debut del cantante, *Greetings from Asbury Park, N.J.*, que ni siquiera se mencionó.

Springsteen aparece en la sección «Random Notes» como mención marginal a las noticias acerca de John Hammond, «director de Adquisición de Talentos en Columbia Records», quien sufrió un infarto después de que Springsteen tocase en el neoyorquino Max's Kansas City.

Hammond declaró a *Rolling Stone* que era culpa del exceso de trabajo y de una infección que había contraído en París. «Sin embargo, su médico no estaba de acuerdo. Sostuvo que la causa fue el entusiasmo de Hammond durante el concierto de Springsteen».

Sirva esto de ejemplo de una de las tónicas dominantes de aquel año: aunque Bruce Springsteen generó toda suerte de habladurías, su disco quedó en un segundo plano.

Publicado el 5 de enero de 1973, *Greetings* se proclamaba con orgullo un álbum de Nueva Jersey. La portada consistía en la reproducción de una colorida postal que Springsteen había encontrado en Jersey Shore. En la contraportada, enmarcado como si de un sello se tratara, figuraba la fotografía de un desaliñado Springsteen del cual no podía decirse si sonreía o estaba apretando los dientes. No queda claro. En el interior, los sonidos de la aventura, el amor y el desamor dan forma al circo montado junto a la orilla (con una o dos excursiones a la gran ciudad).

A modo de introducción, Springsteen intentó unir a todos los que había conocido, todo lo que había hecho y todo lo quería ser en «Blinded by the Light», el festivo tema con el que empieza el disco y que sería el primer single. Músicos locos, tentadoras y tempestuosas mujeres (una con un padre de gatillo fácil), gruñonas y autoritarias figuras, todo tipo de bufonadas y toda la ambición de Springsteen se amontonaban en la canción y salían en tropel en cuanto la aguja tocaba el surco del vinilo.

«Quería que la luz me cegara –dijo en una entrevista de 2005 para el programa *Storytellers* de la VH1–. Quería hacer cosas que no hubiera hecho, ver cosas que no hubiera visto. Fue el sueño de cualquier joven músico».

En el otoño de 1971, mientras la Bruce Springsteen Band intentaba encontrar su público, Tinker West se llevó a Springsteen a Nueva York para que conociera a Mike Appel y a Jimmy Cretecos. Aunque West se había apartado de sus funciones como representante, como todos en el mundo de Springsteen, creía en el músico y quería ayudar.

West se puso en contacto con un amigo, el cual le mencionó a Appel y Cretecos, compositores contratados en Pocketful of Tunes, una discográfica que, entre otros proyectos, se encargaba de crear las canciones para el exitoso programa de televisión *The Partridge Family*. Intentaban diversificarse. Estaban buscando talento.

«LAS PRIMERAS CANCIONES SURGEN EN UN MOMENTO EN EL QUE SE COMPONE SIN LA CERTEZA DE QUE ALGUIEN LAS VAYA A ESCUCHAR. HASTA ENTONCES, UNO ESTÁ SOLO CON SU MÚSICA. ESTO SOLO SUCEDE UNA VEZ EN LA VIDA».

Bruce Springsteen, 1998

West concertó una cita con ellos y se llevó a Bruce a la ciudad. Springsteen se sentó con su guitarra acústica y tocó dos canciones para Appel –«Baby Doll» y «Song to the Orphans»–, ambas extraídas de su repertorio como cantautor. No estaban escritas para que sonaran entre el ruido nocturno de un sudoroso bar. Eran canciones de cafetería, nacidas del estilo compositivo al que había llegado en la búsqueda de una voz propia y en detrimento del éxito económico que, aunque pequeño, le había proporcionado una relativa comodidad en la época de Steel Mill.

«Fue la primera vez que no lo hacía con una visión económica –dijo Springsteen en 2011–. Sencillamente, me sentía donde debía estar. Aquello fue lo mejor que podía ofrecer».

Aunque Appel quería oír más, se quedó suficientemente intrigado. Le pidió a Springsteen que siguiera componiendo.

West y Springsteen se prepararon para ir a California durante las vacaciones. Los demás miembros inactivos de la Bruce Springsteen Band decidieron trasladarse a

Izquierda: John Hammond, el legendario hombre de Columbia A&R que recomendó a Springsteen a la discográfica con la que el cantante ha publicado siempre desde entonces.

Derecha: en la audición que ofreció Springsteen en 1972, lo que emocionó a Hammond fue la energía que desprendía con la guitarra acústica y la poesía de sus letras.

Virginia, donde ya tenían un público fiel de la época de Steel Mill y donde sus nombres poseían cierto peso.

Springsteen y West se separaron en la Costa Oeste, tras lo cual el primero comenzó a trabajar, yendo incluso tan lejos como para buscar músicos de la zona y barajar la posibilidad de irse a vivir allí. Cuando a mediados de enero regresaron a Nueva Jersey, había compuesto varias decenas de canciones, de entre las cuales solo unas pocas se habían concebido con el grupo en mente. Los intereses de su espíritu y su bolígrafo se dirigían al trabajo en solitario.

Compuso «Randolph Street», donde narra la vida en la casa de Fred y Alice. En una especie de secuela, «Family Song» se enfrentó a los malos tiempos y abrazó la época favorable que llegó tras la mudanza de su familia a la Costa Oeste. «Podría decirse que hizo falta California para acercarnos», canta Springsteen en este tema.

«Two Hearts in True Waltz Time», «Saga of the Architect Angel», «Visitation at Fort Horn» y «Street Queen», entre otros, son títulos que por sí mismos insinuaban los cortometrajes que parpadeaban en la imaginación de Springsteen.

Springsteen telefoneó a Appel en febrero, volvió a Manhattan y se sentó de nuevo con su guitarra. En aquella ocasión tuvo un efecto similar al de la primera noche del Upstage en la que Springsteen conectó el instrumento y detuvo el tiempo.

Appel apartó de su mundo todo aquello que no tuviera relación con Bruce Springsteen. El compromiso de Appel era puro, total y grandilocuente.

A finales de 1972, con objeto de alabar ante Peter Knobler y Greg Mitchell, periodistas de la revista *Crawdaddy!*, la actuación de Springsteen en la prisión de Sing Sing –en la cual el abuelo del cantante había pasado un tiempo–, describió a Bruce como «una combinación de Bob Dylan, Chuck Berry y Shakespeare». Jesús debió sentirse excluido. Aunque, por otro lado, también dijo: «Siempre me consideré como Juan el Bautista, como si estuviera anunciando la llegada de Bruce al mundo», tal y como figura en el libro que publicó Dave Marsh en 1979 con el título de *Born to Run: The Bruce Springsteen Story* («Nacido para correr: la historia de Bruce Springsteen»).

El cantante regresó con el grupo para dar unos cuantos últimos conciertos, tras lo cual, sin fanfarria ni actuación de despedida, se convirtió en un artista en solitario.

Appel se puso manos a la obra y empezó por la cúspide de la pirámide. Básicamente, lo que hizo fue abrirse paso hasta el despacho de John Hammond, un logro nada despreciable. Este había descubierto a Billie Holiday, Benny Goodman y Bob Dylan. Appel se sirvió de ello como punto de partida. «¿Fuiste tú el que descubrió a Dylan? ¿Crees que sabes de música? Pues mi chico es mejor».

«EL INVIERNO ANTERIOR ESTUVE COMPONIENDO COMO UN POSESO. EL PANORAMA ERA EL SIGUIENTE: NO TENÍA DINERO, NINGÚN SITIO AL QUE IR Y NADA QUE HACER. NO CONOCÍA A MUCHA GENTE. HACÍA FRÍO Y COMPONÍA MUCHO. ADEMÁS, ME SENTÍA MUY CULPABLE SI NO LO HACÍA».

Bruce Springsteen, 1973

Un dudoso punto de partida, aunque al menos era un comienzo. Appel actuó de ese modo.

A Hammond no le gustó mucho Appel. A Springsteen no le agradó mucho la exageración. A pesar de todo, lo que vino después le gustó a todo el mundo.

Springsteen agarró una guitarra acústica con el mástil roto e interpretó «It's Hard to Be a Saint in the City», la historia de un chico de barrio repleta de yuxtaposiciones en la que la autoconfianza va dando paso poco a poco al delirio arrebatado. El protagonista es «el rey de los callejones» y «el príncipe de los pobres». En un verso habla de cómo las chicas «se echaron atrás y dijeron: "¿No os parece guapo aquel hombre?"», mientras que, en el otro, un tullido mendiga dinero y piedad. El diablo aparece con el aspecto de Jesús mientras la calle hace que el personaje se dirija al metro, donde las cosas son peores. La canción adquiere un ritmo claustrofóbico del que parece que el chico nunca va a poder escapar. Hasta que lo hace, con lo que el tema vuelve al punto de partida como un soplo de aire fresco.

Tras haber conseguido la atención de Hammond, Springsteen regresó al día siguiente, grabó un par de demos y, poco tiempo después, Clive

Página anterior: backstage en Max's Kansas City en Nueva York, 1973.

Izquierda: Mike Appel (*centro*) con su joven protegido y con Clive Davis, director de Columbia. Springsteen dijo lo siguiente de Appel: «Necesitaba a alguien que tuviera cierta locura en la mirada, ya que esa era mi forma de abordar las cosas».

Davis, director de Columbia, ya formaba parte de su legión de admiradores. En medio de un gran papeleo legal que tendría repercusiones más adelante, Laurel Canyon Ltd., la empresa que habían montado Appel y Cretecos, llegó a un acuerdo con Columbia. Springsteen grabaría para Columbia a través de Laurel Canyon.

Y Springsteen lo haría como cantautor en solitario, o al menos eso creían. Eso es lo que los hombres de negocios habían visto y oído. Existe un vídeo de septiembre de 1972 en el que aparece Springsteen en el escenario de Max's Kansas City. Aunque de torpes maneras, brilla y sonríe mientras comienza «Henry Boy», de la que había prestado algunos compases y la melodía para «Blinded by the Light». Su forma de tocar, aun con una guitarra acústica, es eléctrica, lo cual puede advertirse también en las demos de Columbia publicadas en 1998 en el box set titulado *Tracks*. Rebosan demasiada energía para tratarse tan solo de un cantante folk.

Comprometido y con un disco por grabar, Springsteen se pronunció. Necesitaba una banda, pero no valía cualquiera. No quería músicos de sesión. Necesitaba a *su* banda con todo su desmadejado esplendor. «Éramos como una banda de vagabundos de Nueva Jersey», afirmó Tallent en *Bruce*, la biografía de 2012.

Tallent recibió una llamada para que se encargase del bajo. David Sancious asumió el piano y el órgano, mientras que Lopez volvió a tomar las baquetas. Hay que señalar la ausencia de Van Zandt, a quien le dijeron que no le necesitarían tras el primer día de grabación en 914 Sound Studios. Era el mes de julio. En agosto entregaron el álbum a la CBS y a Davis, que lo devolvió: no había en él material que se pudiera lanzar como single.

Springsteen regresó a Asbury Park y se volvió a instalar en su apartamento, situado sobre un salón de belleza abandonado. Escribió «Blinded by the Light» y «Spirit in the Night», la historia de una aventura de madrugada de camino a Greasy Lake, coprotagonizada por la que entonces era su pareja, Diane Lozito (que aparece con el nombre de Crazy Janey) y por un elenco de personajes con apodos típicos, tales como Hazy Davy, Wild Billy, Killer Joe y G-Man.

Springsteen regresó al estudio (donde esta vez también se encargó del bajo y el piano) con Lopez y con Clarence Clemons al saxo. Una vez estuvieron satisfechos, Columbia publicó el álbum y presentó a Bruce Springsteen al mundo.

Greetings supuso un compromiso tanto entre la discográfica y el artista como consigo mismo. Aunque puede que Springsteen hubiera tenido que componer en solitario para hallar su propia voz, y que fuera esta la que agradara a Columbia, no había ninguna razón para detenerse allí.

Cuando en «Growin' Up», Springsteen dice haber encontrado «las llaves del universo en el motor de un viejo automóvil aparcado», lo que hace es sugerir que tiene al alcance de la mano todo aquello que necesita. Sin dejar esta metáfora, el cantante tuvo que desmontar el motor para, después, volver a reconstruirlo de nuevo.

«Spirit in the Night» y «Blinded» ponen de relieve el papel de Clemons como bujía; además, entre los relatos que Springsteen acabó por entretejer al tocar versiones extendidas de «Growin' Up», hay uno en el que él y Clemons

«CREO QUE TAMBIÉN ESTABA MUY INMERSO EN LA ÉPOCA, UN HOMBRE SOLO CON SU GUITARRA Y SUS CANCIONES; ESTABA EN MEDIO DE UNA REINVENCIÓN DE MÍ MISMO».

Bruce Springsteen, 2011

realizan un viaje místico en lo que podría haber sido el automóvil en cuestión.

«Mary Queen of Arkansas» y «The Angel» suponen la introducción de la temática escapista; la segunda de estas canciones, además, es la primera en la que Springsteen hace patente su preocupación por el tráfico. «La interestatal está atascada de hordas nómadas», canta sobre una triste línea de piano. Oscura y solitaria, «The Angel» lleva impresas las cicatrices del tiempo y describe a un protagonista que sigue «las señales de un punto muerto en las llagas».

«For You» y «Lost in the Flood» son los puntos álgidos del álbum. En «Lost in the Flood», donde aparecen monjas embarazadas corriendo por las salas del Vaticano, «suplicando la inmaculada concepción», se entreveran imágenes católicas y de índole bélica. «Aquel hermano americano puro, de ojos apagados y sin rostro», canta Springsteen.

«For You» es una balada acerca del suicidio en la que el creciente apasionamiento vocal de Springsteen se va adecuando a la letra: «Así que te fuiste a buscar una razón mejor que por la que vivíamos». Se trata de un momento desesperado, eco de lo que podría haber sido en «Mary Queen of Arkansas» y de su exclamación en primera persona: «Pero no nací para vivir para morir».

«Does this Bus Stop At 82nd Street?» es una cándida visión de Nueva York en la que el sexo y el misterio quedan al otro lado de la ventana.

Springsteen volvió a aparecer en la *Rolling Stone* el 26 de abril de 1973, esta vez con cierta profundidad, en un artículo titulado «Bruce Springsteen: It's Sign Up a Genius Month» («Bruce Springsteen: se abre el mes de los genios»), en el que seguía sin mencionarse el disco que había lanzado.

Aunque Springsteen había firmado como cantautor, en el momento de entrar en el estudio su sonido comenzaba a expandirse y su grupo iba tomando forma.

«NI ME GUSTA NI SE PUEDE SOPORTAR. LO QUE QUIERO DECIR ES QUE ME OFENDE CUANDO ALGUIEN LO DICE».

Bruce Springsteen acerca de que lo llamasen «el nuevo Dylan», 1973

«Está mucho más allá, mucho más adelantado de lo que estaba Bobby cuando llegó a mis manos», comentaba Hammond, alimentando la campaña de marketing que la discográfica ya había puesto en marcha al comparar a Springsteen con Bob Dylan.

Dylan era, al fin y al cabo, la influencia más ineludible. Cuando finalmente se publicó una reseña de *Greetings* en *Rolling Stone*, Lester Bangs advirtió influencias de The Band y Van Morrison. La crítica fue ambivalente: Bangs dijo que la forma de cantar de Springsteen sonaba a «algo parecido a Robbie Robertson en Quaaludes con Dylan vomitándole en la nuca». Aunque también alabó el tremendo fraseo del cantante y cerró con un llamamiento para no pederle de vista: «No es el nuevo John Prine».

Prine había sido el nuevo Dylan más reciente. Loudon Wainwright III fue un nuevo Dylan. Elliott Murphy fue un nuevo Dylan. Era un fenómeno que abundaba. «Y el Dylan auténtico solo tenía treinta años», tal y como recordaba Springsteen en 2012.

Dylan tuvo cierta culpa de que se produjera esto. Era tan bueno, se había erigido en tal fuerza cultural que, por supuesto, la industria buscaba más versiones para poder venderlas.

Y los artistas, al igual que los que se dedicaban a buscar el beneficio económico, tampoco podían evitar su influencia. «Del mismo modo que Elvis nos liberó el cuerpo, Bob nos liberó la mente», dijo Springsteen en el discurso de 1988 con el que presentaba a Dylan en el Rock and Roll Hall of Fame.

Las letras de *Greetings* tienen una deuda innegable con la capacidad de Dylan para transformar lo aparentemente baladí en algo romántico. En el libro que publicó Dylan en 2004 con el título de *Crónicas*, el autor esboza la visión de una ventisca desde una ventana: un chico que quita la escarcha de la luna de un automóvil, un sacerdote «con una sotana púrpura [...] entrando en el patio de la iglesia», una mujer llevando la colada por la calle.

«Había millones de historias, la mera cotidianeidad neoyorquina las proporcionaba con solo interesarse por ella —escribía—. Siempre delante de uno, entremezclada, por lo que había que desmadejarla para darle sentido».

Greetings está repleto de tales deconstrucciones. Desde la ventana de aquel autobús, Springsteen podría haberse limitado a ver otro cine porno sin detalles. Pero, en su lugar, vio «mujeres corrompidas en VistaVision», y eso es antes de que Mary Lou «remonte los cielos montada en un giroscopio».

Aunque tenían similitudes, no eran iguales. Volvamos a 1965, cuando Dylan se sentó frente a los periodistas en un estudio de televisión de San Francisco y se dedicó a jugar con los asistentes a la conferencia de prensa. Los periodistas se esforzaban por sonsacarle, pero Dylan insistía en que no era más que un hombre que cantaba y bailaba. Puede que sí o puede que no. Uno de los grandes talentos que siempre ha tenido Dylan ha sido su carácter esquivo, que siempre le ha permitido abordar lo que ha querido, ya fuera para bien, para mal o con indiferencia.

Springsteen nunca había protagonizado ningún episodio de indiferencia, y tampoco lo ha hecho desde entonces. Puede que *Greetings* fuera un compromiso, pero se realizó al servicio de una idea más amplia. Sabía quién era y hacia dónde se dirigía. Lo único que no estaba claro del todo era el camino exacto que debía seguir. Mike Appel, John Hammond, Clive Davis y Columbia Records contrataron a un cantautor solista, papel que Springsteen podía desempeñar.

«Pero en realidad era un lobo disfrazado de cordero», declaró.

Cuando en enero de 1973 se lanzó *Greetings*, su creador fue uno de los pocos que consiguió una copia.

THE WILD, THE INNOCENT & THE E STREET SHUFFLE

1973

«CUANDO LANZAMOS EL SEGUNDO ÁLBUM, LES DIJE QUE HABÍA LLEGADO LA HORA DE HACER RUIDO. A TODOS LES PARECIÓ MUY BIEN».

BRUCE SPRINGSTEEN, 2011

1973

Febrero: el primer single de Springsteen, «Blinded by the Light»/ «Spirit in the Night», no entra en las listas de ventas.

5 de febrero: David Bowie ve a Springsteen tocar en el neoyorquino Max's Kansas City. Ese año, se convierte en el primero en grabar versiones de sus temas («Growin' Up» y «It's Hard to Be a Saint in the City»).

Febrero-marzo: la banda realiza una pequeña gira por la Costa Oeste.

Mayo: despiden a Clive Davis (presidente de Columbia), con lo que se debilita la posición de Springsteen en la discográfica.

Mayo-junio: al hacer de teloneros de Chicago en su minigira de comienzos del verano, Springsteen saborea por vez primera lo que se siente al tocar en un gran escenario.

Mayo-septiembre: tiene lugar la grabación de *The Wild, the Innocent & the E Street Shuffle* en 914 Sound Studios.

27 de julio: Springsteen ofrece una actuación que decepciona durante una convención de Columbia en San Francisco.

28 de septiembre: se celebra en el Hampden-Sydney College de Virginia la primera actuación de lo que podría llamarse «The Wild, the Innocent & the E Street Shuffle Tour»; la gira se prolonga hasta marzo de 1975.

5 de noviembre: sale *The Wild, the Innocent & the E Street Shuffle* (Estados Unidos: n.º 59; Reino Unido: n.º 33).

Página 39: retrato de David Gahr procedente de la sesión fotográfica para la imagen de la portada.

Superior: Liberty Hall, Houston, marzo de 1974.

Derecha: «¡Vamos, todo el mundo a formar»: Clarence Clemons, Danny Federici, Springsteen, Vini Lopez, Garry Tallent y David Sancious.

A comienzos de 1973, no mucho tiempo después del lanzamiento de *Greetings*, Springsteen concedió una entrevista radiofónica en Maryland. En ella le preguntaron qué era lo que hacía la gente en Asbury Park.

«No demasiado –le dijo al locutor de la WHFS–. Nadie va ya por allí. La edad media de la gente es avanzada».

Con *Greetings*, Springsteen había establecido una relación intencional entre él mismo y Nueva Jersey con Asbury Park. Aunque su ambición fuera muy grande, no dejaba de ser un artista de Jersey Shore. Con la aparición de su siguiente álbum, iba a ampliar las fronteras. El título de *Greetings* procedía de una postal. *The Wild, the Innocent & the E Street Shuffle*, lanzado justo once meses después, tenía un tercio de Jersey Shore y los otros dos de Hollywood.

The Wild and the Innocent (*Almas inocentes*) era un *western* de 1959 con Audie Murphy en el papel de un cazador montañés llamado Yancy y con Sandra Dee como Rosalie. Ella huye de su familia y se fuga con él para dirigirse a la gran ciudad. El caos y la aventura están garantizados.

Lo demás era cosecha de Springsteen. «Quise inventar un baile que careciera de pasos exactos –decía en la colección de letras recopilada en 1998 con el título de *Songs* («Canciones»)–. El baile que se hace día y noche para salir del paso».

Lo veía por doquier: por las calles, en los bares y en las carreteras que recorría con su grupo. El propio Springsteen lo bailaba. Todos bailaban el *E Street Shuffle* («baile de la calle E»).

Springsteen basó el tema «The E Street Shuffle» en «The Monkey Time», una exitosa melodía rhythm and blues de 1963 compuesta por Curtis Mayfield, grabada por Major Lance y sin la más mínima relación con Bob Dylan. Comienza con una discusión en la que los vientos debaten quién sabe qué. Acaso sobre el viejo dilema entre la figura de cantautor y la de líder de la banda. Sea como fuere, llegan a un consenso, se produce la armonía y se da paso a un baile *funky* de guitarras eléctricas.

Y, después, entra Springsteen: «Saltan chispas por la calle E cuando los niños-profeta la recorren tan hermosos y atractivos».

El «diplomático adolescente» de «Blinded by the Light» había vuelto, aunque esta vez iba con unos amigos a los que les sobraba confianza y de los que era mejor no fiarse. «El grupo rebosa de una fresca energía», escribieron Peter Knobler y Greg Mitchell en 1973 para *Crawdaddy!*, aunque estas palabras hacían referencia a una actuación de diciembre de 1972, fecha anterior al lanzamiento de *Greetings*. «¡El *próximo* álbum va a ser increíble!», añadían.

El siguiente álbum tendría que haber cambiado todo. Y no cambió gran cosa en ningún sentido. Al menos no en apariencia.

«NO DEBES CENTRARTE DEMASIADO EN TI MISMO, LO CUAL ES FÁCIL, PORQUE LA GENTE SIEMPRE TE LO ECHA EN CARA».

Bruce Springsteen, 1973

El 17 de diciembre de 1973, una noche muy fría y ventosa en Asbury Park, costaba dos dólares entrar en el Student Prince para ver a Bruce Springsteen. Había pasado poco más de un año del concierto al que habían asistido Knobler y Mitchell y habían transcurrido unas seis semanas del lanzamiento de aquel «próximo» álbum. Sirva como ejemplo de la escasa repercusión de *The Wild, the Innocent & the E Street Shuffle* el hecho de que Springsteen y el grupo tocaran tres noches seguidas para ganar un poco de dinero para Navidad, cosa que habían hecho también en 1971.

Tras un año de bastantes conciertos en unas cuantas ciudades, sobre todo de la Costa Este –Boston, Filadelfia y Nueva York–, el público comenzó a ser más numeroso. Springsteen tocaba con tal pasión y energía que los críticos caían rendidos a sus pies. Si bien no la abandonó del todo, estaba poniendo cierta distancia entre él y la moda de los «nuevos Dylan». En el escenario era incuestionable, y no se parecía a nadie de los que tras escuchar *Greetings* se pudiera esperar.

«Colegas, lo más probable es que os estéis preguntando quién es este cantante folk vestido de una forma tan extravagante», dijo Springsteen mientras los miembros del grupo iban ocupando el escenario. El bajista Garry Tallent fue por su tuba y Danny Federici preparó el acordeón. Estaban en el Main Point de Bryn Mawr, a las afueras de Filadelfia.

Student Prince
911 Kingsley St., Asbury Park

Presents

BRUCE SPRINGSTEEN

Mon. thru Wed,
776-9837

Izquierda: un Springsteen menos meditabundo que el que se eligió para la imagen de portada.

Izquierda: Audie Murphy y Sandra Dee en *The Wild and the Innocent*, 1959.

Bromeó sobre el modo en que conoció a Federici en un concierto de Lawrence Welk, y que como le gustó tanto cómo tocaba le preguntó si quería unirse a la banda.

Springsteen hizo una pausa.

«Esta es una canción circense, como la mayoría de nuestros temas».

Todo el mundo se rio y Springsteen se arrancó con una versión temprana de «Wild Billy's Circus Story», en la que Federici lo daba todo para transformar su acordeón en un órgano a vapor y dar vida a toda la desquiciada escena (Missy Bimbo, los Zambini voladores y demás personajes).

La reaparición de Federici tenía más que ver con la necesidad que con cualquier otra cosa. Tras acabar *Greetings*, David Sancious se dirigió hacia Virginia, donde le esperaban un trabajo la grabación de su propio álbum. Con el fin de completar el grupo, Springsteen llamó a Federici, al cual había dejado al margen en la transición entre Steel Mill y la Bruce Springsteen Band.

Sin embargo, hizo falta algo más que una simple llamada telefónica para que Federici acudiera corriendo. Como explicó Robert Santelli en *Greetings from E Street: la historia de Bruce Springsteen and The E Street Band*, Federici quería saber que no iba a consumirse de nuevo, que no iba a ser otro Steel Mill.

He aquí lo que le respondió Springsteen: «Bueno, esta vez tenemos un disco que promocionar».

Salieron a la carretera con dos vehículos y dieron conciertos de varias noches consecutivas en puntos clave y con un público fiel. Brucebase, la página web que proporciona información sobre la carrera de Springsteen, deja constancia de cuatro noches en el Main Point; siete en el bostoniano Paul's Mall; cuatro en My Father's Place, Roslyn, Nueva York; cinco en Quiet Knight, Chicago; y seis en el Max's Kansas City, Manhattan.

La primera de las actuaciones en el Max's se grabó para el programa radiofónico *King Biscuit Flower Hour*. De esas grabaciones, «Bishop Danced» acabaría por formar parte de *Tracks*. Por desgracia, no incluye la introducción de Springsteen: «Es una canción un poco absurda. Trata de un obispo, su esposa y un violinista de Virginia Occidental, de cómo la hija perdió a su madre sin remedio mientras estaba en un viaje de negocios en Detroit».

El 1 de mayo Springsteen estaba otra vez en California. Esta vez en Los Ángeles, donde había llegado en avión para dar un concierto presentado por Columbia Records durante cuarenta minutos entre los teloneros, Dr. Hook & the Medicine Show, y los cabeza de cartel, New Riders of the Purple Sage. Tres de las canciones de aquella actuación aparecieron en el documental de 2005 titulado *Wings for Wheels*, que presenta un *making of* del álbum *Born to Run*.

«Thundercrack» se había convertido en el punto de partida de casi todos sus conciertos.

Escrita para la novia de Springsteen, Diane Lozito, la canción reflejaba su intensa relación. Incluso la propia presentación del tema era muy intensa. Durante uno de los conciertos del Main Point, Springsteen hizo saber desde el escenario que su novia se encontaba entre el público. «Está aquí con su hermana –dijo–. Vamos a tocar para su hermana».

En Los Ángeles, alargaban «Thundercrack» hasta tal punto que duraba más de diez minutos, momento en el que un Springsteen de ojos encendidos alardeaba a la guitarra con Lopez atronando detrás de él casi nota por nota. La cámara capta a Clemons gritando. Springsteen y Lopez se aproximan y emanan vapor. Lista para golpear, se va acumulando una especie de energía mágica. Springsteen sale del solo y se dirige hacia Clemons, le hace un gesto con la cabeza y los dos comienzan a tocar una abrasadora melodía. En momentos como ese se muestra que Springsteen no es un producto, tal y como vergonzosamente habían insinuado algunos. Lo que hace es auténtico.

A finales de mayo actúan como teloneros para Chicago la primera de las doce noches que lo harían. Se trata de grandes conciertos en cavernosos locales que se habían construido con el fin de albergar encuentros de hockey y baloncesto. Apesadumbrado por el breve tiempo del que disponían y el distraído público que congregaban como teloneros, Springsteen le dijo a Appel después de la gira que no quería volver a tocar en estadios. Tocaría

Joe's Place, Cambridge, Massachusetts, 5 de enero de 1974. Springsteen estuvo de gira en 1974, de manera incansable para conseguir fans y tocar para un público cada vez mayor.

«POR LO GENERAL, LOS GRUPOS BUENOS PROCEDEN DE VECINDARIOS Y DE LUGARES Y LÍMITES GEOGRÁFICOS MUY CONCRETOS. PENSEMOS EN CUALQUIER GRUPO QUE NOS GUSTE Y COMPROBAREMOS QUE SU HISTORIA ES EN CIERTO MODO PARECIDA».

Bruce Springsteen, 2011

en clubes o teatros, donde podría presentar su espectáculo al completo y ante gente que quisiera verlo.

Cosa que hicieron, al menos hasta el 27 de julio, fecha en la que estaba de vuelta en California. Esta vez aterrirazon en San Francisco. La ocasión era una convención de la CBS, una oportunidad para impresionar al personal al que le habían encomendado las labores de producción de *The Wild, the Innocent & the E Street Shuffle*.

Tras Edgar Winter y lo que podría haberse llamado (pero no lo fue) «Su Espectáculo de Láseres y Explosiones», Springsteen inició su actuación con la tranquila «4th of July, Asbury Park (Sandy)». En este tema, cuyo peso recae en la guitarra acústica y el acordeón, Springsteen se muestra hastiado de lo de siempre y dice que la gente va como «varada». En su anhelo de escapar a cualquier lugar y tratar de convencer a su chica para que se marche con él, Springsteen declara lo siguiente: «Esta vida de paseo marítino está acabada».

Aunque a John Hammond, que salió de la sala con frialdad, no le gustó la actuación, cuesta negar el subversivo humor de la pieza escogida. Después, en lugar de optar por la típica actuación con una canción de tres minutos, Springsteen tocó durante cuarenta, lo que le hizo perder aún más el favor del público.

Springsteen se explicó en una charla con el escritor Paul Williams en 1974 acerca de la gira con Chicago: «Tocar en grandes estadios no tenía nada que ver conmigo». Tampoco se podía esperar que el cantante se encontrase cómodo en una reunión empresarial. Tenía sus propias ideas, sus proyectos musicales y todo su mundo iba a surgir o a hundirse con ellos. Que «Thundercrack» no se incluyera en el siguiente álbum no constituía ningún problema. Si eso significaba que «The Fever», una lujuriosa y triste balada rhythm and blues tuviera que quedarse fuera del listado de temas final, que así fuera. Springsteen tenía una historia muy concreta en mente, y, a diferencia de *Greetings*, nadie iba a decirle cómo montar la banda sonora que le daría forma.

The Wild, the Innocent & the E Street Shuffle cobró forma en sesiones que se prolongaron de mayo a septiembre de

1973. De nuevo en Virginia, Sancious reunió al grupo, amplió su sonido y, de hecho, inspiró el nombre que adoptaría, ya que su madre vivía en la E Street.

Lanzado en noviembre, la *Rolling Stone* dijo del disco que se estaba tomando a sí mismo «más en serio»: «Las canciones son más largas, más ambiciosas y más románticas». Llamaba la atención la presencia de Sancious y Clemons, ya que el grupo era «en esencia, una banda de rhythm and blues en la que el toque *funky* era fruto de la herencia musical de Springsteen». El disco tenía mucho más en común con lo que había hecho la Bruce Springsteen Band que con el canturreo de cafetería que definió a *Greetings*.

La canción más corta, el baile con el que abre el álbum, tiene una duración de cuatro minutos y veintiséis segundos: demasiado para emitirse por la radio. Cuatro de las canciones superan los siete minutos, y el disco se cierra con «New York City Serenade», una pieza de casi diez minutos.

«Kitty's Back» suena como una pelea en un club de jazz provocada por una stripper (Springsteen tomó el título de una marquesina con letras móviles). Pero si Kitty suponía una vuelta a casa, el resto del disco sugiere que hay que hacer las maletas. Tanto «4th of July, Asbury Park (Sandy)» como «Wild Billy's Circus Story» son como miradas por encima del hombro a la ciudad que se está abandonando; además, en la segunda de estas canciones aparece el verso que dice: «Todos a bordo. Próxima estación: Nebraska».

Aunque «Thundercrack» fue desechada, al menos fue en favor de «Rosalita (Come Out Tonight)». Rebosante como nunca de los apodos que tanto gustan a Springsteen –Jack the Rabbit, Weak Knees Willie o Big Bones Billie–, la canción está protagonizada por un héroe decidido a liberar a su chica de los lazos paternos. Su promesa es el futuro, así como que todo será divertido cuando llegue el día. «¡Porque una discográfica me acaba de dar un gran anticipo, Rosie!», grita Springsteen.

«Incident on 57th Street» y «New York City Serenade» son bosquejos de la ciudad, guiones que esperan un desarrollo. «Incident on 57th Street» es una historia de amor

La aún no bautizada E Street Band en su hábitat natural de Jersey Shore, agosto de 1973.

a lo *West Side Story*, con un Johnny español y una
Jane puertorriqueña. Al igual que sucede en «Sandy»,
los encantos de antaño se van marchitando. Sentado en
una escalera de incendios, Johnny grita a los niños que
hay en la calle: «Eh, pequeños héroes, aunque el verano
es largo, me imagino que ya no hay dulzura por aquí».

En «New York City Serenade» se combinaron dos
canciones –«New York City Song» y «Vibes Man»– con el
fin de prolongar el segmento final del álbum. «Hay veces
en las que uno simplemente tiene que seguir andando»,
canta Springsteen.

Su mundo artístico estaba creciendo y Springsteen
superaba los límites de Jersey Shore como telón
de fondo de sus historias, si bien
no como hogar. La economía y los
disturbios de principios de la década
de 1970 se habían cobrado su precio
en Asbury Park. La ciudad estaba
cerrando. El Upstage se había
clausurado. Con independencia
de lo pensativo que apareciera
Springsteen en la portada
del álbum, la música no encajaba

en este contexto. A pesar de la terrible seriedad de
esta imagen, es la fotografía posterior la que cuenta
la historia verdadera.

Se trata de una imagen grupal en la que brillan con el
desharrapado encanto de un grupo de feriantes. Clemons
posa a la izquierda con la camisa desabrochada y un pañuelo
blanco alrededor del cuello. A su lado está Springsteen, que
lleva una camiseta de hombreras, vaqueros y unas zapatillas
Converse azules. Sancious, descalzo y sentado, parece un
músico de sesión jazz. Federici, con la camisa desabotonada
por arriba, parece que hubiera acabado de llegar tras pasar
la noche fuera. Tallent también se ha quitado los zapatos.
Por encima de todos, con una camisa hawaiana abierta
y luciendo un bigote, se encuentra
Lopez, que se parece más
a Jimmy Buffett que a un
energúmeno.

Esa era la cuadrilla con la que
Springsteen iba a hacer su música,
y no los trajeados de Columbia cuyo
apoyo no tenía garantizado (sobre
todo después del despido de Clive
Davis). Al igual que con *Greetings*,

Izquierda: con Clive Davis,
presidente de Columbia,
cuyo despido de la discográfica,
en mayo de 1973, hizo que
la carrera de Springsteen se
quedase en la cuerda floja.

Superior: Jon Landau, cuyo
artículo en *Real Paper* proporcionó
a Springsteen el impulso que
necesitaba.

Springsteen necesitaba a sus músicos, ya que conocían su música y su idioma. «Para mí era importante todo aquel localismo», dijo en una entrevista de 2011 que no se ha publicado.

Puede que la radio se hiciese eco en algún momento, o tal vez no. Springsteen iba a ir con su música de puerta en puerta si era necesario, para que la gente supiese quién era, de la misma manera que él se preocupaba por el rock 'n' roll. Tenía las piezas y las herramientas para montarlas de la forma correcta.

«Les dije que había tocado en grupos durante ocho años y unos dos o tres meses en solitario –le explicaba Springsteen a Knobler y Mitchell–. Obviaron los ocho años y se quedaron con los dos meses».

Dicha historia se narró bajo el titular «Who is Bruce Springsteen and Why Are We Saying All These Wonderful Things about Him?» (¿«Quién es Bruce Springsteen y por qué estamos diciendo estas maravillas de él?»). El propio Springsteen aún desconocía las respuestas, aunque cada vez las tenía más cerca.

En la entrevista de 1974 con Paul Williams, el cantante habló de todos los músicos con cuyos temas había crecido y cómo le parecía que todos se estancaban en lo creativo.

«En cada disco decían básicamente lo mismo y sin profundizar demasiado».

Aunque su obra había avanzado con el nuevo álbum, el peso que sentía aún se dejaba notar. El dinero escaseaba, y Springsteen se había puesto varios obstáculos adicionales en aras de la libertad creativa.

«Si no hubiera sabido que era para bien, jamás me habría empecinado con ello», declaró Tallent en 2011.

Pero los músicos *sabían* que era para bien. Lo mismo que Appel y la mayoría de personas que le apoyaban en la discográfica. Sabían que la razón estaba de su parte y que los demás no la tenían. Pelearon para que Springsteen siguiera ahí. Pelearon para asegurarse de que Columbia no se deshiciera de él tras un tercer álbum. Vieron cómo aquel peso tomaba la forma de la determinación, a lo cual respondieron del mismo modo.

Lo que les hacía falta era cierta ayuda.

No necesitaron demasiada. Bastó una mención en un periódico alternativo –*The Real Paper*– y la pluma del escritor Jon Landau, que también estaba pasando por una mala racha. Buscaba algo en lo que creer y se encontró con alguien que hacía que la gente creyera.

Inmortalizado en la contraportada del álbum, el retrato grupal de David Gahr capta a la perfección la solidaridad y el desharrapado encanto del «capitán Bruce» y su tripulación.

BORN TO RUN

1975

«EL RESULTADO FINAL, ADEMÁS
DE LA GRABACIÓN DE UN GRAN ÁLBUM,
FUE QUE HIZO EL DISCO QUE NECESITABA
EN AQUEL MOMENTO. Y ESO NO SE
CONSIGUIÓ POR CASUALIDAD».

JON LANDAU, 2011

1974

Invierno

Columbia solo adelanta el dinero para la grabación de un único single, en el que la discográfica se basará para decidir si se compromete con un tercer álbum.

Enero

Se graban las primeras versiones de «Born to Run» y «Jungleland».

Febrero

Springsteen expulsa a Vini Lopez de la banda porque el batería pierde los estribos con demasiada frecuencia; lo sustituye Ernest *Boom* Carter.

Primavera

En ese momento, el grupo pasa a conocerse como la E Street Band.

10 de abril

Springsteen conoce a Jon Landau en el *backstage* durante una actuación en el Charlie's Place, Cambridge, Massachusetts.

Mayo-octubre

Primera fase de la grabación de *Born to Run* en 914 Sound Studios.

22 de mayo

Se publica la célebre columna de Landau en la que dice que ha visto el futuro del rock'n'roll en Springsteen.

12-14 de julio

Durante los seis conciertos celebrados en tres noches en el neoyorquino Bottom Line, «Born to Run» recibe una buena acogida por parte de los conocedores de la industria musical.

Agosto

David Sancious y Boom Carter abandonan la E Street Band y los sustituyen Roy Bittan y Max Weinberg.

Invierno

Jon Landau visita a Springsteen en Long Branch y charlan acerca de las obsesiones musicales que tienen en común.

1975

Marzo

Se retoma la grabación de *Born to Run* en la Record Plant de Manhattan. Jon Landau se convierte en coproductor.

Julio

Finaliza la grabación de *Born to Run*.

20 de julio

Se celebra en el Palace Concert Theater de Providence, Rhode Island, la primera actuación del Born to Run Tour. Steve Van Zandt debuta en directo como miembro de la E Street Band.

13-17 de agosto

Otra estancia en el Botton Line provoca la emoción por el inminente lanzamiento del disco.

1 de septiembre

El lanzamiento de *Born to Run* (Estados Unidos: n.º 3; Reino Unido: n.º 17) recibe críticas favorables en todo el mundo.

16 de octubre

Robert De Niro acude a uno de los conciertos que el grupo da en el Roxy, West Hollywood, hecho al que algunos aluden como origen de la célebre frase improvisada «¿Me estás hablando a mí?», que pronunció el actor en *Taxi Driver*.

20 de octubre

Springsteen es portada de *Time* y *Newsweek* el mismo día.

18 de noviembre

Da el primer concierto fuera de Estados Unidos, en el londinense Hammersmith Odeon.

Página 51: empezar a hacer algo más grande, en el Sunset Boulevard, Los Ángeles, 1975.

Extremo izquierda: el Bottom Line, Nueva York, 1975.

Extremo superior: desvío a Pauls Valley, Oklahoma, 17 de septiembre de 1975.

Superior: Monmouth Arts Center, Red Bank, Nueva Jersey, 11 de octubre de 1975.

Izquierda: Alex Cooley's Electric Ballroom, Atlanta, Georgia, 21 de agosto de 1975.

Aunque *The Real Paper* solo era una publicación semanal, Jon Landau no era cualquier crítico. Estaba al frente de la sección de reseñas de *Rolling Stone*. Formaba parte de un grupo –integrado, entre otros, por Greil Marcus, Dave Marsh, Lester Bangs y Paul Williams– que había cimentado la crítica de rock. Además, Landau había producido discos (para MC5 y Livingston Taylor). Las discográficas tenían en cuenta su opinión. Sus palabras tenían peso, y él lo sabía.

De lo que tenía menos certeza en la primavera de 1974 era de si todo aquello tenía alguna importancia.

Springsteen tenía sus propios dilemas. «¿Qué hace uno cuando se cumplen sus sueños? –se preguntaba en el documental de 2005 titulado *Wings for Wheels: The Making of Born to Run*–. ¿Qué hace cuando no es así?».

«¿Es verdadero el amor?».

Y otro menos poético, pero más acuciante: cómo hacer frente a las deudas. «Oh, tenemos deudas de sobras», le dijo Springsteen a Williams en una entrevista realizada en 1974.

La pauta que se había establecido en 1973 no había cambiado en el momento en que se aproximaba al ecuador del año siguiente. La cantidad de público y su entusiasmo aumentaban. Hay constancia de casos en los que la influencia de Springsteen alcanzó proporciones casi epidémicas en los sectores cruciales de la comunidad. Los discos apenas se vendían y, con la excepción de ciertos mercados clave que contaban con disc-jockeys activistas, apenas si se emitían por radio. A los turbulentos conflictos internos, Springsteen tuvo que añadir la presión de estar al frente. De ser el jefe, si se prefiere.

Ninguno o casi ninguno de estos temas se le pasaron por la cabeza a comienzos de abril mientras deambulaba por los alrededores del Charlie's Place para hacer de teloneros de Chicago durante cuatro noches. En la ventana delantera estaba la entusiasta reseña que se había hecho en *The Real Paper* de *The Wild, the Innocent & the E Street Shuffle*. Springsteen se protegió del frío y se dispuso a leer: «Apasionada e inspirada fantasía urbana». Pintaba bien. ¿Batería deficiente y mala producción? Eso ya no tanto.

Uno de aquellos problemas ya se sabía solventado. Tras un altercado que había tenido lugar en febrero entre Vini *Mad Dog* Lopez y el hermano de Mike Appel, Springsteen había expulsado al primero. Ernest *Boom* Carter, amigo del pianista David Sancious, estaba ya a cargo de la batería.

Springsteen todavía tenía delante la reseña cuando una voz le preguntó qué le parecía. Era Landau, el autor de la crítica. Hablaron durante algunos minutos y siguieron haciéndolo tras el concierto. Y al día siguiente por teléfono. Springsteen quería aprender más acerca de las tareas de producción.

«Y ese fue el comienzo», diría Landau muchos años después.

El inicio de algo mucho más grande de lo que podrían haber imaginado. Y así dejaron de ser dos desconocidos, y Landau tuvo una idea para cuando Springsteen regresara a Boston el 9 de mayo para hacer de teloneros de Bonnie Raitt en el Harvard Square Theater. Dos conciertos aquella

«TODO EL MUNDO VIO REFLEJADO ALGO DE SUS SUEÑOS Y ESPERANZAS EN AQUEL DISCO».

Roy Bittan, 2005

noche y Springsteen tendría el cupo. Landau acudió al último, se marchó a casa y dejó que todo siguiera su camino.

«Son las cuatro de la mañana y está lloviendo –empezaba así Landau el escrito del que saldría la que tal vez sea la frase más famosa en la historia de la crítica de rock–. Tengo veintisiete años en la actualidad, me siento viejo, escucho mis discos y recuerdo que las cosas eran distintas hace una década».

Casi podía oírse la voz de Springsteen entonando «Thunder Road», que aún no había compuesto:

«Así que tienes miedo y piensas
que tal vez ya no eres joven».

«Cuando estudiaba en la universidad, consumí música como si fuera la fuente de la vida –escribió Landau–. [...] No sé si fue un modo neurótico o maníaco de entender la música, o tal vez algo religioso, o ambas cosas; la verdad es que no me importa».

En realidad no importaba. Cuando se tienen diecisiete años se vive despreocupado. Con veintisiete es distinto. Landau hizo de la música su mundo y llegó a convertirse en su trabajo. Tenía la enfermedad de Crohn y su matrimonio se estaba desmoronando. Ahora ténganse en cuenta los diez años transcurridos, la década que pasó entre los Beatles en 1964 y el prolongado malestar de Vietnam y el creciente escándalo Watergate de la Casa Blanca de Richard Nixon en 1974.

«Ninguno era ya tan joven», dijo Springsteen en una entrevista de 2005 para el programa *Storytellers* de la VH1.

Landau entró en el Harvard Square Theater desilusionado. Salió de él vivificado. El 22 de mayo, los lectores de *The Real Paper* pudieron leer su columna: «He visto el futuro del rock and roll, y su nombre es Bruce Springsteen. Y en una noche en la que necesitaba sentirme joven, me ha hecho sentir como si escuchara música por primera vez».

Y, de hecho, una pieza sonaba por vez primera. Springsteen desveló un versión no definitiva de una canción que partía en busca de respuestas a *sus* preguntas, una fuerte declaración

Dani Federici, Clarence Clemons y Springsteen se inclinan en el londinense Hammersmith Odeon, 18 de noviembre de 1975. Esta fue la primera actuación de la E Street Band fuera de Estados Unidos.

Retrato en pareja de Eric Meola
tomado de la sesión fotográfica
para *Born to Run*, 1975.

de principios titulada «Born to Run». Landau vio en el cantante a alguien que podía renovar todos los sentimientos de gloria que habían tenido con el rock. Había cierta pureza en la creencia de Springsteen, y «Born to Run» era incluso su expresión más pura.

Lo que escribió Landau fue «casi dickensiano, con su mistificadora alusión a la resurrección espiritual del personaje de Scrooge –señaló Dave Marsh en *Born to Run: The Bruce Springsteen Story*–, aunque hay otras versiones según las cuales lo que Landau estaba haciendo era publicidad». Lo que las otras versiones pusieron mal, casi siempre, fue el texto en sí. Incluso en la página web de Springsteen persiste el error, ya que se dice «I have seen the future of rock and roll» («He visto el futuro del rock and roll»), y no «I have seen rock and roll future» («He visto el rock and roll del futuro»). Se trata de una diferencia pequeña, pero significativa, en la lengua original.

No es que la cita textual no pudiera convertirse en un texto publicitario. Los directivos de Columbia Records leyeron la columna de Landau, titulada «Loose Ends» («Cabos sueltos») y vieron que había futuro con la promoción. Comenzaron a emitir anuncios en televisión en los que se volvía a hacer hincapié en los dos primeros álbumes mientras la voz de un hombre decía con seriedad televisiva: «el futuro del rock and roll». En el cartel en el que aparecía destacado el texto de Landau figuraba la imagen de Springsteen con aires divinos junto a un brillante cielo azul y a algodonosas nubes blancas.

Se había acabado lo del «nuevo Dylan»; Springsteen era el nuevo Salvador. Este es el tipo de aseveración que puede molestar un poco a quien recele de la publicidad. Y así sucedió. También supuso una inyección de confianza en un momento clave: justo cuando necesitaba saber que lo que hacía tenía sentido para alguien más aparte de para sí mismo.

Aquella conexión era real y estaba cargada de significado, aunque lo demás fuera marketing hasta la exasperación. A pesar de que el equipo de diseño le hiciera soñar, aquellas vacaciones de un mes de duración en la estratosfera tendrían que esperar. «Uno debe tener los pies en la tierra si va a dar el paso –le dijo al público de *Storytellers*–. No puede hacerlo desde la tierra de la fantasía».

La creación de *Born to Run* no se lo podía permitir.

Con el punto de mira al pasado de su carrera y la discográfica detrás de él, lo que necesitaba era un nuevo álbum. En *Songs*, Springsteen explicó que el título «Born to Run» se le ocurrió mientras tocaba la guitarra en su diminuta casa de alquiler de West Long Branch, Nueva Jersey. Tal vez lo viera escrito en un automóvil del circuito de Asbury Park algún sábado por la noche, o en alguna película antigua que hubieran proyectado en televisión.

La grabación de «Born to Run» comenzó en mayo de 1974 en 914 Sound, y se prolongó a intervalos hasta octubre. Y hablamos de la canción, no del álbum. «Cuando se emplean seis meses para una canción, es que hay algo que no marcha demasiado bien», comentaba Van Zandt en *Wings for Wheels*, aunque a esta aseveración le añadía una sonrisa irónica: se trata de Van Zandt, y el sufrimiento no va con él. Springsteen lo llevaba bien, o al menos lo llevaba.

«"Born to Run" fue un tema con influencias de la época dorada en la que los discos de rock contaban con una gran riqueza en los arreglos», comentó Springsteen.

El cantante quería que su voz se pareciera lo máximo posible a la de Roy Orbison, el cual, según comentó en el SXSW, era para él «el auténtico maestro del apocalipsis romántico al que uno teme enfrentarse».

Para Springsteen, la música de «Born to Run» recordaba al trabajo que había realizado Phil con su «muro de sonido» en joyas atemporales tales como «Be My Baby», de The Ronettes, y «Then He Kissed Me», de The Crystals, canción

Superior izquierda: un momento de paz poco habitual en el autobús de la gira.

Centro izquierda: Springsteen y Steve Van Zandt forman un gran equipo tanto dentro como fuera del escenario, aunque no tienen muy buen ganar. Lee Dorsey's Ya Ya Lounge, Nueva Orleans, septiembre de 1975.

Izquierda: un Big Mac en el Big Easy, septiembre de 1975.

que Springsteen había estado tocando en directo pero cambiando el pronombre *he* («él») por *she* («ella»).

«Los discos de Phil transmitían una sensación semejante al caos –dijo Springsteen en el SXSW–, de violencia recubierta de azúcar y caramelo cantada por las chicas que habían llevado a Roy Orbison de cabeza a los antidepresivos. Si Roy fuera ópera, Phil sería música sinfónica, pequeños orgasmos de tres minutos seguidos del olvido».

Ese olvido es el que temía Springsteen, el temor de que la pareja protagonista de «Born to Run» se estuviera dirigiendo a su fin. Lo único que pueden ver es un futuro en el que las posibilidades van menguando en lugar de aumentar, en el que antes de darte cuenta estás sentado en una cocina a oscuras fumando, bebiendo cerveza y preguntándote en qué momento comenzó a ir mal. Pero hay una solución: «Tenemos que salir de aquí mientras aún seamos jóvenes», canta Springsteen.

Quedan lejos los personajes del paseo marítimo con sus vistosos apodos. Solo la sencilla Wendy de siempre y el narrador sin nombre que dejan atrás el parque de atracciones, el cual se erige «atractivo y solitario», para llegar a una autopista «repleta de héroes vencidos». No están solos. Todo el mundo anda corriendo, aunque «no queda ningún lugar en el que esconderse».

Ni para ellos ni para Springsteen. Al no existir ninguna certeza de que se fuera a lanzar otro disco más, el nuevo tenía que ser *el* disco. Debía decir todo lo que Springsteen necesitaba decir. Había de captar toda la música que tenía en su mente. «Deseaba tratar este álbum como si fuera su última voluntad y testamento», dijo Landau en 2011.

Y aunque nadie lo dijo, todo el mundo lo sentía. «Born to Run» se llevó la peor parte. Springsteen escribía y reescribía la letra. Componía nota tras nota y, tras ello, se basaba en estas composiciones e iba acumulando instrumentos. ¿Glockenspiel? Glockenspiel.

El grupo dio seis conciertos tres noches de julio de 1974 en el neoyorquino Bottom Line. La discográfica hizo que asistieran sus expertos en tendencias, que quedaron impresionados. Springsteen no flaqueaba. Los ejecutivos escucharon «Born to Run» y les encantó.

Superior: grabar *Born to Run* exigió mucho más tiempo que los dos anteriores álbumes de Springsteen juntos.

«ADORABA EL SONIDO DE AQUELLA VOZ, ASÍ QUE ME DIJE: "ALLÁ VOY". AUNQUE NO LA PUDE CONSEGUIR, SÍ QUE LLEGUÉ A ALGÚN SITIO».

Bruce Springsteen
acerca de la voz de Roy Orbison, 2011

Fotografía de portada que define
el álbum, de Eric Meola (la rebelión
de la juventud en una sonrisa).

«AUNQUE HOY EN DÍA SIGO SIN TENER NI IDEA DE QUÉ SIGNIFICA, SÉ QUE ES IMPORTANTE».

Bruce Springsteen acerca de «Tenth Avenue Freeze-Out», 2005

Springsteen no flaqueaba. Sancious anunció que dejaba la banda para grabar su propio disco y que Carter se iba con él. Aunque Springsteen seguía sin flaquear, tuvo que hacer audiciones para buscar a miembros nuevos.

Tras responder al anuncio que habían publicado en *Village Voice*, el batería Max Weinberg y el pianista Roy Bittan se convirtieron en las últimas incorporaciones de la E Street Band. Ambos daban conciertos desde que eran pequeños. A Weinberg le habían educado desde que era niño para que vistiese bien y fuera puntual. No sabía nada de la reseña en la que se anunciaba que Sprinsgteen era «el futuro del rock and roll» y llevó una batería básica a la audición. Lo eligieron por ese motivo y por su habilidad para seguir a Springsteen. Se dio cuenta al instante de que *todos* seguían a Springsteen y de que este era pura seriedad. «Jamás antes había presenciado tal sensación de seriedad», dijo Weinberg en 2011.

Bittan ya había visto antes a la E Street Band y, como le pasaba a casi todo el mundo, había salido impresionadísimo del concierto. «Sabía hacia dónde iban –señaló–. Noté que necesitaban ser algo más que un grupo de rock 'n' roll».

Gracias a estas nuevas incorporaciones, la E Street Band se convirtió exactamente en eso. Sancious y Carter eran «gatos del jazz» dados al eclecticismo, el estilo y la improvisación. Weinberg y Bittan realzaban aún más la figura de Springsteen.

Siguieron dando conciertos. Tenían facturas que pagar. Springsteen se esforzaba en la composición. «Resulta más difícil porque es más personal», le confesó al crítico Robert Hilburn durante un receso de la gira en Los Ángeles aquel verano.

Las primeras versiones de «Jungleland» comenzaron a hacerse un lugar en el escenario. A comienzos de 1975, el grupo tocó una canción titulada «Wings for Wheels», la cual se convertiría más adelante en «Thunder Road». Springsteen volvió al estudio finalmente en marzo, aunque no a 914 Sound.

Springsteen y Landau habían hablado mucho desde que se conocieron. Landau fue cobrando más importancia en la carrera del cantante, de lo cual es reflejo que el grupo fuera a grabar a un estudio mejor, el neoyorquino Record Plant, donde se pusieron manos a la obra de una forma obsesiva. Landau acabó por asumir parte de la tarea de producción junto con Springsteen y Appel.

Van Zandt se volvió a unir al grupo cuando un día, tumbado en el suelo mientras oía la sección de viento de «Tenth Avenue Freeze-Out», le dijo francamente a Springsteen que, en su opinión, era lamentable. Cuando le desafiaron a que lo hiciera mejor, Van Zandt se levantó de un brinco y lo hizo. En el acto.

Se acercaba la fecha del comienzo fijado para el Born to Run Tour en julio, aunque no deja de ser un pequeño milagro que nadie despedazase todos los calendarios por la frustración. Cuando llegó julio, el grupo estaba grabando en varios estudios. Agotados y nerviosos, trabajaron durante setenta y dos horas hasta montarse en la furgoneta que los llevaría a Providence, Rhode Island, para dar el primer

concierto de la gira. Clemons tan apenas había acabado su parte de «Jungleland» antes de salir por la puerta.

Nunca antes se había visto una furgoneta llena tan estimulante. Estaban preparados. ¿O no? Es muy conocida la historia según la cual el ingeniero Jimmy Iovine llevó una copia de prueba a Springsteen durante la gira y a este, al parecer, le disgustó tanto que la lanzó a la piscina y amenazó con romper el álbum. «¿Por qué sufrimos las personas? –se preguntaba en *Wings for Wheels*–. Porque tenemos que hacerlo». Appel y Landau comenzaron a trabajar, le calmaron y solo entonces lograron acabar uno de los mejores discos de rock de todos los tiempos, y el más importante de la carrera de Springsteen.

Born to Run trata de «una noche de verano infinita», tal y como dijo Springsteen en *Wings for Wheels*. A lo largo de los años, lo ha descrito en muchísimas ocasiones como una invitación. En el año 2009, subido a un escenario en Detroit en el que iba a tocar el álbum entero, dijo lo siguiente: «Fue el principio de una conversación para toda la vida que he tenido con vosotros y que vosotros habéis tenido conmigo».

El impacto comenzó con la fotografía de la portada, tomada por Eric Meola. Ataviado con una cazadora de cuero negra, con una Fender Esquire Telecaster de la década de 1950 (que no tardaría en convertirse en imagen emblemática) colgada baja y con una insignia de Elvis en la correa, tiene reminiscencias que van de Marlon Brando a James Dean. Apoyado en el hombro de Clemons, su sonrisa encarna la rebeldía juvenil. Con todo, es algo más que una sonrisa.

Hay admiración. Hay amistad. Y tampoco hay que olvidar el componente racial de la composición. «La amistad y la narración que se encuentran en la complicada historia de Estados Unidos comienzan a tomar forma, y ya hay música en el aire», escribía Springsteen en el prefacio al libro que publicó Clemons en 2009 con el título de *Big Man*.

La historia se desvanece en «Thunder Road», canción cuyo título procede de un filme de 1958 protagonizado por Robert Mitchum. El escenario podía ser tanto Jersey Shore como cualquier otra parte del país. «La puerta de tela metálica da un golpe, el vestido de Mary ondula». ¿Quién no reconoce ese sonido? Ese sonido es el mismo en Kansas que en California. La cosa es simple: Mary puede pasarse el verano «rezando en vano» o meterse en el automóvil e ir a dar una vuelta. «Es una ciudad llena de perdedores, y la voy a dejar para triunfar», canta Springsteen. La música está cada vez más alta y el saxofón de Clemons parece capaz de anular cualquier obstáculo que pudiera interponerse en el camino.

«Tenth Avenue Freeze-Out» narra la historia de la banda: Scooter (encarnación de Springsteen) estaba completamente solo hasta que «los cambios llegaron a la parte alta de la ciudad y The Big Man se unió al grupo». ¿Que qué pasó después? Pues que los dos iban a «partir la ciudad por la mitad». ¿Que a qué hace alusión el título? Springsteen nunca lo ha explicado, y la verdad es que tampoco importa.

«Nights» explota con energía en su expulsión de las frustraciones del día. Durante las horas de trabajo,

Superior: la E Street Band en pleno apogeo durante la Born to Run Tour.

«se es prisionero de los sueños». Bajo el manto de la oscuridad, surgen las posibilidades y el misterio.

«Backstreets» sigue siendo una de las canciones más destacadas de Springsteen: se trata de una historia de amistad, traición e inocencia juvenil que, desgraciada e inevitablemente, choca con el mundo real («Bueno, después de todo descubrimos que somos como los demás»). Desprende calor y lágrimas, y ni siquiera emana un soplo de brisa con el que calmar las emociones.

«Born to Run» marca el comienzo de la cara dos, con Carter abriendo camino a los demás miembros del grupo. «She's the One» parte de un ritmo a lo Bo Diddley y le aplica una maraña de lujuria y emociones más complejas. Sí: ella miente. Sí: a él le gustaría dejarla. No: no lo va a hacer. Hubo un tiempo en el que «su amor pudo salvarlo [...] de la amargura». No va a dejarla tan fácilmente.

Aunque la de «Meeting Across the River» es una historia que Springsteen podría haber contado mucho antes en su carrera, en *Born to Run* figura con una duración de menos de tres minutos y medio. Los dos protagonistas de la canción, uno de ellos vapuleado y en las últimas, y el otro necesitado de algo que le convenza, intentan ser algo que no son. «Cámbiate de camisa, que esta noche iremos con estilo», canta Springsteen.

Es evidente que necesitaba el espacio de «Jungleland», una última epopeya de nueve minutos y medio acerca de la guerra de las calles. Aunque el vistoso apodo Magic Rat puede relacionarse con el estilo de los anteriores trabajos de Springsteen, la imagen de la «chica descalza sentada en el capó de un Dodge mientras bebe cerveza tibia bajo la suave lluvia del verano» es uno de los hitos de sencillez y belleza que alcanzó como letrista.

Lester Bangs, el que había escrito opiniones ambivalentes en *Rolling Stone* acerca de *Greetings*, hizo una reseña de *Born to Run* para *Creem*. «En una época de miseria y deseo subestimado, la música de Springsteen resulta majestuosa y apasionada, sin ambages», señaló Bangs.

Greil Marcus publicó en *Rolling Stone* la que tal vez sea la segunda frase más célebre sobre Springsteen. He aquí lo que dijo sobre *Born to Run*: «Es un magnífico álbum que sale ganador de todas las apuestas; un Chevrolet del 57 que circula sobre discos derretidos de The Crystals y que acalla todas las críticas que puedan haberse hecho [contra su autor]».

Springsteen fue portada de *Time* y *Newsweek* en octubre. Van Zandt, encantado, compró muchos ejemplares. Al verla, Springsteen se marchó a su habitación de hotel.

Time enfocó el reportaje de forma directa y se centró en la historia y en la música de Springsteen, así como en su lugar como «nueva sensación del rock». *Newsweek* optó por narrar la aparición de Springsteen. El titular era «Making of a Rock Star» («El nacimiento de una estrella del rock»). Aunque *Born to Run* había vendido 600.000 copias y había alcanzado el tercer puesto en las listas de ventas de *Billboard*, como bien decía el artículo, la discográfica había invertido 200.000 dólares en su promoción y calculaba emplear otros 50.000 en lo que quedaba de año.

«VER A UN AMIGO EN *TIME* O *NEWSWEEK* ES ALGO COMPLETAMENTE SURREALISTA».

Steve Van Zandt, 2011

La maquinaria publicitaria funcionaba. No era ningún ente abstracto. Tras conseguir más actuaciones en Botton Line para agosto, la maquinaria llevó a Springsteen a Los Ángeles a mediados de octubre para una serie de conciertos en el Roxy, los cuales estarían repletos de estrellas y profesionales de la prensa musical. *Newsweek* se refirió a estos conciertos como «la investidura oficial», expresión atípica para una historia acerca del rock 'n' roll.

Springsteen era plenamente consciente de lo que estaba pasando y de quién estaba o no estaba entre el público. «No hay nadie de *Billboard* esta noche», comentó mientras el grupo arrancaba con «Spirit in the Night». Parecía tranquilo. Bromeó acerca de llevarse el cartel oficial en un camión de vuelta a Nueva Jersey para colocarlo delante de su casa y presumir de él ante alguna exnovia.

Pero la fama no es ajena a las leyes de la física. A cada acción le sigue una reacción opuesta y de la misma intensidad. «Aquí, en el Medio Oeste –escribió Bangs en su reseña para *Creem*–, donde, hasta ahora, Springsteen ni siquiera había tocado, se puede oler el crujiente contragolpe como de goma quemada en el aire».

Desde el otro lado del Atlántico, Andrew Tyler se encargó de la crítica en nombre del *New Musical Express*. También asistió a los conciertos de Los Ángeles antes mecionados. Springsteen no le impresionó. «Su armónica suena tan tonta como la de Dylan» y la «voz de Springsteen, nudosa y desafinada», y así sucesivamente. Tyler, que daba a Springsteen seis meses de vida o bien que se convirtiera en uno más del montón, se despidió de sus lectores con una ominosa nota del propio cantante: «Solía tener la sensación de tenerlo todo siempre bajo control, aunque ahora no lo tengo tan claro».

FINALLY. LONDON IS READY F
BRUCE SPRINGSTEEN
AND THE E STREET BAND

ODEON

AL FIN. LONDRES ESTÁ PREPARADA PARA...

«Desde los "muy" deseados cielos de nuestro primer vuelo transatlántico descendimos hacia... el infierno, como no tardaría en descubrir», escribió Springsteen en 2005 con motivo de la edición en DVD del concierto del 18 de noviembre de 1975 celebrado en el londinense Hammersmith Odeon.

Si la maquinaria publicitaria que hacía ruido en Estados Unidos estaba desgastando a Springsteen, le rompió cuando pisó Europa por primera vez. Miró hacia una marquesina –«Al fin. Londres está preparada para Bruce Springsteen y la E Street Band»– y tuvo bastante.

Dar la bienvenida a un invitado no consiste en que se luzca en una fiesta. Springsteen arrancó y rompió los carteles que le proclamaban «el futuro del rock and roll» que cubrían las paredes. Arrancó los folletos promocionales de los asientos. Después, salió al escenario de una sala repleta de un público que parecía decir «Enséñanos qué es lo que tienes».

En 1999, el escritor Eric Alterman describió el concierto como «casi comatoso». Así es como se explicó el evento, y durante mucho tiempo incluso, según recuerda Springsteen, no tocaron bien. La grabación no dice lo mismo. «Thunder Road» abre el concierto con un Springsteen estático como una estatua y abrigado con una chaqueta de cuero negro y un gorro de ganchillo.

Después, Clemons se desliza hacia la introducción de «Tenth Avenue Freeze-Out», ataviado con un sombrero y un traje blancos y una flor roja en la solapa. Springsteen lanza una sonrisa furtiva a Van Zandt, el cual lleva un traje rojo con una flor blanca en la solapa (además de un sombrero blanco con una banda roja). Entre ellos, Springsteen parece un trabajador portuario que se ha arrimado a una banda que tocase en una boda. Desde aquel momento, el concierto comienza a estallar. Tocan «Born to Run» e «It's Hard to Be a Saint in the City» a toda velocidad. «Backstreets» es como un golpe en el estómago. «Detroit Medley» suena como una pura exaltación.

«Con las llaves del reino colgando enfrente de nosotros y el cuchillo pegado al cuello, tuvimos que ir a por todas», escribió Springsteen. Con todo, no regresaron a Europa hasta seis años después.

DARKNESS ON THE EDGE OF TOWN

1978

«NO SE PUEDE SABER SI ESE VA A SER EL ÚLTIMO DISCO QUE VAS A GRABAR. NO EXISTE UN MAÑANA. SOLO CUENTA EL PRESENTE».

BRUCE SPRINGSTEEN, 2010

→11

→10A

KODAK SAFETY FILM 5063

→10

→9A

KODAK SAFETY FILM 5063

→9

→8A

KODAK SAFETY FILM 5063

→14

→13A

KODAK SAFETY FILM 5063

→13

→12A

KODAK SAFETY FILM 5063

→12

→11A

KOD

1975

h. diciembre: Springsteen revisa el contrato que firmó en 1972 con Laurel Canyon por primera vez y no le gusta lo que descubre.
31 de diciembre: se celebra en el Tower Theater, Philadelphia, el último concierto del Born to Run.

1976

25 de marzo: tiene lugar en el Township Auditorium de Columbia, Carolina del Sur, la primera actuación del Chicken Scratch.
28 de mayo: se celebra en la United States: Naval Academy, Annapolis, Maryland, la última actuación del Chicken Scratch.
27 de julio: Springsteen demanda a Mike Appel.
29 de julio: Appel realiza una contrademanda, lo que imposibilita cualquier nueva grabación.
26 de septiembre: el Arizona Veterans Memorial Coliseum de Phoenix acoge el primer concierto del Lawsuit Tour («Gira del Litigio»).
4 de noviembre: acaba la primera parte de la gira en el Palladium de Nueva York.

1977

Enero: sin posibilidad de grabar su propia música, Springsteen y la E Street Band tocan el single de Ronnie Spector titulado «Say Goodbye to Hollywood».
7 de febrero: la gira Lawsuit se reanuda en el Palace Theater, Albany, Nueva York.
19 de febrero: la versión que hace Manfred Mann's Earth Band de «Blinded by the Light» alcanza el n.º 1 en Estados Unidos.
25 de marzo: se celebra el último concierto del Lawsuit en el bostoniano Music Hall.
28 de mayo: Springsteen logra un acuerdo extrajudicial con Appel y firma un nuevo contrato con Columbia poco después.
Junio: comienzan las sesiones de grabación de *Darkness on the Edge of Town* en los neoyorquinos Atlantic Studios, las cuales pasan a realizarse en Record Plant en septiembre.
Agosto: dos días después de la muerte de Elvis Presley, Springsteen realiza un épico viaje por el desierto a través de Utah y Nevada, acompañado de Van Zandt y el fotógrafo Eric Meola.

1978

Enero: finaliza la grabación de *Darkness*.
Abril: la versión que hace Patti Smith de «Because the Night» alcanza el decimotercer puesto en Estados Unidos (y el quinto en el Reino Unido).
23 de mayo: se celebra en el Shea's Buffalo Theater, Buffalo, Nueva York, el primer concierto del Darkness on the Edge of Town.
2 de junio: se publica el álbum *Darkness on the Edge of Town* (Estados Unidos: n.º 5; Reino Unido: n.º 16).
7 de julio: en un memorable concierto celebrado en el Roxy, West Hollywood, tocan por primera vez «Twist and Shout» y «Raise Your Hand».
Verano: Springsteen nombra a Jon Landau representante a tiempo completo.
21-23 de agosto: logran tres llenos consecutivos en el Madison Square Garden, Nueva York.
24 de agosto: *Rolling Stone* publica el artículo de portada «Bruce Springsteen Raises Cain», firmado por Dave Marsh.

1979

1 de enero: el Richfield Coliseum, Richfield, Ohio, acoge el último concierto del Darkness.

A cierta distancia, suena «Thunder Road» en un automóvil aparcado bajo la lluvia. Las ventanillas están empañadas con el vaho de la desilusión. Los neumáticos rodaban velozmente sobre el pavimiento mojado. Y un auditorio lleno en el Monmouth Arts Center de Red Bank, Nueva Jersey, se quedó en silencio mientras la melancolía llenaba la noche de verano.

Springsteen, acompañado de un piano solitario, va entrando silenciosamente en escena: «Cuando se quebrantó la promesa, me vi borracho, lejos de casa y acostándome con una desconocida en el asiento de atrás de un automóvil prestado».

Había ubicado a los héroes de «Thunder Road» en un automóvil y los había enviado al mundo. Después, la vida se complicó.

Springsteen tocó por primera vez «The Promise» en Red Bank el 3 de agosto de 1976. La canción se escuchó entre «Born to Run» y «Backstreets», en una parte del concierto que habían comenzado con desafío (una versión del «It's My Life» de The Animals), alentado por las numerosas posibilidades que implicaba «Thunder Road».

«Thunder Road» había sido la promesa, una promesa al fin y al cabo. Era esperanza más allá del horizonte. Subirse al automóvil, arrancar y no mirar atrás, limitarse a seguir el solo de saxofón hacia una vida mejor. El éxito de *Born to Run* debía haber tenido un final feliz.

«Lo más raro del éxito es que exige compromisos que nunca te pide el fracaso», escribió Dave Marsh en *Born to Run: The Bruce Springsteen Story*. En este momento, Springsteen se veía abocado a los compromisos mucho más de lo que jamás hubiese imaginado, y contraatacaba.

«Empecé a tocar para tener el máximo control posible sobre mi vida, control que se me estaba escapando, y eso me asustaba», le contó Springsteen a Dave Herman en una entrevista de 1978 para *King Biscuit Flower Hour*.

Una semana antes de que Springsteen tocase «The Promise», el cantante presentó una demanda contra Appel, al cual acusaba, entre otras cosas, de fraude y abuso de confianza. Dos días después, Appel presentó una contrademanda que impedía a Springsteen entrar en el estudio con Landau para ponerse a trabajar en el sucesor de *Born to Run*, algo que se debió a que Springsteen grababa para Laurel Canyon, que pertenecía a Appel, y Laurel Canyon era el firmante en el contrato de Columbia, no Springsteen.

Appel y Springsteen tenían tres contratos: de producción, de publicidad y de representación. Los tres favorecían a Appel. En el documental de 2010 titulado *The Promise: The Making of Darkness on the Edge of Town* («La promesa: el *making of* de *Darkness on the Edge of Town*»), Springsteen habló de la ingenuidad de estos temas. «Condenados a ser destructivos», dijo.

Springsteen se puso en marcha con el objetivo de controlar todas las repercusiones económicas que había en juego: Appel había acudido a Columbia por un anticipo de 500.000 dólares por los derechos de autor de *Born to Run*, eso sin mencionar los futuros ingresos que parecían

«ES UNA CANCIÓN QUE TRATA DE PELEAR Y NO GANAR. VERSA SOBRE LAS DECEPCIONES DE LA ÉPOCA. ME SENTÍ MUY CERCANO A ELLA».

Bruce Springsteen acerca de «The Promise», 2010

seguros y toda la deuda que se había acumulado. Nadie iba a decirle con quién podía trabajar o no, del mismo modo que tampoco iba a tolerar que nadie decidiese sobre ningún otro tema de su vida artística.

«Son aspectos por los que habría luchado a muerte –dijo Springsteen–. Fuera lo que fuera, iba a ir a por todas».

Y no solo tendría que actuar contra un amigo, sino contra un amigo con la misma firmeza que él. En una entrevista de 2011, en un momento en el que rememoraba los primeros años que pasó con Appel, dijo lo siguiente de él: «Necesitaba a alguien que tuviera cierta locura en la mirada, ya que esa era mi forma de abordar las cosas».

Ninguno de los dos cedió a lo largo del tiempo. El conflicto todavía iba a tardar un tiempo en resolverse, y nadie sabía de cuánto tiempo disponía Springsteen. Había tenido un éxito, pero ¿cuánto podía esperar el mundo a que tuviese otro?

Acababa de sobrevivir a un disco en el que se lo había jugado todo, y ahora volvía a enfrentarse al verdugo, que lo esperaba silbando junto a la guillotina. No resulta raro ver que Springsteen se haya identificado con los héroes del cine y la literatura del género negro, en el cual iba introduciéndose cada vez más. «Siempre andaban sobre tierras movedizas», comentaba.

El Born to Run Tour había acabado en la Nochevieja de 1975. La gira de dos meses, conocida como Chicken Scratch Tour, había llevado a Springsteen a algunos de los lugares más benévolos de los estados del sur. Así, visitó Memphis, donde él y Steve Van Zandt fueron a Graceland en taxi con la esperanza de encontrarse a Elvis en casa. Pero no estaba.

El denominado Lawsuit Tour comenzó a finales de septiembre. Debutaron en el Arizona Veterans Memorial Coliseum de Phoenix, donde el grupo llenó por primera vez un gran estadio. Dieron seis conciertos en el neoyorquino Palladium y, después, otras dos actuaciones en otro gran estadio, el Spectrum de Filadelfia. La reticencia de Springsteen a tocar en este tipo de lugares, relacionada

Página 69: hoja de contactos procedente de la sesión fotográfica de Frank Stefanko para la portada del disco.

Páginas 70 y 71: Springsteen hace gala de sus artes en el *pinball* ante Clarence Clemons, Roy Bittan y Steve Van Zandt.

Izquierda: en su casa de Holmdel, Nueva Jersey, donde compuso las canciones de *Darkness.* Retrato de Eric Meola, 1977.

con sus ideales artísticos, tuvo que cesar ante la realidad económica.

A comienzos de 1977 hicieron otra gira de casi dos meses. Era la única forma de que Springsteen pudiera mantener al grupo unido y con vida, aunque se tratara de una vida vegetal. Springsteen se fue a vivir junto al grupo a una granja de Holmdel, Nueva Jersey, que era suficientemente grande para que pudieran vivir todos y que estaba lo bastante alejada como para tocar durante toda la noche. Comían juntos en una mesa grande en cuyos extremos se sentaban Springsteen y Van Zandt a modo de puntales. Las canciones se iban sucediendo.

Finalmente, en plena noche del 28 de mayo de 1977, los abogados llegaron a un acuerdo. Appel recibió una compensación y su parte de las canciones publicadas en Laurel Canyon. Springsteen consiguió el control.

Una semana después del acuerdo, Springsteen, la E Street Band y Landau entraron en el estudio para comenzar a trabajar en el sucesor de *Born to Run*.

Born to Run había encontrado una voz propia en la historia del rock 'n' roll. Marsh, en la crítica que realizó para la *Rolling Stone* del concierto de agosto de 1975 en Botton Line, se había referido a Springsteen como «la culminación viva de dos décadas de tradición del rock 'n' roll». El siguiente

disco iba a profundizar aún más en la cultura estadounidense. Springsteen se había interesado por las dificultades por las que había pasado la familia Joad de *Las uvas de la ira* en la época de la sequía conocida como Dust Bowl durante la Gran Depresión. Como mínimo en la versión de John Ford, ya que Springsteen no había leído aún la novela de John Steinbeck. Su obsesión era la música country y, sobre todo, Hank Williams. «Es el sombrío reconocimiento de que las cosas están contra uno –comentó en el SXSW–. Me sentí atraído por el fatalismo del country».

Springsteen dejó constancia de su propia oscuridad en sus libretas con «estoy seguro de que vamos a morir esta noche» y «que los ángeles de Dios derriben esta ciudad y se la lleven a los mares». «En cuanto uno tiene algo, envían a alguien para que intente arrebatárselo» pasó a formar parte de la letra de «Something in the Night». Sus palabras estaban repletas de ira y decepción.

Después, el 16 de agosto de 1977, fallecía Elvis, con lo que se cerraba un cuento con moraleja acerca de la fama y los excesos. «Es difícil comprender cómo alguien que ha alejado la soledad de tantas personas ha acabado sintiéndose tan solo –dijo Springsteen sobre el escenario en 1984–. Muchos tipos de aislamiento pueden acabar con uno». Algunos días después, Springsteen, Van Zandt

Superior: saludando en el Springfield Civic Center, Springfield, Massachusetts, 22 de agosto de 1976. *De izquierda a derecha:* Clarence Clemons, Springsteen, Max Weinberg, Garry Tallent, Steve Van Zandt, Roy Bittan y Danny Federici.

Derecha: fortaleciéndose durante el Darkness on the Edge of Town Tour, 1978.

«LA MADUREZ IMPLICA COMPROMISO, QUE ES NECESARIO. SON MUCHOS LOS COMPROMISOS QUE DEBEMOS ASUMIR; HAY ASPECTOS CLAVE EN LOS QUE NO NOS QUEREMOS COMPROMETER».

Bruce Springsteen, 2010

y el fotógrafo Eric Meola se dirigieron a Utah, alquilaron un descapotable y condujeron por la «carretera de serpientes de cascabel» de la que hablaría en «The Promised Land», donde, en una asombrosa serie fotográfica, Meola captó la «oscura nube que sale del desierto» que se menciona en el tema.

La gestación de *Born to Run* se dilató porque había demasiadas opciones para tan pocas canciones. El ritmo de producción del nuevo álbum permitió que hubiera muchas canciones. Demasiadas. Algunas de las mejores se llegaron a desechar. Patti Smith tomó «Because the Night». «Fire», un tema que arde poco a poco y que Springsteen había escrito con Elvis en mente, fue para Robert Gordon. Southside Johnny and the Asbury Jukes, el grupo lateral de Van Zandt, se quedó con un par de ellas. «The Promise» no llegó a formar parte de la lista final. Un gran número de conmovedoras melodías pop cercanas a la perfección se perdieron a la espera de... nada, o eso al menos fue lo que supo Springsteen en aquel momento.

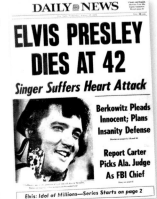

«Tiene una disciplina y una voluntad extraordinarias que le permiten llegar a extremos y salirse con la suya –dijo Van Zandt en 2011–. Y lo hace: puede deshacerse de las mejores canciones y, aun así, grabar un disco extraordinario».

Springsteen también podía llevar a todo el mundo al colapso tanto mental como físicamente. Y seguía componiendo. En las filmaciones de *The Promise*, aparece Van Zandt preguntándole a Springsteen de manera cómica qué iba a sacrificar para hacer sitio a lo que iba saliendo de su libreta. «Recuerda –dice Springsteen– que siempre hay sitio al que echar las cosas». En la primavera de 1978, quedó una colección de canciones sobre las dificultades, la identidad y las elecciones.

Las vidas de *Darkness* están aisladas. Nada resulta fácil. «Quería que los nuevos personajes diesen la impresión de que están degradados y más viejos, pero no derrotados», escribió Springsteen en *Songs*.

El tema con el que se abre el disco, «Badlands», se niega a perder y transmite una sensación de impotencia en cualquiera que se atreva a interponerse en el camino. «Quiero tener el control ahora mismo –canta Springsteen–. Es mejor que me escuches, nena». ¿Cómo se llega aquí? Con trabajo duro, amor y fe. Con un poco de esperanza y con la comprensión de que «no es ningún pecado alegrarse de estar vivo». Es igual cómo nos quieran hacer sentir.

«TODO EL BOMBO DEL MUNDO
NO VALE NADA COMPARADO
CON UN NIÑO QUE LE DICE A OTRO:
"¡COLEGA, TENDRÍAS QUE HABERLO
VISTO!"».

Bruce Springsteen, 1975

En «Adam Raised a Cain» y «Factory», Springsteen comienza a acercarse a la figura de su padre. La canción roquera «Adam Raised a Cain» es un tema en el que, a la mínima oportunidad, se lanzan directos. Un padre y un hijo no son tan distintos. No cuando tienen «la misma sangre ardiente que arde en las venas». El camino que hay que seguir está claro; uno hace lo que hizo su padre, que no fue gran cosa. «Papá trabajó toda la vida y solo consiguió dolor»; además, solo le queda una casa por la que deambular mientras «busca a alguien a quien culpar». Y ese alguien es el hijo. «Factory» se desarrolla con la lentitud de las semanas de trabajo que se convierten en meses y en años. Un día tras otro, la visión es la misma: «Veo a papá pasar entre los demás para entrar por la puerta de la fábrica bajo la lluvia». Aunque se paga un precio («la fábrica hace que pierda el oído»), también hay una recompensa que se gana con la idea de perseguir una meta («la fábrica le da la vida»).

La esperanza que latía en la canción «Night», de *Born to Run,* deja paso a una soledad abatida en «Something in the Night». El viejo rock 'n' roll de confianza da un respiro cuando se escucha tan alto como para intentar olvidar los propios pensamientos, pero el alivio es temporal y Springsteen permanece «corriendo quemado y ciego» mientras grita en el abismo.

La habitación que se describe en «Candy's Room» es el hogar de una prostituta, decorado con «imágenes de sus héroes en las paredes». La oscuridad ilumina su camino, y «hay una tristeza oculta en aquel hermoso rostro». De lo que no hay duda es de que el narrador la ama y desea su amor. «Habrá en la oscuridad mundos ocultos que brillen –canta Springsteen–. Cuando abrazo a Candy, hace que esos mundos ocultos sean míos». Ella, por su parte, le dice que aún tiene mucho que aprender.

«Racing in the Street» marca el camino desde la despreocupación de la juventud a la responsabilidad de la madurez, tal y como lo recorrió Springsteen en los tres años que separan *Born to Run* de *Darkness.* Aunque el chico conquista a la chica, esta «permanece con la mirada perdida por las noches, con los ojos de alguien que odia por el mero hecho de haber nacido». La pareja encuentra cierta paz al final, cuando se dirige al océano para «lavar los pecados».

«The Promised Land» es una declaración de fe: «Creo en la tierra prometida». Y, aunque creer está bien, no conduce a ninguna parte. El chico de la canción se levanta todos los días para ir a trabajar. «Lo he hecho lo mejor que he podido para vivir de la forma correcta», afirma el protagonista; con todo, las nubes se agolpan en el horizonte y amenazan con «derribarlo todo». Si uno no se mantiene firme, acaba como el personaje de «Streets of Fire», engañado y como un ambivalente «perdedor».

«Prove It All Night» es un recordatorio que se hace fuera de las horas de trabajo acerca de que la ética laboral no se detiene cuando se ficha al final de la jornada.

«Darkness on the Edge of Town» es el tema más importante del álbum. La oscuridad es necesaria. La vida

es dura. Todo lo que merece la pena exige un esfuerzo. «Esta noche andaré por aquella colina, porque no puedo parar –promete Springsteen–. Andaré por aquella colina con todo lo que tengo».

Arriesgará todo por conseguir lo que quiere. Springsteen ya lo había hecho. «Mis personajes, aunque no están seguros de cuál será su destino, se hacen los fuertes y se comprometen –escribía Springsteen en *Songs*–. Al finalizar *Darkness,* había hallado mi voz de adulto».

Darkness on the Edge of Town salió a la venta el 2 de junio de 1978 y fue n.° 5 de la lista de *Billboard.* Sin embargo, no permaneció ahí. «Prove It All Night», el primer single del álbum, tampoco logró demasiado. La idea primigenia de Springsteen respecto a dejar que el disco circulase sin una gran promoción –lo cual fue una reacción contra el exceso de publicidad de *Born to Run*– no resultó muy afortunada.

«Lo que quiero decir es que a los discos no les van a salir piernas con las que salgan de las tiendas para saltar a los tocadiscos de la gente y decir "Escuchadme"», le explicó Springsteen a Dave Herman. Sin embargo, acudieron a la prensa. Se grabaron en directo para hacer un anuncio de televisión. Las emisoras de radio emitieron conciertos que no tardaron en piratearse y que han pasado a formar parte de la leyenda.

Asimismo, invitaron a Dave Marsh para que asistiera a los conciertos de Los Ángeles en el Forum y después a los del Roxy. El resultado fue una portada en la *Rolling Stone,* la primera de Springsteen. Este se encamina a la playa y dirige una incursión para destrozar con pintura en espray su propio cartel publicitario colgado seis pisos por encima del Sunset Strip; por otra parte,

«Conduciendo toda la noche detrás de un espejismo». Una parada de repostaje en Valmy, Nevada, durante el épico viaje de Springsteen con Steve Van Zandt y el fotógrafo Eric Meola en agosto de 1977.

Robert Hilburn, crítico de *Los Angeles Times*, tiene sudores fríos, ya que tiene que encontrar la manera de escribir sobre el concierto del Roxy tras haber afirmado que el del Forum era «uno de los mejores eventos que jamás hayan tenido lugar en Los Ángeles».

Esta vez, en lugar de ponerse nervioso con tantos elogios, Springsteen decidió divertirse. «¿Veis lo bien que hablan los periódicos de mí? –Marsh lo citó en el concierto del Forum–. Vaya cosa, ¿eh? Pues tengo que deciros que solo floto hasta el piso de arriba los miércoles y los viernes».

El Darkness Tour se convirtió en una piedra angular de la mitología de Springsteen. Cada noche, tocaban rápida y enérgicamente. Cada noche. Los conciertos superaban las tres horas de duración. Las pruebas de sonido, en las que el propio Springsteen iba de un lado a otro para comprobar la acústica, a veces incluso duraban más.

A «Prove It All Night» se le añadió una introducción extendida de piano sobre la que Springsteen iba desgranando un solo de guitarra. «Backstreets» conservó su papel como pieza emocional central; además, Springsteen compuso una historia de desamor y traición en el interludio de la canción. «Como sucedía con todo en aquella época, hiciste una promesa y la rompiste –cantaba Springsteen suavemente en San Francisco–. ¿No es verdad?». A medida que se iba construyendo la canción, Springsteen iba entrando

en erupción. El tema se detiene en seco y se encadena con «Backstreets».

Aquella noche siguieron con «Rosalita (Come Out Tonight)», y después tocaron «Born to Run», «Detroit Medley», «Tenth Avenue Freeze-Out», «Raise Your Hand» y «Quarter to Three». Para, por último, tomarse un respiro.

«Su modus operandi pasaba por el combate hasta la extenuación», afirmó la prensa británica en 2011. Y no solo el de Springsteen. O el del grupo, sino el de *todos*. «Que alguien me saque de aquí –bromeó con una multitud en Saginaw, Michigan–. Vosotros, chicos, vais a tener que salir por vuestro propio pie».

En 2009, Springsteen y la banda se detuvieron en el Paramount Theater de Asbury Park para tocar *Darkness* de principio a fin.

Aunque el auditorio estaba vacío, la actuación fue hermosa. Para aquel entonces, las canciones habían logrado asumir el centro emocional de la labor de Springsteen. Con independencia de la década en la que estemos o de las noticias, esas canciones perduran a lo largo del tiempo.

Tuvo que pasar por el proceso porque así tenía que suceder. Hay algunas concesiones que se pueden tolerar. Otras no. «Más que rico –decía–, famoso o feliz, lo que quería era ser grande».

Superior: «No hemos acabado aún...». El fascinante concierto del Forum, Los Ángeles, 5 de julio de 1978.

Derecha: retrato de Lynn Goldsmith, febrero de 1978.

THE PROMISE

Si no se hubiera producido un sórdido asunto que nunca se acababa de solucionar, es decir, si Springsteen no hubiera demandado a Mike Appel, y este no hubiera presentado una contrademanda, si la operación se hubiera llevado a cabo de forma armoniosa, el sucesor de *Born to Run* habría tenido un cariz más divertido.

«Todavía era esclavo de los imponentes discos pop que habían dado forma a mi juventud y a mi educación musical temprana», escribió Springsteen en las notas de *The Promise*, un disco doble con veintidós temas desechados durante la grabación de *Darkness* y publicado en 2010.

Canciones como «Save My Love», «The Little Things (My Baby Does)», «Gotta Get That Feeling», «Talk to Me» y «Spanish Eyes» están repletas de anhelo, humor y del calor de otra noche de verano, tal vez la posterior a *Born to Run*.

En contraste con la soledad y el peso de la vida adulta que emanaban de *Darkness*, esta colección está llena de personajes que buscan establecer una conexión. «Si me abrazas con fuerza, seremos jinetes en la noche», canta Springsteen en «Rendezvous», cuyo título (que significa «cita») tiene un carácter más comunitario que cualquier otro tema de *Darkness*. Su voz aún tiene un tinte a lo Roy Orbison, y Clarence Clemons pone en juego su sencilla y sentimental magia. Springsteen pudo haber sido reconocido por sus composiciones pop mucho antes de lo que lo fue.

«Es un aspecto de sí mismo que da completamente por sentado –dijo Steve Van Zandt, el hombre más frustrado por las decisiones de la década de 1970, en 2011–, pero es el aspecto más logrado».

«Rattlesnake Speedway», de Eric Meola. Justo al lado de la autopista 80, Nevada, agosto de 1977.

THE RIVER

1980

«QUERÍA UN DISCO EN EL QUE SE
FUSIONASEN EL ASPECTO DIVERTIDO
DE LO QUE ESTABA HACIENDO EL GRUPO
Y LA HISTORIA QUE ESTABA NARRANDO».

BRUCE SPRINGSTEEN, 2011

1979

Febrero: la version que hacen The Pointer Sisters de «Fire» alcanza el n.º 2 en Estados Unidos.

Marzo: comienza en Power Station la grabación de *The River*.

21 y 22 de septiembre: Springsteen es cabeza de cartel en los dos conciertos benéficos que se celebran en el Madison Square Garden para MUSE (Musicians United for Safe Energy, «Músicos Unidos por la Energía Segura»).

Noviembre: se lanza el álbum en directo titulado *No Nukes*, en el que se recogen las primeras grabaciones oficiales de la E Street Band en vivo.

1980

Mayo: acaban la grabación de *The River*.

18 de julio: se edita la película del concierto *No Nukes*.

3 de octubre: el Crisler Arena, Ann Arbor, Míchigan, acoge el primer concierto del River Tour.

17 de octubre: sale *The River* (Estados Unidos: n.º 1; Reino Unido: n.º 2).

27 de diciembre: el primer single de Springsteen que se sitúa entre los diez más vendidos en Estados Unidos –«Hungry Heart»/«Held Up Without A Gun»– alcanza el quinto puesto.

1981

5 de marzo: acaba la primera parte de la gira estadounidense en el Market Square Arena, Indianápolis, Indiana.

7 de abril: se inaugura en el Congress Centrum, Hamburgo, Alemania Federal, la primera gran gira europea de Springsteen.

8 de junio: acaba la gira europea del River Tour en el Birmingham International Arena, Birmingham, Reino Unido.

20 de junio: la E Street Band al completo toca en el banquete nupcial de Max Weinberg en Nueva Jersey.

2 de julio: se reanuda el River Tour en Stateside, en el Brendan Byrne Arena, East Rutherford, Nueva Jersey.

20 de agosto: la primera de las seis citas en Los Angeles Memorial Sports Arena es un concierto benéfico para la Vietnam Veterans of America Foundation («Fundación Estadounidense para los Veteranos de Vietnam»).

14 de septiembre: tras casi un año, concluye el River Tour en el Riverfront Coliseum, Cincinnati, Ohio.

24 de septiembre: Clarence Clemons contrae matrimonio en Hawái; Springsteen es su padrino. La E Street Band toca en otro banquete nupcial.

Página 87: dos años después *Darkness* y de nuevo delante del papel de pared color rosa repollo.

Derecha: la banda se desestresa en el tejado de los estudios Power Station durante las sesiones de *The River*.

ufus *Tee-Tot* Payne, hijo de antiguos esclavos, se crio en la Nueva Orleans de finales del siglo XIX. Tomó su apodo del cóctel de té y whisky casero que llevaba en una petaca en Georgiana, Alabama, donde era fácil encontrarle tocando música en las esquinas encandilando a los niños que le seguían a todas partes. Allí fue donde Payne conoció al joven Hank Williams. Casi con seguridad, Payne le enseñó algunos acordes a Hank, y también le explicó cómo tocarlos con estilo. Tal vez también le transmitiese la canción «My Bucket's Got a Hole in It».

Springsteen escribió en *Songs* que precisamente estaba cantando esa melodía en la habitación de un hotel en Nueva York cuando se sintió inspirado. «Conduje de vuelta a Nueva Jersey esa noche y me senté en la habitación a componer "The River"». Lo más probable es que, como señaló Dave Marsh en un artículo de 1981 para *Musician*, Springsteen también estuviera escuchando «Long Gone Lonesome Blues», donde se narra la historia de un hombre que cuando decide suicidarse tirándose a un río, descubre que «el maldito río estaba seco». La voz de Hank aúlla en una noche solitaria, buscando algo en lo que creer, sea lo que sea.

«Como afirmó Jerry Lee Lewis, viva encarnación tanto del rock como del country, "He caído hasta el fondo y estoy tratando de hallar la forma de seguir bajando" –dijo Springsteen en el discurso inaugural del South by Southwest de 2012–. He ahí el blues puro y duro del trabajador».

En 1979, con dos éxitos importantes (tres si se cuenta el hecho de haber salido bien del litigio), hubiera podido esperarse que Springsteen –el cual, sin lugar a dudas, ya era una estrella del rock– se dedicase a respirar tranquilo, a tomar un poco de sol, y a disfrutar de uno o dos tragos en el asiento trasero de una limusina. *Born to Run* había sido su jugada maestra, que, como mínimo, le había puesto en el candelero. *Darkness* había sido una reacción frente a las repercusiones, una batalla en pos de su alma de artista. Tras haberla ganado, después de demostrar que podía hacerlo a su manera, podía relajarse.

O podía dedicar el tiempo a deprimentes canciones country y profundizar en las cuestiones que suscitan. «¿Por qué tiene el cubo un agujero?», dijo en el SXSW. Y, lo que es más acuciante, ¿qué hace uno con los problemas que provoca este agujero? Es evidente que lo que no se puede es hacer caso omiso de él y relajarse.

«Porque –escribía Paul Nelson en su reseña de *The River* para la *Rolling Stone*– [Springsteen] sabe que gran parte de nuestros días presentes son la suma tragicómica de una serie dispersa de días pasados que una vez esperamos que se convirtieran en un mañana mejor». Y el mañana no es infinito.

Tras unos meses de descanso, Springsteen y la E Street Band regresaron al estudio en marzo 1979 con la idea de grabar con rapidez. Año y medio después, *The River* estaba listo.

Durante ese período de tiempo, solo ofrecieron dos actuaciones (los conciertos benéficos de septiembre de 1979 en el Madison Square Garden que se recogerían en el álbum *No Nukes*). Con la fusión parcial, que casi causa una catástrofe que había tenido lugar en marzo en la planta de energía nuclear de Three Mile Island, Pensilvania, como telón de fondo, Musicians United for Safe Energy (MUSE), con Jackson Browne, Bonnie Raitt, Graham Nash y otros a la cabeza, organizó los conciertos, que se grabaron para editar un filme y un álbum. Solo dos artistas rechazaron hacer declaraciones para el programa: Springsteen y Tom Petty.

En el caso del primero, su presencia era suficiente. «Lo que no habría hecho es ofrecer la energía de mi banda con indiferencia», dijo en 2011. Había dado importancia al suceso. La primera canción que grabaron para el nuevo disco, «Roulette», estaba inspirada en los sucesos de Three Mile Island y supuso una de las interpretaciones vocales más enérgicas de Springsteen. En ella, los riesgos aumentan al sumarse la presencia de una esposa, unos hijos y una casa, y hay un temor inevitable de que todo puede salir mal en cualquier

Izquierda: Springsteen rechaza la asistencia médica en su número inspirado en James Brown durante el segundo de los conciertos realizados para MUSE. Madison Square Garden, 22 de septiembre de 1979.

Superior: tras los conciertos para MUSE, Springsteen siguió participando en eventos en contra de la energía nuclear. En esta imagen aparece con Gary U.S. Bonds en el Survival Sunday del Hollywood Bowl, 14 de junio de 1981.

momento, que solo somos piezas en el tablero de un jugador mucho más grande –y peligroso– que nosotros.

Pero, con dos conciertos planeados en fechas próximas a su trigésimo cumpleaños, lo que le dio más motivos para pensar en la madurez, Springsteen dejó de tocar «Roulette» para estrenar una canción mucho más personal, «The River», un relato que se basa en la historia de su hermana Ginny y su marido.

Hay una vida que otros planean para uno mismo: «Te crían para que te comportes como tu padre», canta Springsteen. Y otra vida que uno planea para sí mismo. Y luego está la vida sin más. Todo ello se funde en «The River», una narración acerca de los imprevistos que suceden. La pareja de la canción hace frente a un embarazo no deseado, se casa e intenta salir adelante. Pero la economía acaba son ellos. Pierden el trabajo y el futuro empieza a no parecerse a nada de lo que les habían dicho que sería. «¿Es un sueño o una mentira si no se hace realidad?, ¿o es algo peor?», se pregunta Springsteen. Al igual que la pareja de «Racing

in the Street», que hace las maletas y se marcha hacia el mar para renacer, el chico de «The River» se dirige hacia las aguas. «Aunque sé que el río está seco», igual de seco que el que encontró Hank.

Si los temas eran continuación de la búsqueda del control y la identidad que se halla en *Darkness*, el proceso de grabación en el estudio tampoco fue muy diferente. Springsteen tenía un gran número de canciones, y cada día escribía más. En un principio, Steve Van Zandt se dio cuenta de que sería otra maratón y decidió no involucrarse. En su lugar, Springsteen decidió que fuera coproductor, cosa que, aunque ayudó a que mejorara el sonido, no sirvió para modificar el ritmo de trabajo.

«Cada día aparecía con cuatro canciones nuevas –dijo Van Zandt en 2011–. No estaban acabadas, pero una tenía un riff estupendo, otra llevaba un cambio de acorde genial, a veces hasta media docena. Pero, en otras ocasiones, llegaba con más cosas: cuatro, cinco y hasta seis temas en un día».

Intepretación del éxito du-duá «Stay», de Maurice Williams & The Zodiacs, con Jackson Browne y Tom Petty en el concierto del 22 de septiembre de 1979 para MUSE.

«EN ESENCIA, EL DE BRUCE ES EL MÁS ARDUO DE LOS TRABAJOS: PROFUNDIZA MUCHÍSIMO EN SÍ MISMO PARA BUSCAR CANCIONES. ES NECESARIO IMBUIRSE EN ELLO, Y NO ES NADA DIVERTIDO».

Chuck Plotkin, 2011

Todos se encontraban en el estudio y trabajaban las ideas sin cesar: un cambio tras otro, nuevos solos, letras y arreglos. «Así que, en esencia, en lugar de grabar un disco, lo que hacíamos era grabar ensayos», comentó Max Weinberg en 2011. Grabaron en directo y trabajaron mucho con el fin de que el sonido se pareciera lo máximo posible al del escenario.

De las profundidades del mágico almacén sonoro de Springsteen surgieron unos acordes y un riff basado en «Dawn (Go Away)», una canción que The Four Seasons había situado entre las cinco más vendidas en 1964 (se grabó mientras estaban inmersos en su propia guerra por los derechos de autor). Springsteen creía que la canción era demasiado pop y excesivamente ligera. Para Van Zandt y Jon Landau se trataba de un éxito, y, lo más importante, era el momento de lanzarla. Springsteen había cedido «Fire» a Robert Gordon, y The Pointer Sisters la habían convertido en el n.º 2 a comienzos de 1979. El año anterior, Patti Smith se quedó con «Because the Night» y había conseguido que figurara en el n.º 13. En 1977, la versión que hizo Manfred Mann's Earth Band de «Blinded by the Light» alcanzó el n.º 1.

«Este es nuestro quinto álbum y hemos pagado las deudas; es posible sacar un single de éxito si eliges el adecuado –le dijo Van Zandt–. Y este lo es».

Y así nació también «Hungry Heart», la canción más alegre que jamás se haya oído acerca de un chico que se va de casa.

Las cintas se acumulaban. Había tantas que fue necesario compar un enorme cajón con ruedas para guardarlas. Algunas canciones se habían compuesto justo después de *Darkness*, de manera que sus temas tenían cierta influencia: «The River», «Hungry Heart», «Point Blank», «The Ties that Bind» y «Stolen Car».

Una y otra vez, a los personajes se los sitúa ante la adversidad para ver cómo se enfrentan a ella. En «The River» se decantan por una amarga aceptación. En «Hungry Heart», los protagonistas se ponen en marcha con ímpetu en pos de lo que el corazón les pida. «Point Blank» trata de las «mentirijillas blancas» que nos contamos para aliviar los padecimientos durante un instante, aunque estos siempre vuelven. En «Stolen Car», por último, la angustia de lo que podría haber sido, pero no fue, se manifiesta en la imprudencia del chico que roba un vehículo y conduce con la esperanza de que lo atrapen.

Con «Independence Day», Springsteen aborda de nuevo la relación con su padre y logra abjurar del mismo destino oscuro, a la vez que asume cierta responsabilidad por él, como si su nacimiento hubiera minado la energía de las esperanzas de su padre. «Te juro que jamás quise quitarte nada de aquello», concluye el cantante.

En 1980, comenzaron a trabajar en temas más ligeros –«Out in the Street», «Crush on You», «Cadillac Ranch», «I'm a Rocker», «Ramrod» y «You Can Look (But You Better Not Touch)»–, canciones que harían enloquecer al público en los estadios si consiguieran salir del estudio. Al final, a Springsteen solo le quedó una opción: tenía que ser un disco doble.

Lanzado en octubre de 1980, *The River* fue complicado, al mismo tiempo que un éxito. Vendió más de un millón y medio de copias antes de Navidad, y «Hungry Heart» alcanzó el n.º 5 en la lista de ventas de *Billboard*. Van Zandt y Landau tenían razón.

Después de los dolorosos y cerrados relatos de *Born to Run* y *Darkness*, *The River* fue, tal y como se puede esperar de una colección de veinte canciones, más abierto. «Intenté aceptar el hecho de que el mundo es paradójico, y es que esa es su naturaleza», le explicó Springsteen a Dave DiMartino en un artículo que apareció en *Creem* en enero de 1981. «Que brille el sol, que llueva», grita Springsteen a una estridente multitud cuando entona «Sherry Darling».

Izquierda: un momento de introspección. Fotografía de Frank Stefanko, 1978. Stefanko fotografió las portadas de *The River* y *Darkness on the Edge of Town*.

Página siguiente: sobre el tejado de Power Station, marzo de 1980.

«ME INTERESABAN LAS IMPLICACIONES DE LA MADUREZ. NO VIVÍA ESA VIDA, SINO QUE LA OBSERVABA DESDE FUERA PARA MIRARME A MÍ MISMO. LA ADMIRABA EN MUCHOS SENTIDOS».

Bruce Springsteen, 2011

Springsteen recuperó la idea de comunidad y se alejó de la soledad que impregnaba *Darkness*. «The Ties that Bind» no da crédito al tipo duro que dice que va a hacer las cosas él solo. ¿Andas con paso firme? «Estás caminando a ciegas».

«Two Hearts» ocupa un lugar semejante. «Hubo un tiempo en el que representaba escenas de tipo duro», canta Springsteen sin llegar a sugerir nada más. Y en «Jackson Cage» pinta la vida cotidiana a modo de crisol y pregunta cómo se va a manejar la situación: «¿Eres suficientemente duro como para jugar a su juego?». ¿O acaso te vas a limitar a dejar que pasen por encima de ti? He aquí la diferencia entre la determinación y la bravuconería. En «The Price You Pay» aborda el tema desde otra óptica: ¿puedes tomar las decisiones necesarias y «aprender a dormir por la noche»?

Los escenarios son suficientemente reconocibles. Automóviles y autopistas, pequeñas ciudades habitadas por chicos confundidos y muchísimas niñas pequeñas. Y es que estos contextos rara vez son distintos en la vida real. Lo único que cambia es que los personajes crecen. Al hacer de Mary la coprotagonista de «The River», esta canción se relaciona con «Thunder Road». La mujer que empuja el carrito de bebé por la calle en «I Wanna Marry You» bien podría ser la misma que Springsteen solía describir durante la presentación de la versión que la banda hacía en directo de «Pretty Flamingo», de Manfred Mann. En aquel entonces, ella llamaba la atención de los chicos calenturientos que andaban por la calle. ¿Y ahora? Él no puede hacer realidad todos los sueños de ella, «Pero, cariño, tal vez pueda ayudarte», canta Springsteen.

«Fade Away» y «Drive All Night» están solas, sin los vínculos de lo que había sido una conexión con significado. «A veces pienso que cuando te perdí, cariño, también perdí las entrañas», canta en «Drive All Night».

El romanticismo de sus primeras composiciones había evolucionado hasta madurar. «Para mí, *romántico* es cuando ves la realidad [...] pero también las posibilidades», le dijo Springsteen a DiMartino.

Springsteen cerró el disco con «Wreck on the Highway», título tomado de una canción country que compuso Dorsey Dixon en 1937 y que grabó Roy Acuff en 1942. Springsteen sitúa a su personaje en la escena de un accidente trágico en una arquetípica carretera de doble sentido. El álbum concluye con la imagen del hombre en la cama mientras ve cómo su esposa o su novia está durmiendo, a la vez que imagina cómo será la llamada a otra puerta, donde otra esposa o novia estará recibiendo la peor noticia de su vida.

«Tenemos un tiempo limitado para reunirnos, hacer las cosas que tenemos y queremos hacer, amar a la gente que deseamos amar y tener la oportunidad de elavarnos y hacer de guías, de hacer nuestro trabajo –dijo Springsteen en 2011–. Realmente, aquello fue para mí como hacer un poco de meditación tranquila acerca de lo que sentía por mi vida en el momento en el que comenzaba a notar el tic tac del reloj».

Cuando empezaron a publicarse las críticas, Springsteen comenzó a ver cómo lo comparaban no solo con estrellas del rock, sino también con pesos pesados de la cultura, tales como John Steinbeck (en *Rolling Stone*) y Francis Ford Coppola (en *Time*). «Los adeptos enloquecieron en Ann Arbor como no lo habían hecho desde hacía años –podía leerse en el *Michigan Daily* tras la noche en que empezó la gira a principios de octubre–, tal vez no desde que Dylan tocó aquí en 1974».

El 5 de noviembre, un día después de que el republicano Ronald Reagan consiguiese la presidencia del país, Springsteen observó a la multitud que se congregaba en Tempe, Arizona, e hizo la declaración política más explícita hasta ese momento de su carrera: «No sé lo que pensaréis

«SI UNA NOCHE NO TOCO BIEN, NO ME SUELO CONFORMAR CON QUE SÍ HICE BIEN LA ANTERIOR. ES COMO SI NO HUBIERA UN MAÑANA NI UN AYER. SOLO CUENTA EL AHORA».

Bruce Springsteen, 1981

acerca de lo de anoche, pero yo creo que produce bastante miedo. Sois jóvenes; va a haber mucha gente que dependerá de lo que hagáis». A continuación, comenzó con «Badlands».

Un mes después, Springsteen y la E Street Band tocaron en Filadelfia la noche después de que John Lennon fuese asesinado en Nueva York. «Es un mundo sin sentido, y uno tiene que vivir con muchas cosas con las que sencillamente no se puede vivir», dijo Springsteen desde el escenario. Cerraron el concierto con «Twist and Shout», la primera canción que aprendió Springsteen. «Nunca he visto a un ser humano exigirse tanto como Springsteen esa noche en Filadelfia», escribió Fred Schruers en su artículo de portada para la *Rolling Stone* de febrero de 1981.

Después de haberse visto obligado a reducir la duración del espectáculo a noventa minutos para los conciertos de MUSE, Van Zandt dijo entre risas a Marsh que creía que iban a hacer lo mismo en la gira. «Lo que acabamos

haciendo fue sumar noventa minutos al concierto que ya tocábamos».

Según Springsteen, como entre el público tal vez hubiera un muchacho que viera al grupo por primera vez, el concierto tenía que ser a lo grande cada noche. Siempre. «Como si no hubiera un mañana ni un ayer», le dijo a DiMartino.

Por primera vez desde su breve visita tras *Born to Run*, el grupo regresó a Europa (aunque más tarde de lo pensado, debido al agotamiento provocado por la gira estadounidense). En un artículo publicado en mayo de 1981 en el *Sunday Times* se decía que solo en el Reino Unido había 300.000 solicitudes de compra para las 105.000 entradas a la venta. Springsteen entró por la puerta grande en Europa y se llevó una visión distinta de Estados Unidos y de ser estadounidense, dos realidades ligeramente diferentes que iban cobrando una presencia cada vez mayor en la percepción que de Springsteen tenían los demás y él mismo. Existía el recelo de que pudiera ser algo más que una estrella del rock, de que pudiera «ayudar a inspirar al país en su conjunto de la forma que ya sugería con su música», como señalaba John Rockwell en *The New York Times*.

Inspirado por la biografía de Woody Guthrie que había publicado Joe Klein en 1980, Springsteen incorporó la legendaria «This Land Is Your Land» del cantante folk, y en ella encontró muchos de los temas que definían *The River*. En la Nochevieja de 1980 en el Nassau Coliseum de Long Island, Nueva York, tocó esta canción entre «Who'll Stop the Rain» –el tema que Creedence Clearwater Revival popularizó durante la guerra de Vietnam– y «The Promised Land». A la hora de presentar el clásico de Guthrie, Springsteen habló de su padre y de cómo este había dejado que el mundo le robase la alegría y la esperanza. «Y cada día habrá gente que intentará quitároslas a vosotros, y vais a tener que pelear por ellas –dijo Springsteen–. Así que esta es una canción combativa».

Algunos días antes se había publicado en *New West* un escrito de Greil Marcus. En él se traza una línea que iba entre la afirmación de Lester Bangs acerca de que Elvis iba a ser lo último en lo que Estados Unidos se pusiera de acuerdo y el artículo que había escrito Jon Landau sobre Bob Dylan y la forma en que la guerra de Vietnam había impregnado el álbum *John Wesley Harding*. Marcus volvió a Springsteen y a la elección de Ronald Reagan para teorizar acerca de si el siguiente álbum de Springsteen estaría influenciado por aquel acontecimiento. «Lo más probable es que esas canciones no mencionen el hecho en sí –escribía Marcus–; lo que creo que harán es reflejar cómo nos afecta y contar historias que, hoy por hoy, están fuera del alcance».

Superior izquierda: «Ahí fuera en la calle, todo me parece que está bien...».

Página anterior, centro: «... pero al volver a casa, es otra historia».

Inferior izquierda: hacer amistades durante el River Tour, 1980.

Superior: retrato de Frank Stefanko, 1978.

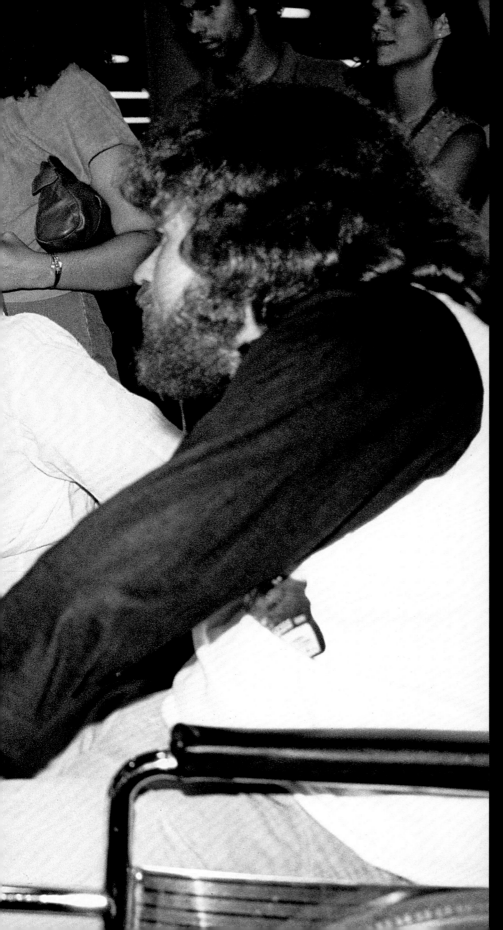

BRUCE SPRINGSTEEN, ACTIVISTA

«Hola. Escuchadme. Escuchadme un momento –decía Springsteen para calmar a una multitud que en aquel momento estaba, como cualquier reunión de gente, fuera de sí–. Estamos aquí esta noche para rendir homenaje a los hombres y mujeres que combatieron en Vietnam».

El concierto del 20 de agosto de 1981 en el Los Angeles Memorial Sports Arena no fue un concierto más. Algunos años antes, en un viaje por carretera hacia el desierto del sudoeste, Springsteen había llevado consigo un ejemplar de *Born on the Fourth of July* (*Nacido el 4 de julio*), el libro en el que Ron Kovic relata su experiencia en Vietnam. Pocos días después, se encontró con Kovic en Los Ángeles por casualidad, y, a través de él, conoció a Bobby Muller, presidente de la Vietnam Veterans of America Foundation.

Cuando Springsteen se enteró de que la fundación necesitaba dinero, organizó el primero de los seis conciertos de Los Ángeles para hacer doblete y recaudar fondos. En esta ocasión no se iba a limitar a emplear la energía de la E Street Band (como había hecho con los conciertos para MUSE) ni a hacer una breve declaración política (como en Arizona tras la elección de Reagan); esta vez Springsteen trataría la cuestión con toda la dedicación que implicaba su carrera.

Springsteen presentó a Muller con un discurso con el que dejó claro cuál era la importancia de la causa, a la que comparó con cuando uno ve que están dando una paliza a alguien en la oscuridad y tiene que decidir entre intervenir o limitarse a seguir su camino para evitar meterse en un lío.

«Vietnam transformó todo este país en una calle oscura, y a menos que logremos meternos en esos oscuros callejones y miremos a la cara a los hombres y mujeres que están en sus profundidades, a menos que nos enfrentemos a todo lo que sucedió, nunca podremos volver a casa, y, con todo, no tendremos todo de nuestra parte para lograrlo», dijo.

También tocó un repertorio que, décadas después, todavía enciende el corazón y la imaginación cuando la grabación pirata que se hizo deja sentir la fiereza y la determinación de un concierto que marcó el comienzo de la implicación en causas grandes y pequeñas, que todavía continúa hasta nuestros días.

Encuentro con veteranos de Vietnam, 1981.

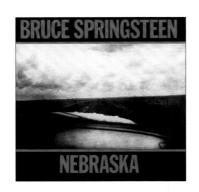

NEBRASKA

1982

«QUISE QUE LA MÚSICA PARECIESE
UN SUEÑO LÚCIDO Y QUE EL DISCO
CONMOVIESE COMO LA POESÍA.
QUISE QUE SU SANGRE SE SINTIESE
DESTINADA Y OMINOSA».

BRUCE SPRINGSTEEN, 1998

1982

3 de enero: Springsteen graba en un día la mayoría de las canciones de *Nebraska* en el estudio portátil que tiene en su casa de Colts Neck, Nueva Jersey.

Enero-mayo: tiene lugar la primera fase de la grabación de *Born in the U.S.A.* en los estudios neoyorquinos Power Station y Hit Factory.

12 de junio: toca con Jackson Browne en el Rally for Disarmament en Central Park, Nueva York.

Junio: Steve Van Zandt comienza a pasar menos tiempo con la E Street Band, cambia su nombre artístico por el de Little Steven y forma su propio grupo, The Disciples of Soul.

10 de agosto: en el banquete nupcial de su viejo amigo Southside Johnny (John Lyon), Springsteen toca como artista invitado con el grupo del novio, The Asbury Jukes.

20 de septiembre: sale *Nebraska* (Estados Unidos: n.º 3; Reino Unido: n.º 3).

Octubre: le cede a Bette Midler la canción «Pink Cadillac», pero no le gusta el resultado de la grabación y veta su publicación.

31 de diciembre: vuelve a tocar en un banquete nupcial, esta vez para Van Zandt; Little Richard (también conocido como reverendo Richard Penniman) dirige la ceremonia y Percy Sledge canta «When a Man Loves a Woman» mientras los novios se dirigen hacia el altar.

Página 101 y *derecha:* imagen de portada que hizo David Kennedy para *Nebraska*, álbum en el que Springsteen exploró los rincones más recónditos de su memoria.

Superior: la falta de densidad del sonido, basado sobre todo en lo acústico, confundió a los críticos.

A comienzos de 1982, Springsteen salió de su casa alquilada en Colts Neck, Nueva Jersey, para dirigirse a Nueva York. Llevaba consigo un casete de los que se compraban en cualquier tienda y unas notas manuscritas para Jon Landau. En el casete había una serie de quince canciones que Springsteen había grabado en su casa hacía poco con un cuatro pistas que había encargado a su técnico de guitarras. Habían mezclado las demos en un equipo de sonido de dudoso origen.

«Aunque tengo muchas ideas, no estoy totalmente seguro de hacia dónde me llevan», escribió Springsteen. Por el dibujo que incluyó, en el que había una esquemática figura que tocaba la guitarra y sonreía, puede decirse que se encontraba animado. Sin embargo, también tenía muchas dudas. «Puede que no te digan mucho tras escucharlo por primera vez», avisaba a Landau en la carta de presentación.

La nota continuaba canción a canción, ofreciendo reflexiones, inspiraciones y detalles acerca de distintos aspectos. «Johnny 99», una canción acerca de un personaje abandonado a su suerte que se emborracha, dispara a un «dependiente nocturno» y le pide al juez que lo condene a muerte, se describía como «¡algo divertido!».

Landau había enviado a Springsteen el guión de un filme en el que estaba trabajando el guionista y director Paul Schrader: «Born in the U.S.A.». «Aunque no he tenido oportunidad de leerlo aún –escribió Springsteen–, me he permitido este pequeño hurto del título».

Springsteen le aseguraba a Landau que su «Reason to Believe» no era la canción que Tim Hardin había sacado en 1965. «Open All Night» era «de muy difícil interpretación, mientras que «State Troope» resultaba «un poco extraña». De «Losin' Kind», Springsteen escribió lo siguiente: «Parece que no logro hallar una mejor frase clave». Lo cual no deja de ser curioso, porque la que tenía era bastante buena.

Emparentada temáticamente con «Johnny 99», «Losin' Kind» comienza con el encuentro de un chico con una chica a la salida de un bar. Se van a bailar, se emborrachan, consiguen una habitación y, tras abandonarla, atracan un bar de carretera en el que nuestro héroe golpea a alguien «con demasiada fuerza» para, finalmente, volverlo a golpear de nuevo. La pareja huye hacia la oscuridad de la noche, hasta que el narrador nos presenta el automóvil en el que viajaban empotrado contra un poste telefónico. Sale de los restos del vehículo para encontrarse con el cañón de un revólver del 45 de la policía. El agente le dice: «Muchacho, tienes suerte de seguir con vida».

«Señor –le responde–, si no le importa, me lo pensaré».

Una vez finalizado el River Tour, Springsteen volvió a casa convertido en una estrella mundial. Y esta vez podía demostrarlo con su cuenta bancaria, no como con *Born to Run* y *Darkness*. Era libre de hacer lo que quisiese e ir donde le apeteciese. Usó esa libertad para volver a Freehold con el fin de perseguir su infancia. «Siempre paso en automóvil junto a las casas en las que he vivido –dijo en el escenario en 1990–. A veces de madrugada».

En la oscuridad, Springsteen no lograba zafarse de los fantasmas de los que había huido desde que Elvis captase su imaginación, y no había dinero en el mundo que pudiera comprarlos. Aunque en el escenario podía tocar hasta que quedaran exhaustos, la calma de la vida posterior a la gira hacía que se quedase a merced de ellos.

Se volvió hacia sus primeras experiencias, hacia la sensación de fracaso y pérdida que definió la vida en la casa de sus abuelos en Randolph Street. Los demonios que habían rondado a su padre aquellas noches solitarias en la cocina comenzaron a frecuentar también a Springsteen. El álbum que llegaría a ser *Nebraska*, que estaba grabado en el casete que el cantante llevó a Nueva York, había nacido de las sombras que proyectaba el pasado sobre el presente.

Cuando el día 3 de enero de 1982 comenzó a grabar, lo hizo con el tema que daba título al disco, que figuraba en las notas que había mandado a Landau con el nombre de «Starkweather (Nebraska)».

Un día en el que estaba en casa por la noche, vio el filme de Terrence Malick titulado *Badlands* (*Malas tierras*), que se había estrenado en 1973. Este se basa en la vida de Charles Starkweather y su novia, Caril Ann Fugate, los cuales salieron de Lincoln, Nebraska, en enero de 1958, matando a diez personas (y a dos perros) antes de que la policía los atrapase en Wyoming. Starkweather tenía veinte años cuando lo ejecutaron, en 1959. La historia caló tanto

Izquierda: en canciones tales como «Johnny 99» y «Open All Night», Springsteen adoptó el estilo rockabilly de la década de 1950, que captó Frank Stefanko en estas fotografías de 1982.

Superior: Caril Ann Fugate y Charles Starkweather, cuyos asesinatos dejaron rastro en Nebraska y Wyoming, sirvieron de inspiración para la canción que dio título al álbum.

en Springsteen que se puso en contacto con Ninette Beaver, una periodista de Nebraska que había escrito un libro sobre Fugate.

«Aunque se logre acumular un gran número de detalles, a menos que se aporte algo propio, estos no cobrarán vida en las páginas –dijo Springsteen para *Storytellers* durante la actuación que realizó en 2005 en la VH1–. Uno tiene que averiguar qué tiene en común con el personaje con independencia de quién fue o qué hizo».

Para que le resultara más fácil, Springsteen recurrió a otra oscura fuente de inspiración. Cinco años antes de que Starkweather llevara a cabo sus monstruosos actos, la escritora sureña Flannery O'Connor había publicado uno de sus más célebres relatos, «A Good Man Is Hard to Find» (incluido en el libro homónimo *Un hombre bueno no es fácil de encontrar*). Su Starkweather es un convicto fugado conocido como The Misfit («el Inadaptado») que se encuentra con una familia que se ha tenido que alejar de un ambiente pudiente a causa de un recuerdo falso. Un simple error –la convicción de la abuela de que pueden encontrar una vieja casa de la que se acuerda demasiado tarde que estaba en Tennessee y no en Georgia– los condena a todos.

La mayor parte del diálogo de la historia tiene lugar entre The Misfit y la abuela, ya que el resto de la familia partió hacia el bosque y fue asesinada. Cuando se le pregunta por qué esta en la cárcel, The Misfit contesta lo siguiente: «Cuando miraba a la derecha veía una pared. Al mirar a la izquierda era una pared lo que había. Si miraba arriba estaba el techo; si miraba abajo, estaba el suelo. No recuerdo lo que hice, señora».

Al final, solo quedan ellos dos, y O'Connor concluye con una frase devastadora: «No había ni una nube en los cielos, y tampoco ningún sol».

«Todo el mundo sabe lo que es estar condenado», dijo Springsteen. De una forma u otra. Así, se sentó en una mecedora con dos micrófonos, una guitarra acústica de doce cuerdas y una armónica –la instrumentación básica de «The River»– y contó otra historia. «Sucede tras los hechos violentos –comentaba Springsteen–. Da la sensación de que después de su muerte. Incluso tiene una broma». Se refiere al hecho de que Starkweather pidiera que Fugate estuviera en su regazo en el momento en que se accionase la silla eléctrica. ¿Se entiende?

Fue en el último verso donde habla de su relación. «Querían saber por qué hice lo que hice. Bueno, señoría, supongo que en este mundo solo hay maldad».

El frío y prosaico estilo de la canción que da título al álbum hace gala del tono de la mayoría de las canciones que Springsteen gestó en su dormitorio. Tanto «Johnny 99» como «Atlantic City» tienen su origen en las noticias. En 1980, Ford cerró la planta de montaje de Mahwah, Nueva Jersey, hecho que en «Johnny 99» llevó a Ralph a la noche y a una espiral que lo condujo a la audiencia del juez

«MI ACTITUD SOBRE TODO ESTÁ DIRIGIDA A LAS PERSONAS. ME REFIERO A ASPECTOS COMO LA POLÍTICA HUMANA. CREO QUE PUEDO DAR LO MEJOR DE MÍ CON MIS CANCIONES, CAUSAR UN IMPACTO POSITIVO DE ESA FORMA».

Bruce Springsteen, 1984

Mean John Brown. En marzo de 1981, el gángster de Filadelfia Philip Testa murió a causa de una bomba que explosionó en su casa. Su apodo era The Chicken Man.

Springsteen inicia «Atlantic City» del siguiente modo: «Bueno, ellos volaron a Chicken Man por los aires en Filadelfia la pasada noche». En ambas canciones, el protagonista ha contraído «deudas que ningún hombre honesto puede pagar». Ralph vuelve al crimen, el tipo de «Atlantic City» está a punto de hacerlo.

«Mansion on the Hill», cuyo título toma prestado del éxito country «A Mansion on the Hill», lanzado por Hank Williams en 1948, se centra en la visión de un niño respecto a lo que no tiene (y probablemente nunca tendrá). En «Used Cars», el muchacho ve cómo su madre «juguetea» con su anillo de matrimonio y el comercial se queda mirando sus «manos de anciano». Manos sin duda callosas y deterioradas por el tipo de trabajo que no es suficiente para pagar un automóvil nuevo.

En «State Trooper» suena una escopeta a través de la noche con alguien que, además de tener la «conciencia tranquila» –si es que el ruido sordo de la música es una indicación–, también tiene malas intenciones. Cuando dice «Quien esté ahí fuera que oiga mi última oración», está intentando establecer algún tipo de relación con la que salvarlo.

«Open All Night» es un viaje por carretera –más estrepitoso y, aparentemente, menos criminal– en el que el narrador conduce

Izquierda: Philip *Chicken Man* Testa, el gángster de Filadelfia a quien se mencionaba en «Atlantic City».

Derecha: retrato de David Kennedy, 1982. El interior de la carátula incluía una imagen semejante.

«EL PÚBLICO Y EL INTÉRPRETE TIENEN QUE DEJARSE CIERTO ESPACIO PARA SER HUMANOS, YA QUE, DE OTRO MODO, NO SE MERECERÍAN EL UNO AL OTRO».

Bruce Springsteen, 1984

durante la noche para llegar a su chica. Sabe quién quiere que oiga *su* última oración. Se trata del «señor DJ», cuyo rock 'n' roll lo salvará «de la nada». Se trata de ese extraño momento en el que incluso se considera la posibilidad de la salvación.

«Highway Patrolman» retrata la historia de dos hermanos, que están enfrentados por encontrarse cada uno a un lado de la ley; pero, después de todo, son hermanos y el «hombre que da la espalda a su familia no tiene perdón». «My Father's House» se inicia con un sueño y después nos conduce a uno de esos paseos que hacía Springsteen a Freehold y a la puerta delantera de su pasado, donde las luces «brillan en la oscura carretera en la que los pecados no están expiados».

«Reason to Believe» es casi una burla hacia los que hallan algo en lo que creer. Bautizan a un bebé, un anciano muere y uno se pregunta: «¿Qué sentido tiene?». Un novio, plantado el día de su boda, se queda mirando cómo el río fluye como siempre lo ha hecho y sin preocuparse por lo que está sucediendo en la orilla.

Según explicó Van Zandt en 2011, cuando escuchó el casete le dijo lo siguiente al cantante: «Siento decirte que esto no es una demo. Acabas de grabar tu siguiente disco».

Eso no quiere decir que no intentasen que se tratara de algo más grande. Springsteen y la E Street Band se reunieron en el estudio y trataron de grabar versiones de las canciones del casete con la banda al completo. Aunque algunas funcionaron, la mayoría no lo hizo. Las diez que se seleccionaron para el disco sonaban como si fueran de otra época.

En parte se debe a la forma en que se grabaron. Ni Springsteen ni su técnico, Mike Batlan, sabían qué tenían que hacer con el Teac Tascam 144 que Batlan había llevado a Colts Neck. Además, la caja de ritmos que habían usado para mezclar las canciones había quedado empapada por las aguas del río Navesink durante un viaje en bote que Springsteen había hecho con Tallent. Solo después –y en mitad de la noche–, la caja de ritmos recuperó la vida. Funcionaba, pero estaba dañada.

«Es de ahí de donde procede la oscuridad –dijo el ingeniero Chuck Plotkin en 2011–. Todo está por debajo de tono y va un poco despacio».

Además de por psicópatas asesinos y grandes escritores del sur, Springsteen se había interesado por *Anthology of American Folk Music* («Antología de la música folk estadounidense»), publicado en 1952 por Harry Smith. «Johnny 99» es un guiño a «99 Year Blues», de Julius Daniels, que forma parte de una recopilación, que fue suficientemente importante como para tener un papel coprotagonista en el renacimiento del folk de la década de 1960 que catapultó a Bob Dylan. En *Songs*, Springsteen menciona a los *bluesmen* John Lee Hooker y Robert Johnson, personas que grabaron «discos que sonaban muy bien con las luces apagadas».

Y, por supuesto, continúa el interés de Springsteen por otra de las inspiradores de Dylan: Woody Guthrie. Las canciones de Guthrie eran directas, poderosas y de contenido político. Springsteen vio en Guthrie a alguien que también había intentado responder a la pregunta de Hank Williams acerca de por qué había un agujero en aquel cubo. Springsteen también sabía que no llegaría a ser Guthrie. «Me gustaba Elvis y también "Pink Cadillac" –dijo en el SXSW de 2012–. Me agradaba la sencillez, la inmediatez y la temporalidad de los éxitos del pop [...]. Y, a mi manera, también me gusta el lujo y la comodidad que proporciona el estrellato. Yo ya llevaba mucho tiempo recorriendo un camino bastante diferente».

Izquierda: Springsteen luchó con sus demonios durante los numerosos paseos automovilísticos nocturnos en los que se dirigía a su casa de la infancia en Freehold, donde su padre había pasado muchas horas meditando en la oscuridad junto a la mesa de la cocina.

En esta página: dos de las principales influencias de *Nebraska*: el blues nocturno de John Lee Hooker (*izquierda*) y las claras canciones protesta de Woody Guthrie (*derecha*).

Nebraska le permitió dar algunos pasos como Guthrie. Este disco, lanzado el 20 de septiembre de 1982, carecía de parangón en la cultura popular y, además, no se parecía a nada de lo que se podría haber esperado como sucesor de *The River*, el álbum que había granjeado a Springsteen millones de nuevos seguidores. «*Nebraska* llega de forma impactante –puede leerse en la reseña de la *Rolling Stone*–, como un violento retrato cubierto de ácido de una América herida que alimenta su maquinaria a base de consumir los sueños de su pueblo».

No tuvo lugar ninguna gira, solo un sencillo videoclip en blanco y negro de «Atlantic City» que se emitió en la MTV. Springsteen no aparece en ningún momento de la filmación. «Una inspirada jugada de las grandes apuestas del juego del rock 'n' roll, en el cual cada nuevo disco ha de ser mejor y más grande que el anterior», decía la *Rolling Stone*. Al pasar por alto parte del proceso –la parte de los estudios caros y la producción más sofisticada–, Springsteen llegó lo más cerca que un artista de su fama podía llegar a esas primeras grabaciones personales en las que uno no sabe si alguna vez llegarán al público.

Nebraska era un disco pequeño. El sonido era pequeño. Y las vidas que se retrataban en él también eran pequeñas y confinadas. Paredes a la izquierda y a la derecha, el techo arriba y el suelo abajo. Springsteen parecía estar susurrando su propia historia de terror, una historia de terror estadounidense.

«Lo cierto es que no pensé en las implicaciones políticas que tenía –afirmó en 1990– hasta que lo leí en la prensa».

Con independencia de lo que pretendiese, el álbum fue recibido de inmediato como una respuesta al gobierno de Ronald Reagan. En el discurso inaugural de enero de 1981, el presidente vendió en Washington D. C. su visión del país. En los Estados Unidos de Reagan todos estaban unidos y era el mejor lugar, perfecto, excepto por los impuestos elevados, y sobre todo, los altos impuestos que pagaban los más ricos. Si estos se redujeran, el dinero llegaría a todos y la nación se sanearía. Se trataba de «una imagen mítica y muy seductora [...] en la que la gente quería creer», comentó Springsteen en la *Rolling Stone* en 1984.

La realidad en el año 1982 era que había un elevado desempleo (superior al 14 % en Michigan, el estado más afectado, donde décadas antes el sueño americano de la clase media había arrancado a la vez que los automóviles en las líneas de montaje), fábricas cerradas y ventanas del centro tapiadas. Eran muchas más las personas que se estaban asfixiando con las paredes que las que las estaban derribando para ampliar sus mansiones.

Ken Tucker escribió lo siguiente en *The Philadelphia Inquirer*: «Las nuevas canciones de Springsteen hacen que casi todos los demás superventas parezcan cutres y sin fuerza. *La música que hay en Nebraska no invita al baile*

ni al escapismo; es música a la que hay que enfrentarse. Nos fuerza a aceptar o rechazar sus conclusiones».

A pesar de ser un álbum muy difícil, *Nebraska* alcanzó el n.º 3 en la lista de *Billboard*, lo que sugiere cierta aceptación. El tiempo ha sido más generoso aún. En 2012, *The New Yorker* hizo referencia a la grabación del disco como «uno de los acontecimientos más míticos de la historia de la música pop». *Nebraska* es una piedra angular de la Americana y del country alternativo modernos. En 1986, con su propia carrera en ascenso tras la aparición de su álbum de debut, *Guitar Town*, Steve Earle presentó «State Trooper» en el Bottom Line con las siguientes palabras: «Esta canción la escribió un cantante *hillbilly* muy bueno de South Jersey».

Veinticuatro años más tarde, el hijo de Earle, Justin Townes Earle, que tocaba con Joe Pug, presentó «Atlantic City» de este modo: «Si no te gusta Springsteen, entonces no te agrada Woody Guthrie, lo que quiere decir que no te gustan *las canciones*».

Johnny Cash hizo versiones de «Highway Patrolman» y «Johnny 99». Hank Williams III, nieto de Hank Williams, grabó una versión de «Atlantic City» en un disco tributo que lanzó Sub Pop en el año 2000 y en el que también se contó con aportaciones de artistas tales como Son Volt, Los Lobos y Ani DiFranco. Emmylou Harris y The National han hecho suya «Mansion on the Hill». La lista es larga y muy interesante. El actor Sean Penn se basó en «Highway Patrolman» para elaborar el guión de la que fue su primera película como director, *The Indian Runner (Extraño vínculo de sangre)*. En 2006, el New York Guitar Festival se inauguró con un homenaje a este disco. Entre los que participaron en su recreación en directo se encontraban Michelle Shocked, Meshell Ndegeocello, Martha Wainwright y Vernon Reid.

Sin embargo, todo estaba por llegar. Tras la publicación de *Nebraska*, Springsteen se subió al automóvil. Acabó, como había sucedido durante muchos años, en California, lugar donde tenía una pequeña casa con más equipo de grabación, y comenzó a trabajar en más canciones. También se puso en contacto con un psiquiatra porque necesitaba hablar del dolor emocional que acababa de poner al alcance de todo el mundo. Hablaron de los paseos automovilísticos de madrugada por su pasado. Al rememorarlo en 1990, Springsteen comentó que le preguntó el motivo al psiquiatra. ¿Por qué seguía Springsteen deambulando por Freehold?

He aquí la respuesta que, según cuenta Springsteen, le dio el psiquiatra: «Algo salió mal y sigues volviendo para comprobar si puedes evitarlo y, de algún modo, enmendarlo». El cantante explica que le respondió: «Me senté allí y le dije: "Eso *es* lo que voy a hacer"». El psiquiatra le contestó lo siguiente: «Bueno, la verdad es que no se puede».

Izquierda: Springsteen no reconoció la utópica visión que presentó de Estados Unidos el presidente Reagan en su discurso de toma de posesión de 1981.

Izquierda: retrato de Frank Stefanko, 1982.

BORN IN THE U.S.A.

1984

«LA BANDERA ES UNA IMAGEN
PODEROSA: CUANDO LA ONDEAS,
NO SABES QUÉ VA A PASAR CON ELLA».

BRUCE SPRINGSTEEN, 1984

1983

Enero-febrero: comienzan las grabaciones en solitario de *Born in the U.S.A.* en un estudio instalado en la casa de Springsteen en Los Ángeles.

Abril-junio: se reanudan las sesiones de *Born in the U.S.A.* con el grupo al completo en Hit Factory.

Septiembre: comienza la última etapa de las sesiones de *Born in the U.S.A.*

1984

Febrero: las sesiones de *Born in the U.S.A.* se dan por finalizadas con la grabación de «Dancing in the Dark».

Febrero: Van Zandt anuncia que abandona oficialmente la E Street Band.

Mayo: Nils Lofgren ocupa el puesto de Van Zandt y Patti Scialfa se une al grupo como corista.

4 de junio: sale *Born in the U.S.A.* (Estados Unidos: n.º 1; Reino Unido: n.º 1).

29 de junio: el St. Paul Civic Center Arena, Minnesota, acoge el primer concierto del Born in the U.S.A. Tour.

30 de junio: «Dancing in the Dark»/«Pink Cadillac» alcanza el n.º 2 en la lista de *Billboard*, con lo que se convierte en el single de Springsteen más vendido en Estados Unidos; ese mismo año, acabaría por ser el single de 12 pulgadas más vendido.

13 de septiembre: *The Washington Post* publica el artículo de George Will titulado «A Yankee Doodle Springsteen».

19 de septiembre: en una parada de la campaña en Nueva Jersey, el presidente Reagan intenta asociarse con Springsteen.

22 de septiembre: Springsteen responde a Reagan con el discurso que pronuncia antes de tocar «Johnny 99» en el Civic Arena de Pittsburgh.

Octubre: conoce a Julianne Phillips cuando la gira llega a Los Ángeles.

1985

27 de enero: acaba en el Carrier Dome, Siracusa, Nueva York, la primera parte del Born in the U.S.A. Tour.

28 de enero: en A&M Studios, Hollywood, California, graba las voces del single benéfico «We Are the World» de U. S. A. for Africa (United Support of Artists for Africa; Unión de Artistas en Apoyo de África).

26 de febrero: con «Dancing in the Dark» consigue su primer Grammy, en la categoría de Mejor Interpretación Vocal de Rock Masculina.

23 de marzo: toca en Australia por primera vez cuando el Born in the U.S.A. Tour se reanuda en el Sydney Entertainment Centre.

10 de abril: la gira llega a Japón –país nuevo para Springsteen– con la primera de las cinco actuaciones que ofreció en el Gimnasio Nacional de Yoyogi, en Tokio.

23 de abril: acaba la primera parte de la gira en el Osaka-Jō Hall, Osaka.

13 de mayo: Springsteen y Julianne Phillips contraen matrimonio en la ciudad natal de ella, Lake Oswego, Oregón; Clarence Clemons y Steve Van Zandt son los padrinos.

1 de junio: comienza la gira europea del Born in the U.S.A. Tour en el castillo de Slane, Irlanda, donde dan un concierto al aire libre ante más de 100.000 personas, su concierto más multitudinario hasta la fecha.

7 de julio: dan el último concierto de la gira europea en el Roundhay Park, Leeds, Reino Unido.

Julio: Springsteen participa en el proyecto de Little Steven contra el *apartheid*; para ello, canta en el single «Sun City» y aparece en el videoclip.

5 de agosto: comienza en el RFK Stadium de Washington D. C. la última parte del Born in the U.S.A. Tour.

2 de octubre: tras quince meses, el Born in the U.S.A. Tour acaba en el Los Angeles Memorial Coliseum.

Diciembre: *Born in the U.S.A.* se convierte en el disco más vendido de 1985.

1986

Febrero: Springsteen participa en la grabación del single benéfico «We've Got The Love» para Jersey Artists for Mankind.

13 de octubre: toca en el primer Bridge School Benefit Concert anual de Neil Young.

19 de noviembre: se lanza el *box set* Live/1975–85 (Estados Unidos: n.º 1; Reino Unido: n.º 4), el durante mucho tiempo esperado álbum oficial en vivo de Springsteen.

Página 113: pañuelo de la E Street en un retrato de Aaron Rapoport para la *Rolling Stone*, 1984.

Derecha: tocar los cielos durante el Born in the U.S.A. Tour.

Extremo derecha: un nuevo país y la misma atención de siempre a los detalles, como en esta imagen, en la que comprueba la amplificación durante su gira en Japón. Furitsu Taiikukan, Kioto, 19 de abril de 1985.

En la primavera de 1982, Springsteen y la E Street Band se encerraron en los estudios Power Station de Manhattan para tratar de averiguar qué se podía hacer para dar forma a las canciones que se habían grabado en cinta en aquella habitación de Colts Neck.

No se pudo hacer mucho: al menos no hasta que llegaron al tema que Springsteen había compuesto tras apropiarse del título del guion que le había enviado Paul Schrader. En la demo de Springsteen, «Born in the U.S.A.» suena como una especie de pesadilla que se estaba deshilachando por los bordes, con una voz que resuena por el oscuro callejón del que habló en Los Ángeles la noche en la que dio el concierto benéfico para la Vietnam Veterans of America Foundation. Trata sobre sueños rotos, promesas quebrantadas y el espíritu doblegado de alguien que lo dio todo por su país en una jungla del sudeste asiático y que no recibió nada a cambio. «Sin ningún sitio al que huir ni al que llegar». Y el hecho de *haber nacido en Estados Unidos* hacía que la traición fuera todavía mucho más grave. El acuerdo se había roto.

En el estudio, Roy Bittan se puso a los mandos de su nuevo sintetizador y se familiarizó con el *riff*, Max Weinberg convocó al trueno y la banda estalló en la canción con la voz de Springsteen desencadenada en un grito de rabia a pleno pulmón. Y justo cuando la banda parecía a punto de desaparecer, Springsteen hizo un gesto a Weinberg para que sembrase el caos, marcase el ritmo y volviese a entrar en la canción. «Marcial, modal y directa», escribió Springsteen en *Songs*. «Born in the U.S.A.» no se parecía a nada de lo que habían grabado antes.

A lo largo de las siguientes tres semanas, gestaron otras doce canciones, aproximadamente. Basándose en el trabajo que habían llevado a cabo a principios de año –sesiones que incluían temas para Gary U.S. Bonds y Donna Summer–, tenían una sólida base que estaba por llegar. Aunque tenían que convertir parte del casete en *Nebraska*, parecía lógico que lo que llegase después fuera más fácil de lo que había sido en el pasado. Pero no lo iba a ser. Al revisar la sección «Random Notes» de las *Rolling Stone* de la época, se puede seguir el rastro de las andanzas que, milagrosamente, desembocaron en un disco por completo sincronizado para subirse a una ola cultural.

25 de noviembre de 1982: «Bruce Springsteen se ha desplazado a Los Ángeles para completar su próximo álbum con la E Street Band».

12 de mayo de 1983: El disco «es posible que llegue a las tiendas antes de que acabe el verano».

1 de septiembre de 1983: «No pondría la mano en el fuego, pero tal vez Bruce Springsteen haya cambiado de tercio en el próximo disco».

2 de febrero de 1984: «Ni siquiera la propia E Street Band de Bruce Springsteen sabe con certeza qué pasa con el retraso de su próximo LP».

17 de marzo de 1984: «Según Van Zandt, el disco saldrá a la venta "en algún momento de esta década"».

Aunque Springsteen podía escribir canciones con rapidez y, sobre todo, en directo, y el grupo lograba grabarlas en cuestión de unas cuantas tomas, había una cosa que nadie

«LO QUE QUIERE UN COMPOSITOR ES QUE LE ENTIENDAN. ¿QUIERES QUE TU MÚSICA SE MUESTRE COMO POLÍTICA? ¿ES EL SONIDO Y LA FORMA DE LAS CANCIONES LOS QUE APORTAN EL CONTENIDO?».

Bruce Springsteen, 1998

podía hacer: lograr que el cantante dejase de componer *más* canciones. Mientras estuviera trabajando en una, no podía estar seguro de elegir la mejor. El éxito artístico de *Nebraska* alentó a Springsteen a igualar la intensidad de dicho disco, y, en su fuero interno, no podía (ni lo había hecho *todavía*).

En el año 1984, Springsteen y el grupo habían grabado entre sesenta y ochenta canciones. Aunque se había esforzado en las narraciones, también había desarrollado la suficiente conciencia (o aceptación) de sí mismo como para saber que en aquella ocasión había otras decisiones que tomar. «Tuve que explicar por qué optaba por una canción y no por otra, y fijarme en si una iba a llegar a un público a la que otra podría no llegar», comentaba.

El coproductor Chuck Plotkin sugirió que el álbum empezase con «Born in the U.S.A.» y se cerrase con «My Hometown», donde se narra un deprimente período de tiempo de una ciudad en decadencia vista a través de los ojos de un niño para, después, presentar a ese pequeño ya adulto y con su propio hijo. Debido a los «cristales de las ventanas pintados de blanco» y los «locales no ocupados», los trabajos que se están esfumando y la certeza de que «no van a volver», el adulto que está en la habitación, se está pensando muy seriamente abandonar su ciudad natal.

Para Springsteen, la clave se encontraba en la canción que da título al disco. «El resto del álbum contiene una serie de canciones acerca de las cuales siempre he sentido cierta ambivalencia», escribió en *Songs*.

La Fender Esquire Telecaster de madera natural de Springsteen, elemento esencial de su iconografía. En una carta a *Los Angeles Times* de 2004, afirmó que «cuando el gran reloj del rock'n'roll toque las doce, yo estaré enterrado con mi Tele».

Ocho de las doce canciones de *Born in the U.S.A.* acabarían por salir de entre aquellas primeras y tempranas sesiones de grabación de 1982. «Cover Me» se había compuesto para Donna Summer, hasta que se consideró que era demasiado buena como para desprenderse de ella. En su lugar, Springsteen le cedió otra canción, «Protection», tocó la guitarra con ella (en una grabación que se llevó a cabo en Los Ángeles con Quincy Jones) y le dio ánimos para que buscase un descanso del mundo en compañía.

Tanto «Downbound Train» como «Working on the Highway» procedían del casete del que había salido *Nebraska*. «Downbound» es la noche oscura del alma de un hombre que pierde el trabajo, a su esposa y a sí mismo, en ese orden. «Working on the Highway», cuyo título original era «Child Bride», se tuvo que volver a componer a partir de la primera versión. Springsteen eliminó las referencias más explícitas a la edad de la chica en la composición y la convirtió en una canción bailable basada en una conducta criminal.

En «Darlington County», título de la era de *Darkness*, puso en marcha otro automóvil en otra carretera, pero cambió a la chica por un amigo. Los protagonistas permanecen en la carretera en busca de lujuria, diversión y fortuna. Como era de esperar, las cosas no van bien y uno de ellos, Wayne, aparece al final esposado al parachoques de un Ford de la policía estatal.

En una versión temprana de «Glory Days», la sombra tiñe la canción con la decepción de un padre que se ha quedado sin trabajo y no encuentra su lugar en el mundo. «Días de gloria venidos a menos, días de gloria que nunca tuvo». En el disco, las viejas victorias –regadas con unos cuantos tragos– se transforman en fuente de fortaleza dosificada con un poco de cruda realidad. «El tiempo pasa y no deja nada, señor, salvo aburridas historias acerca de los días de gloria».

Bittan, de nuevo al sintetizador, hace que «I'm on Fire» esté repleta de anhelo, mientras que las letras de Springsteen aportan pasión. «I'm Goin' Down» narra lo que sucede cuando la pasión, e incluso el amor, desaparecen. Con esta canción, el cantante describía en los escenarios de todo el mundo la inconstancia del amor.

Si Springsteen hubiera hallado antes su disco –a comienzos de 1982, por ejemplo–, puede que «Bobby Jean» no se hubiera compuesto. Pero comenzaba la vieja marcha familiar y Steve Van Zandt no la sentía dentro. En la época en la que el guitarrista le dijo a la *Rolling Stone* que el disco estaría listo «en algún momento de esta década», en realidad estaba grabando el que iba a ser su segundo álbum con su banda, The Disciples of Soul.

Aunque la gira promocional europea de *The River* había resultado reveladora para todos los miembros de la banda, para Van Zandt lo fue de una forma muy especial. Advirtió de que al salir de Estados Unidos dejó de ser solo un guitarrista de un grupo de rock. Era un estadounidense, y, como tal, responsable de las acciones del gobierno. Sus intereses incluían mucho más que el rock 'n' roll.

Superior: la nueva formación de la E Street Band dio la bienvenida a Patti Scialfa (cuarta desde la izquierda), así como a Nils Lofgren (tercero desde la derecha), quien sustituyó a Steve Van Zandt.

Derecha: la grandeza de los escenarios al exterior. A pesar de sus recelos iniciales, Springsteen evolucionó como roquero de estadios.

«ERA MUY AFICIONADO A LOS COMPORTAMIENTOS INSENSATOS Y REPETITIVOS. ¿Y QUÉ HAY MÁS INSENSATO QUE LEVANTAR UN OBJETO PESADO PARA PONERLO, ACTO SEGUIDO, EN EL LUGAR EN EL QUE ESTABA?».

Bruce Springsteen, 2011

Izquierda: el Springsteen de 1984 se vendió más que los modelos anteriores y tenía mucha más potencia.

Inferior: tras haberla rechazado cuando se presentó a una audición para Springsteen, cuanto tenía diecisiete años, Patti Scialfa lo logró trece años después.

Como prueba de ello, se muestran los dos primeros álbumes de gran carga política que grabó con The Disciples of Soul: *Men Without Women* y *Voice of America*. Así, Van Zandt abandonó la E Street Band. Springsteen lo sustituyó por el guitarrista Nils Lofgren (el cual, años atrás, había participado en una audición para Bill Graham la misma noche que Steel Mill) y, para tener el apoyo de una corista, más adelante incluyó a Patti Scialfa, que ya se había presentado antes a una audición para él.

Siempre se ha creído, aunque nunca se ha aclarado de forma explícita (ni a Van Zandt), que «Bobby Jean» trataba de una separación, de una amistad que había durado desde los «dieciséis años». Y no se trata de una réplica: es un abrazo. «Buena suerte y adiós», concluye Springsteen. «No Surrender» trata de algo similar, aunque con más ritmo.

Nebraska fue la obra maestra de autor y de bajo presupuesto de Springsteen, su propio relato negro perfecto. *Born in the U.S.A.* fue el *blockbuster*, una película de amigos llena de persecuciones automovilísticas, historias de amor y la dosis justa de conflictos para dar un toque de amargura a la historia. La trama era un tanto difusa, aunque esta era un aspecto secundario. Cuando

Springsteen estaba dando los últimos retoques al álbum, a comienzos de 1984, irrumpió Jon Landau con la noticia de que aún faltaba un tema. Todavía necesitaban un primer single. Springsteen reaccionó como si ya hubiera escrito muchísimas canciones para ese single, después se calmó y comenzó a trabajar. Si pudo introducir una canción protesta en un himno, también podía ocultar su frustración y agotamiento con una exitosa canción bailable.

Con «Dancing in the Dark» vuelven los momentos típicos de la estrella del rock: paseos nocturnos y acostarse al amanecer. Al caer la noche, el protagonista de la canción no tiene «nada que decir». Cuando llega a casa, se va a la cama con «la misma sensación».

«Colega, es que estoy cansado y aburrido de mí mismo», canta Springsteen para, en el siguiente verso, explicar lo incómodo que se siente en su piel al mirar al espejo y ver que cambiaría todo lo que ve. Springsteen había pasado toda una década con el único propósito de alcanzar su visión artística y el estrellato del rock, lo que había hecho en detrimento de todos los demás aspectos de su vida. Y, con todo, aún necesitaba otra canción... más. «Han contado un chiste y creo que es acerca de mí», decía Springsteen.

Cuando, a comienzos de 1984, el grupo se reunió en el estudio para grabar la canción, volvieron a otorgar un importante papel al sintetizador de Bittan. Weinberg tocó del mismo modo que lo había hecho en «Born in the U.S.A.», es decir, a la manera de las grandes canciones del rock. «Recuerdo a Jon Landau acercándose a mí en el estudio tras un par de tomas para decirme que tocase como en aquella canción de Michael Jackson», explicaba Weinberg. Se refería a «Beat It», el tema de Jackson que había sido n.º 1 el año anterior a la publicación de *Thriller*. Y así sucedió. Grabaron el single y Springsteen lanzó el álbum de mayor éxito comercial de su carrera.

«Y, llegado a ese punto, yo era aquel hombre –dijo–. Fue allí donde me encontré a mí mismo. Puedes engañarte y decir que no es cierto, pero entonces tendrías que preguntarte qué es lo que has estado haciendo».

Lanzado en junio de 1984, *Born in the U.S.A.* fue un disco concebido para las masas. Bob Clearmountain, que había trabajado con David Bowie y The Rolling Stones, se había encargado de mezclar todo un disco con el material salvable que no se había usado en *The River*. Con una excepción: «Hungry Heart», el mayor éxito de Springsteen hasta la fecha. Además, mezcló la totalidad de *Born in the U.S.A.*

Para la imagen de la portada, Springsteen recurrió a la fotógrafa de celebridades Annie Leibovitz, quien situó al cantante delante de una bandera estadounidense. Para la sesión fotográfica optaron por vestir a Springsteen con la clásica combinación de camiseta blanca y pantalones vaqueros, a la que añadieron una gorra de béisbol roja en el bolsillo posterior. El centro de la imagen lo ocupa el trasero de Springsteen.

Tras haber escuchado el trabajo que había hecho el productor y DJ Arthur Baker con la exitosa «Girls Just Want to Have Fun» de Cindy Lauper, Springsteen le pidió que remezclase «Dancing in The Dark», «Cover Me» e incluso «Born in the U.S.A.» para las pistas de baile. «Hay que hacer cosas nuevas –le dijo Springsteen a Chet Flippo para la revista *Musician*–. Imaginé que habría mucha gente a la que le gustaría, y que aquellos a los que no les agradase lo superarían. Mi público no es tan delicado. Puede asumirlo».

Por otro lado, la MTV, había comenzado a emitir diez meses antes del lanzamiento de *The River*, y, en el momento de la grabación de *Born in the U.S.A.*, se había convertido en una fuerza cultural que no se podía ignorar. Tras una primera versión cómica del videoclip de «Dancing in the Dark», en el que aparecía Springsteen solo en un escenario completamente negro, moviendo los brazos con una camiseta de hombreras blanca, pantalones negros, tirantes negros y una banda negra en la cabeza mientras hacía *playback* con la canción, Brian De Palma, director de *Carrie* y *Scarface* (*El precio del poder*), rodó una versión «en directo».

Springsteen continuó con el mismo baile y el *playback*, pero el escenario ganó con la grabación del vídeo en

«AUNQUE RESULTÓ CONTROVERTIDO, AUMENTÓ EL ATRACTIVO DE BRUCE, SOBRE TODO ENTRE MUJERES Y ADOLESCENTES».

Jon Landau acerca del videoclip «Dancing in the Dark», 2012

St. Paul, Minnesota, durante el primer concierto de la gira. En aquella ocasión –con unos vaqueros y una camisa blanca arremangada para lucir las horas de gimnasio–, Springsteen sonreía y contemplaba a la multitud en busca de la chispa que encendería el fuego que, según la canción, ayuda a que al mundo tenga sentido. Entre el público sale una todavía desconocida Courteney Cox, con la cual baila en el escenario hasta el final de la canción. Este fue el inicio de una larga y exitosa carrera para Cox, quien, algunos años después, interpretaría el papel de la novia de Michael J. Fox en la serie *Family Ties* (*Enredos de familia*). En 1987, el propio Fox coprotagonizaría con la roquera Joan Jett el filme de Schrader titulado *Light of Day* (*Rock star*), el cual se filmó a partir del guión que llevaba el título de «Born in the U.S.A.». *Light of Day* se tituló así por la canción que Springsteen le había enviado a Schrader.

El vídeo resulta hortera: es una versión estilizada de lo que había pasado en incontables conciertos de Springsteen en el pasado, solo que las mujeres habían subido al escenario sin que nadie las invitase. Con todo, funcionó. Todo lo que hizo Springsteen en 1984 funcionó.

Born in the U.S.A. permaneció durante el mes de julio en el primer puesto de la lista de álbumes de *Billboard*, desbancando a Huey Lewis & The News con su *Sports*, disco que solo se mantuvo una semana en lo más alto. Con el tiempo, *Purple Rain*, de Prince, sustituyó a *Born in the U.S.A.*. Los únicos otros discos que llegaron a encabezar la lista ese año fueron *Thriller* y la banda sonora original de *Footloose*.

«Dancing in the Dark» alcanzó el segundo lugar de la lista de singles, con lo que se convirtió en el primero de los siete éxitos que se extrajeron del álbum y que se situaron entre los diez más vendidos. La gira fue aún más importante. Tocaron varias noches en casi todos los lugares en los que paraban; sirvan

Izquierda: a pesar de ser hortera, el videoclip de «Dancing in the Dark» dejó huella y ayudó a que la canción llegara al número dos, que es el más alto que ha logrado un single de Springsteen en Estados Unidos hasta la fecha.

Derecha: el cantante hace la fuente en el Giants Stadium, Nueva Jersey, agosto de 1985.

Páginas 124 y 125: Springsteen recluta a más de setenta mil coristas en el londinense Wembley Stadium, julio de 1985.

de ejemplo las diez actuaciones en el Brendan Byrne Arena de Nueva Jersey, las seis en el Spectrum de Filadelfia y las siete en el Los Angeles Memorial Sports Arena.

Springsteen pasó de la prensa del rock a la cultura de las celebridades cuando concedió entrevistas a la publicación *People* y al programa de televisión *Entertainment Tonight*. La MTV celebró un concurso en el que el ganador acompañaría al grupo un día durante la gira. Springsteen formó parte del pequeño grupo de artistas –Prince, Michael Jackson, Van Halen y Madonna– que ese año publicó álbumes que marcarían sus carreras. Lo que lo distinguía es que era la única estrella del rock en 1984 que también podía involucrarse en la política del año electoral.

Todo empezó en septiembre, cuando el conservador columnista de pajarita George Will usó su columna, publicada en varios periódicos de tirada nacional, para demostrar que podía hacer que incluso el rock 'n' roll pareciese aburrido. En ella, Will aludió a Springsteen como el arquetipo de hombre hecho a sí mismo y que había levantado la nación. «No es un ningún quejica –escribió Will–, y toda la monserga acerca de cierres de fábricas y otros problemas siempre parecía marcada por una gran y alegre afirmación: ¡Nacido en Estados Unidos!».

¿Alegre? No es que Will fuera el primero en cometer ese error. Ni siquiera fue el más destacado entre los que lo cometieron. Una semana después, en una parada de la campaña en Nueva Jersey, el presidente Ronald Reagan dijo que el futuro de Estados Unidos estaba en «el mensaje de esperanza que hay en las canciones de un hombre al cual admiran muchos jóvenes estadounidenses». Ese hombre era, huelga decirlo, Bruce Springsteen.

Springsteen comprendía el poder de la iconografía y sabía exactamente cómo estaba manejándolo. Lo supo desde el momento en que entró en el estudio fotográfico de Eric Meola con Clarence Clemons y una guitarra para la sesión de *Born to Run*. Desde entonces, cada una de las portadas había servido para marcar el tono de lo que tenía que llegar. *Born in the U.S.A.*, que sugería la inminente explosión de fuegos artificiales, no fue distinta en este sentido. Con todo, la bandera es un elemento que resulta difícil controlar. Cuando uno se envuelve con ella, da a la gente una razón para alzar los puños en alto y resulta muy posible que se esté demasiado emocionada como para fijarse en sutilezas. La versión que escogió Springsteen para «Born in the U.S.A.» fue, tal y como esplicó en *Songs*, la canción «en su forma más poderosa». Para bien y para mal.

Cuando llegó el momento de grabar el videoclip, se negó a hacer *playback*. Rodadas en directo (pero incluidas en la pista del álbum), con un Springsteen vestido de cuero, tela vaquera y sin afeitar, es evidente que las imágenes no están totalmente sincronizadas con la canción. Se trata de una actuación con una imagen tosca y granulada entre la que se intercalan tomas típicamente estadounidenses de celebraciones, fábricas, automóviles y una hilera tras otra de lápidas blancas. Resulta evidente que Springsteen se benefició del patriotismo que había promovido la campaña

de Reagan. La diferencia radicaba en la forma en que cada uno definía aquel mundo repleto de connotaciones. Para Reagan, Estados Unidos era un país fabuloso, siempre y por siempre. Para Springsteen podía serlo, pero había mucho trabajo pendiente.

Con independencia de las concesiones que Springsteen hubiera hecho en aras del atractivo mediático, no estaba preparado para ser el apoyo político de nadie, y menos de Reagan, que se estaba dedicando a vender la versión idealizada de un nuevo amanecer estadounidense. «El sol no luce en Pittsburgh –comentó Springsteen a la *Rolling Stone* en diciembre de 1984–. No luce más allá de 125th Street en Nueva York. Es medianoche y, como tal, está saliendo una Luna de mal agüero». Pero cuando el adversario de Reagan, el exvicepresidente Walter Mondale, intentó aprovechar el paso en falso para conseguir un golpe político o dos, perdió el equilibrio. Después de que sus jefes de campaña tratasen de lograr el apoyo de Springsteen, se vieron obligados a retractarse.

Las ideas políticas de Springsteen, aunque estaban más cerca de las de Mondale que de las Reagan, siempre habían sido más personales que partidistas. *Política humana* es el término que usó para definir su postura en una entrevista con Chet Flippo. Durante el Born in the U.S.A. Tour, empleaba parte de los conciertos en animar a los asistentes a que colaborasen con los bancos de alimentos y con otros recursos comunitarios que se ocupasen directamente de los ciudadanos que lo estaban pasando mal.

Springsteen rechazó una fortuna (que ya tenía) de Chrysler, empresa que quería usar su música en los anuncios de sus automóviles. No quiso patrocinadores para las giras. Se las arregló para meterse en la refriega a la vez que le daba la espalda. Y no dejaban de llegar éxitos. «Born in the U.S.A.» llegó al n.º 5 (después de que «Cover Me» hubiera alcanzado el séptimo puesto). Lanzado a comienzos de 1985, «I'm on Fire» fue n.º 6 y se acompañó de un videoclip que supuso la primera incursión de Springsteen en la interpretación. Hacía el papel de un mecánico. «Glory Days» ascendió hasta el n.º 5 de la lista. En la secuencia final del videoclip aparece Springsteen actuando como de un pícher un tanto heterodoxo.

Como si no tuviera suficiente a su favor, en un descanso de la gira, contrajo matrimonio en mayo de 1985 con la actriz Julianne Phillips en una ceremonia que se celebró de madrugada en una iglesia católica de la ciudad natal de la novia, Lake Oswego, Oregón.

Como era de esperar, para algunos aquello fue demasiado. «La devoción ha comenzado a arremolinarse en torno a la rizada cabeza de Springsteen como la niebla alrededor de la cumbre de una montaña –escribió James Wolcott en *Vanity Fair*–. No se puede culpar a la montaña de la niebla, pero, con todo, la veneración está adquiriendo un terrible espesor».

Springsteen era «demasiado sincero en su cursilería», según el «gusto corrupto» de Wolcott, que concluía de este modo su escrito: «La virtud es aburrida». Para algunos, pero desde luego no para todos. Cuando la gira

«ME PRESENTARON A JAMES BROWN COMO "SEÑOR BROWN" EN EL U.S.A. ONE NIGHT. FUE UNO DE LOS MOMENTOS MÁS IMPORTANTES DE MI VIDA».

Bruce Springsteen, 2011

llegó a Europa en 1985, los conciertos se celebraron en los locales más grandes de las distintas ciudades: comenzó en el irlandés castillo de Slane y, después, la banda tocó tres noches en el londinense Wembley Stadium. A cada paso que daban les seguían admiradores y fotógrafos. De vuelta a Estados Unidos, tenían una agenda que bien podría haber sido la de un equipo de la NFL (National Football League). Se pasaron el verano de un estadio a otro. Se alojaban en los mejores hoteles. Fletaban aviones para ellos. Quedaron para el recuerdo los atascos en automóviles y autobuses. La inercia tomó las riendas; lo único que se podía hacer era agarrarse y ponerse en marcha.

Born in the U.S.A. permaneció durante ochenta y cuatro semanas consecutivas entre los diez discos más vendidos y, a pesar de haberse lanzado a mediados de 1984, fue el álbum con mayores ventas en Estados Unidos al año siguiente. En el momento en el que recibió tal honor, ya había vendido más de diez millones de copias. Springsteen lograba llevar a cabo todo aquello que se proponía. El rock 'n' roll le había dado la fuerza y la inspiración. Y ahora ese mismo rock 'n' roll le estaba sirviendo para dar fuerza e inspirar. El 2 de octubre de 1985, la gira se despedía con cuatro noches en el Los Angeles Memorial Coliseum, sede de las Olimpiadas de Verano el año anterior. Springsteen acababa la gira con una versión de la canción de Creedence Clearwater Revival titulada «Rockin' All over the World» que daba paso a «Glory Days».

Al final del concierto, el grupo subía los escalones hacia la antorcha olímpica. «Recuerdo cómo miraba una última vez a la multitud, cómo me sonreía a mí mismo y me sentía como nunca antes me había sentido», le dijo Bittan a Robert Santelli en 2006. He aquí lo que dijo Garry Tallent al reflexionar en 2011 acerca de la gira: «Nos haríamos una idea de lo que había sucedido al día siguiente, con toda seguridad al año siguiente, pero en aquel momento era increíble».

Cerca de las estrellas. El vertiginoso éxito de *Born in the U.S.A.* fue mayor del que Springsteen jamás hubiera soñado.

AL FIN EN VIVO

Al finalizar el Born in the U.S.A. Tour, Springsteen era la estrella
de rock más importante del mundo, un *sex symbol* de treinta
y cuatro años y una fuerza comercial imparable. Tras una década
de dedicación exclusiva a la música, se había casado y comenzaba
a llevar una vida más adulta. «Sentí que había llegado el final
de la primera parte de mi camino», dijo en 1992 a la *Rolling Stone*.
Era un momento digno de señalar.

    Bruce Springsteen & the E Street Band Live/1975–85, lanzado en la
Navidad de 1986, era el álbum en vivo con el que los fans llevaban años
soñando. Se trata de una colección de cuarenta canciones distribuidas
en cinco discos que abarca actuaciones que van desde los clubes
a los estadios y que, con todo, deja mucho fuera. Solo se incluyeron
cinco canciones de los primeros dos álbumes y se pasaron por alto
epopeyas tales como «Incident on 57th Street» y «For You», si bien
ambas se habían lanzado como caras B. Las versiones extendidas
de canciones tales como «Backstreets», que es uno de los momentos
más poderosos de los conciertos de Springsteen, se recortaron.
La colección se nutrió sobre todo de *Born in the U.S.A.*, disco del cual
se incluyeron ocho canciones, así como una versión de «War», de Edwin
Starr, la cual fue una pieza clave en la gira de 1985. Publicada a modo
de primer single del álbum, llegó al octavo puesto de la lista de *Billboard*,
con lo que Springsteen situó ocho singles consecutivos entre los diez
más vendidos. Esa racha se vio truncada con el siguiente, «Fire», que
apenas logró estar entre los cincuenta más vendidos.

    El lanzamiento de *Live/1975–85* dio lugar a ríos de tinta, fajos de
dinero y una gran atención mediática. Debutó en el primer puesto,
y desde entonces ha vendido más de trece millones de copias
(contando cada uno de los cinco discos que componen la obra).

Spectrum, Filadelfia, septiembre
de 1984.

TUNNEL OF LOVE

1987

«PARA MUCHOS, *BORN IN THE U.S.A.*
HABÍA SIDO EL PRIMER ÁLBUM DE BRUCE.
ASÍ, CREYERON QUE *TUNNEL* ERA UN GIRO
A LA IZQUIERDA. LOS FANS DE ANTAÑO SABÍAN
QUE ERA ÉL VOLVIENDO AL PASADO».

ROY BITTAN, 2011

1987

Enero-mayo: se graba gran parte de *Tunnel of Love* en Thrill Hill East, el estudio casero de Springsteen en Nueva Jersey.

21 de enero: el cantante pronuncia un discurso de presentación en la ceremonia de entrada de Roy Orbison en el Rock and Roll Hall of Fame.

6 de febrero: se estrena el filme de Paul Schrader titulado *Light of Day* (*Rock star*). La canción homónima, compuesta por Springsteen, es interpretada por los dos protagonistas: Joan Jett y Michael J. Fox.

Mayo-agosto: la grabación de *Tunnel of Love* finaliza en A&M Studios, Los Ángeles.

10 de julio: fallece John Hammond –gracias al cual Springsteen había firmado con Columbia hacía tres lustros– a los setenta y dos años.

16 de septiembre: la E Street Band toca en el banquete nupcial de Danny Federici, el cual se celebra en Janesville, Wisconsin.

30 de septiembre: tiene lugar la grabación de *Roy Orbison & Friends: A Black & White Night* («Roy Orbison y amigos: una noche en blanco y negro») en el club nocturno Cocoanut Grove del Ambassador Hotel, Los Ángeles; además de Springsteen, asisten Elvis Costello, Tom Waits, K. D. Lang y otros.

7 de octubre: sale *Tunnel of Love* (Estados Unidos: n.º 1; Reino Unido: n.º 1).

22 de octubre: Springsteen canta «Forever Young», de Bob Dylan, en el funeral de Hammond, que se celebra en la neoyorquina iglesia de St. Peter.

7 de diciembre: da un concierto en el Carnegie Hall, Nueva York, en homenaje al fallecido cantautor Harry Chapin.

1988

20 de enero: pronuncia otro discurso de ingreso en el Rock and Roll Hall of Fame, esta vez para Bob Dylan.

25 de febrero: el Tunnel of Love Express Tour comienza en el Centrum de Worcester, Massachusetts.

2 de marzo: Springsteen obtiene un Grammy en la categoría de Mejor Interpretación Vocal de Rock Masculina por «Tunnel of Love».

23 de mayo: acaba la parte estadounidense de la gira en el Madison Square Garden de Nueva York.

11 de junio: la gira se reanuda en Europa en el Stadio Comunale, Turín, Italia.

15 de junio: los *paparazzi* captan imágenes de Springsteen y Patti Scialfa en el balcón de la habitación del hotel en el que se alojaba el cantante en Roma.

17 de junio: se anuncia la separación de Springsteen y Julianne Phillips.

19 de julio: da un memorable concierto antes de la Reunificación alemana en el Radrennbahn Weißensee, Berlín Oriental.

3 de agosto: el Tunnel of Love Express Tour finaliza en el Camp Nou, Barcelona, España.

2 de septiembre: el londinense Wembley Stadium acoge el primer concierto de la gira Human Rights Now! de Amnistía Internacional (participan: Sting, Peter Gabriel, Tracy Chapman y Youssou N'Dour).

15 de octubre: la gira Human Rights Now! finaliza en el Estadio Monumental Antonio Vespucio Liberti, Buenos Aires, Argentina.

Página 131: retrato de Neal Preston, octubre de 1988.

Derecha: Tunnel of Love Express Tour, 1988.

En la portada del número de diciembre de 1988 de *Esquire* figura una ilustración en la que Springsteen sale como «Saint Boss» («El santo Jefe»), una especie de patrón de los tristones de mandíbula cuadrada. El titular era «Has Fame Crucified Bruce Springsteen?» («¿Ha crucificado la fama a Bruce Springsteen?»). Para responder a esta pregunta, el escritor John Lombardi reunió más de siete mil palabras –desdeñosas en su mayor parte– bajo el título «The Sanctification of Bruce Springsteen and the Rise of Mass Hip» («La santificación de Bruce Springsteen y el ascenso de Mass Hip»). Ya no era 1976, año en el que *Creem* publicó «Bruce Springsteen Is Not God (And Doesn't Want to Be)» («Bruce Springsteen no es Dios [ni quiere serlo]») y, pocos meses después, pudo leerse en *Playboy* «The Ascension of Bruce Springsteen» («La ascensión de Bruce Springsteen»).

Para Lombardi, Springsteen era un producto, un rebelde sin ingenio de cuya comercialización masiva se habían encargado los críticos de rock intelectuales que vieron en él al «gamberro perfecto, un chico de la calle con una energía sin límites que no te daría una paliza».

«Su público "televisivo" se ha desintoxicado bien –escribió Lombardi–. Lo único que quiere es mimetizar la emoción». Y hay algo más: ese público clamaba al cantante prolongando la *u* de su nombre, y mucho, cosa que enojaba bastante a Lombardi. Springsteen era seguro, se había calibrado meticulosamente y se le había sometido a pruebas de mercado. «En 1988, la labor del rock 'n' roll es hacer que el histerismo parezca sensatez», escribió Lombardi.

Pocos años después del que había sido *su momento* y contemplándose en la cima del mundo en 1985, Springsteen podría haber aceptado algunas de las críticas de Lombardi. «Uno acaba por transformarse en una especie de icono, lo que al final resulta opresivo», le explicó Springsteen a James Henke para la *Rolling Stone* en 1992; además, le comentó que en Nueva Jersey lo trataban como a Santa Claus en el polo Norte.

«Es como si uno fuera el producto de la imaginación de muchas otras personas –declaró Springsteen–. Y eso es algo que siempre conlleva cierto encasillamiento».

Alguien tenía que actuar. Lombardi lo hizo en la prensa. Sin embargo, Springsteen actuó antes y mejor desde las primeras notas de *Tunnel of Love*.

«Ain't Got You» es más un reconocimiento de lo que tenía Springsteen en 1987 que de lo que no tenía. «¿Los tesoros de los cielos?». Los tengo. «¿Casas, cariño, de un lado a otro del país?». También. Y en esas casas, abundante «arte inestimable». El reloj es de diamantes, el caviar se pesa por kilos. El automóvil –de «don Born in the U.S.A.»– es de importación. Las mujeres me desean «y todo el mundo quiere ser mi amigo». Tócala, Santa Claus.

Steve Van Zandt *odiaba* esa canción y le dijo a Springsteen que no saliera a la luz de ninguna manera. «Me dijo que sí, que era una canción sincera –relató Van Zandt en 2011–. Yo también lo soy, ¿y qué? La sinceridad no es fundamental cuando se trata de arte. De hecho, creo que la sinceridad, por definición, no tiene nada que ver con el arte. Eres el

Superior: la reacción inevitable. John Lombardi baja los humos al cantante en *Esquire*, diciembre de 1988.

Inferior: «Sed buenos, por el amor de Dios», de Saint Boss a Santa Claus.

mejor representante de la gente trabajadora desde Woody Guthrie. Ese es tu trabajo».

Según Van Zandt, a continuación tuvo lugar una importante discusión. «En la cual, de nuevo, salí perdedor», comentó. Durante la gira en solitario de 2005, Springsteen tocó «Ain't Got You» a modo de respuesta a la pregunta que nunca se había hecho del todo: ¿qué se siente al ser The Boss? En ese contexto, la canción se convertía en un chiste. Hacía reír. De hecho, *es* una canción graciosa, pero en octubre de 1987, cuando se publicó *Tunnel of Love*, el ansiado sucesor del disco que conquistó el planeta, «Ain't Got You» sirvió también a modo de declaración de intenciones. El trabajo de Bruce Springsteen no había cambiado. Y tenía que hacerlo. «Consideré que era mi responsabilidad ofrecer algo nuevo tanto a mis fans como a mí mismo», afirmó en 2011.

Podría haber hecho algo a lo grande. Como Michael Jackson, que lanzó *Bad* en 1987. Aunque vendió millones de copias, no fueron tantas como *Thriller*, con lo que perdió una batalla en la que nunca iba a triunfar. El año anterior, Madonna había lanzado *True Blue*, álbum con el que encontró otras formas de excitar e instigar, como cuando interpretó a una stripper en el videoclip de «Open Your Heart», o cuando abordó el tema del aborto en «Papa Don't Preach». En 1989 quemaría cruces en el videoclip de «Like a Prayer», acercándose palmo a palmo al precipicio, algo que no se puede mantener en el tiempo. Prince, mientras tanto, se había fijado un rumbo: publicar un disco al año y sortear cualquier clasificación musical fácil.

Springsteen era mayor que cualquiera de ellos: tenía treinta y ocho años cuando salió *Tunnel of Love*, uno menos que cuando lo compuso y grabó (casi) él solo en su nuevo estudio doméstico de Rumson, Nueva Jersey. Se deshizo de la bandera, los vaqueros, las camisetas y las cazadoras de cuero y figuró en la portada bien arreglado, con un traje negro, camisa negra y corbata de bolo con las puntas plateadas. Se parecía mucho al traje que llevaba justo antes del lanzamiento del álbum en octubre, en concreto en el momento en que se había unido a un grupo que desbordaba talento hasta el absurdo y que se había formado para respaldar a Roy Orbison durante un especial de televisión. Filmado en el club nocturno Cocoanut Grove del Ambassador Hotel, Los Ángeles, *Roy Orbison: A Black and White Night* contó, en esencia, con la TCB Band de Elvis. Y con Springsteen, Tom Waits, Elvis Costello, Jackson Browne, Bonnie Raitt, K. D. Lang y T Bone Burnett. Durante canciones tales como «Oh, Pretty Woman» y «Ooby Dooby» intercambió *licks* de guitarra con James Burton y sonrió a un lado y otro como si fuera el hombre más afortunado del planeta. Y es que tal vez aquella noche lo fuera.

Con el pelo engominado y la ropa planchada, Springsteen

parecía haber madurado en todos los sentidos. «Las piedras angulares [de *Tunnel of Love*] fueron los temas de la identidad y el amor –dijo Springsteen durante la actuación que realizó en 2005 para *Storytellers* en la VH1–. ¿Dónde voy a estar? ¿Cuál es mi sitio? ¿Dónde acabaré al final?».

¿Y con quién haría el viaje? Las relaciones más importantes para Springsteen –las que tenía con su grupo y con su esposa– estaban pasando por momentos de tensión. Estaba experimentando «la ambivalencia de las relaciones que siempre habían sido una corriente subterránea en la vida», comentó.

Los personajes del disco son reflejo de ese conflicto. No son individuos tan solitarios como sus parientes de *Nebraska*, pero tampoco son dados a las fiestas y al canturreo como sus compañeros de *Born in the U.S.A.* Las doce canciones de *Tunnel* rebosan declaraciones realizadas en una cita y suspiros que acaban con el silencio que puede instaurarse entre dos personas. Tratan de las fortalezas y las debilidades, elementos que a menudo se presentan a la vez.

De un modo más explícito, el conflicto interno se desarrolla en «Cautious Man», la historia de Bill Horton, un «hombre de la carretera». Inspirándose de nuevo en un filme de Robert Mitchum –esta vez *The Night of the Hunter* (*La noche del cazador*)–, Bill lleva los nudillos tatuados. En lugar del *love* («amor») y el *hate* («odio») de la película, en los de Bill pone *love* («amor») y *fear* («miedo»).

El hombre con más suerte del mundo. Springsteen comparte micrófono con su héroe Roy Orbison durante la grabación del especial de televisión *Black and White Night*, 30 de septiembre de 1987.

Horton deja que «su cautela huya» cuando conoce a una chica. Al bajar la guardia se enamora y se ríe de en lo que se va a convertir. Una noche se despierta con pesadillas y llama a su mujer, que está en la cama junto a él, aunque «a miles de kilómetros de distancia». Se levanta y se va a dar una vuelta por la carretera, por su pasado, y descubre que ya no queda nada de él. Bill vuelve a casa con su esposa, tumbada bajo la luz de la Luna, «llenando la habitación con la belleza de los ángeles caídos de Dios».

«Si había algo de mí mismo que estuviera tratando de explicar, para bien o para mal, en esa canción describo buena parte de ello», afirmó Springsteen.

El tumulto interior de «Cautious Man» se hace más beligerante en «One Step up», donde «todas las noches es lo mismo, nena, quién tiene razón y quién no». Dan portazos, se sacan trapos sucios, y las dudas acerca de uno mismo y la decepción dominan la escena. El narrador de la canción se lanza a la carretera, pero solo hasta el bar más cercano, donde intercambia miradas con una chica que está al otro lado. Ella no parece estar casada, y él dice lo siguiente de sí mismo: «Yo, la verdad, preciosa, es que estoy fingiendo».

En el primer single del álbum, «Brilliant Disguise», hay indicios de la misma traición que se narra en «One Step Up». Todos participan, tanto «el hombre amoroso» como «el hombre fiel». Y la verdad es que funciona, al menos si nadie profundiza e intenta ir más allá de la fotografía publicitaria. En «Two Faces» se narra una versión de la historia, una suerte de Jekyll y Hyde del corazón. A veces se siente «radiante y salvaje», pero «después se congregan negros nubarrones».

«¿Quién es esa persona que está dormida a mi lado? –dijo Springsteen de «Brilliant Disguise» durante la grabación de *Storytellers*–. ¿Y quién soy yo? ¿Sé lo suficiente de mí mismo como para poder ser sincero con esa persona?».

«Tougher than the Rest» y «All That Heaven Will Allow» ofrecen la posible gratificación del amor y un baile más. «Lo único que tienes que hacer es decir que sí», canta Springsteen en la primera de ellas. «Lluvias, tormentas y oscuros cielos: la verdad es que no significan nada», promete en la segunda. Eso sí, con una advertencia: *siempre* que haya alguien que te ame. Alguien que «quiera ponerse el anillo».

Janey, la mujer de «Spare Parts», busca la fuerza para criar a su hijo después de que el padre se marchase a los campos petroleros del sur de Texas para nunca más volver a saber de él. Pondera la opciones, empeña su anillo de compromiso y se pone a trabajar.

Ocho meses después del lanzamiento de *Tunnel of Love*, los padres de Springsteen celebraron su cuadragésimo aniversario

de boda. El conflicto paternofilial que había dado pie a algunas de las primeras canciones aparece más atenuado en «Walk Like a Man», el afectuoso reconocimiento que hace Springsteen respecto a que, al margen de todo, su padre había logrado hacer que su matrimonio funcionase. «When You're Alone» narra lo que sucede cuando no se logra, cuando ni siquiera basta el amor.

Las cosas del corazón, como sugiere la canción que da título al disco, hacen que el camino sea un infierno. «Debería ser fácil, suficientemente sencillo», canta Springsteen en «Tunnel of Love», pero «la casa está embrujada». Hay que vivir con los fantasmas, y punto. El videoclip de la canción, que cuenta con tomas de tragafuegos, tragasables, encantadores de serpientes y un abandonado parque de atracciones de Nueva Jersey, promete en la señal de una valla metálica que «este no es un paseo oscuro». Pero sí lo es. Suficientemente oscuro como para que cuando Chuck Plotkin lo escuchara por primera vez pensase que tal vez su viejo amigo necesitaba que le echasen una mano.

«CUANDO ERA JOVEN DECÍA QUE CUANDO TUVIERA CUARENTA Y CINCO O CINCUENTA AÑOS NO ME HARÍA PASAR POR ALGUIEN DE QUINCE, DIECISÉIS O VEINTE. AQUELLO, SENCILLAMENTE, NO IBA CONMIGO».

Bruce Springsteen, 1992

Izquierda: durante el Tunnel of Love Express Tour, el centro del escenario fue ocupado por una sección de vientos y la batería de Max Weinberg se situó a un lado. La E Street Band en su totalidad se fue quedando al margen cada vez más en aquella época.

Derecha: Springsteen encarna a alguien de su edad en el videoclip de «One Step Up».

Páginas 138 y 139: «Cuando uno está solo, está solo y nada más».

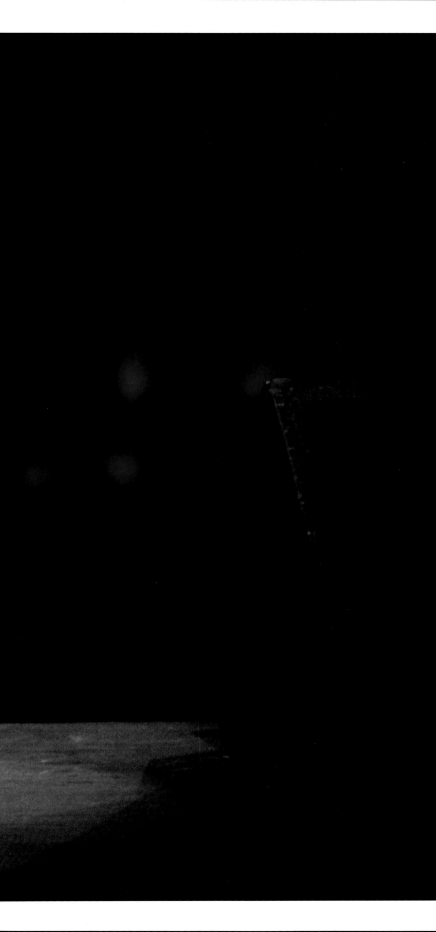

«LA CUESTIÓN ES QUE NO ES EL PRIMER DISCO EN SOLITARIO. *TODOS SON DISCOS EN SOLITARIO*».

Max Weinberg, 2011

Springsteen cierra el disco con «Valentine's Day», donde, bajo un cielo brillante, lo único que quiere el protagonista es volver a casa en su «gran y perezoso automóvil». Como indica el título –el narrador de la canción vuelve a despertar asustado en la oscuridad–, se trata de un final edificante para un tranquilo y complicado álbum, «una inquieta e inquietante colección de duras miradas a los peligros de compromiso», como escribió Steve Pond en la *Rolling Stone*.

He aquí lo que afirmó Springsteen: «Dicen que lo bueno del disco es que uno se puede *sentir* así y, con todo, tener éxito». Una cuestión más interesante era si podría o no lograrlo.

La gira comenzó el 25 de febrero de 1988 en Worcester, Massachusetts, y fue... distinta. «Después de 1985 no sabía qué camino tomar con el grupo –comentó en 2011–. No tenía ni idea. Parecía que habíamos llegado a la cima de lo que estábamos tratando de hacer y decir». Springsteen recolocó al grupo: Max Weinberg se había puesto a un lado, con lo que Patti Scialfa quedaba delante a su derecha, donde había estado Clarence Clemons, el cual quedó a su izquierda. Springsteen incorporó una sección de vientos.

Y aunque había sido un pequeño cambio, el cartel con el que se anunciaba la gira («el Tunnel of Love Express de Bruce Springsteen *acompañado* de la E Street Band») parecía haber puesto cierta distancia entre el cantante y los músicos que le habían respaldado durante tantos años. El vestuario que se usaba en el escenario era más maduro y oscuro. La anterior informalidad con la que el grupo subía al escenario dio paso a un montaje teatral en el que incluso se usaba una taquilla. «Era algo muy al estilo de Broadway», comentó Garry Tallent.

Para la introducción de «All That Heaven Will Allow» se imaginaron a Springsteen y Clemons charlando en el banco de un parque. Aunque, en realidad, no se imaginaron la escena. Había un banco de verdad en el escenario.

«¿Qué has estado haciendo?», le preguntaba Springsteen a Clemons para dar paso a una historia en la que dos viejos amigos que no se veían desde hacía mucho tiempo comienzan a recordar cosas del pasado.

Springsteen hizo una lista con algunas de sus canciones más celebradas, tales como «Thunder Road», y las sacó del set-list, que llenó de canciones nuevas y caras Dos, como «Roulette», que, dada su temática de asuntos familiares con esposa e hijos y terror generalizado, encajaba en la línea del nuevo disco. Inspirándose en «Gino is a Coward», un tema que compuso en 1964 el cantante de rhythm and blues de Detroit Gino Washington, Springsteen elaboró «I'm a Coward (When It Comes to Love)». Hay que destacar, aunque fuera esperable dado el énfasis que se ponía en las figuras masculinas y las femeninas, que Scialfa adoptó un papel más destacado y recibió mucha más atención por parte de Springsteen.

Los paparazzi captaron imágenes de Springsteen y Patti Scialfa en el balcón de la habitación del hotel en el que se alojaba el cantante en Roma durante junio, instantáneas de una pareja que no debía estar junta, porque Springsteen estaba casado con Julianne Phillips, aunque, en realidad, Springsteen se había separado de ella. Sin otra opción, Jon Landau Management anunció la separación el 17 de junio. La sorpresa de unos fue fingida, mientras que en otros resultó verdadera. A pesar de su célebre virtud, la música de Springsteen siempre había estado marcada por los conflictos internos. Con independencia de cuántas personas pudieran haber hecho de Springsteen su brújula moral, la vida es complicada y las relaciones resultan difíciles. Además, esos individuos habrían escuchado el disco.

Un mes después, la gira llegó a Berlín Oriental para tocar al otro lado del Muro. Las estimaciones acerca de la multitud que se congregó arrojan cifras de unas 300.000 personas. Springsteen abrió con «Badlands» y, por primera vez en la gira, tocó «The Promised Land». Al igual que habían hecho otros antes, el gobierno comunista de la RDA intentó obtener el apoyo de Springsteen, pero este se negó a cooperar. Dio un discurso que su chófer le había ayudado a traducir al alemán. Dijo que no había ido allí a tocar para ningún gobierno. Había planeado decir que estaba allí con «la esperanza de que un día todos los muros se derriben». El promotor de Springsteen en Alemania Oriental le pidió que cambiase muros por barreras en el discurso. De cualquier manera, dado que no habría duda acerca de su intención, accedió y después tocó una versión de «Chimes of Freedom», de Bob Dylan. A finales de 1989, gran parte del Muro de Berlín quedaría solo para el recuerdo.

«INTENTABA HALLAR LA FORMA DE ENFRENTARME A ELLO, A MI IDEA ADOLESCENTE DEL AMOR ROMÁNTICO, A ENCONTRAR LA MANERA DE HACER FRENTE A LA COMPLEJIDAD QUE ESTABA DESCUBRIENDO».

Bruce Springsteen, 2011

En esa gira también tuvo lugar otra novedad: fue la primera versión de «Born to Run» con el grupo al completo desde el Born in the U.S.A. Tour.

Durante gran parte del Tunnel of Love Tour, Springsteen había tocado la canción acompañado solo de una guitarra acústica y una armónica. Habló de la evolución de esa canción, la cual reflejaba el desarrollo de su vida y de su carrera.

«Después de meter a todas aquellas personas en aquellos automóviles, me di cuenta de que iba a tener que hallar un lugar al que dirigirnos», dijo Springsteen aquel abril en Los Ángeles.

Se dio cuenta de que lo que buscaban era establecer contactos. El cantante acabó por comprender que «la libertad individual, cuando no se relaciona con algún tipo de comunidad, con una amistad o con el mundo exterior, acaba por no tener mucho sentido».

«Esta canción trata de dos personas que intentan encontrar el camino de vuelta a casa».

No es en absoluto baladí el hecho de que dijera esto mientras se encontraba solo.

Página anterior: en el escenario con Patti Scialfa durante el histórico concierto de Berlín Oriental en el Radrennbahn Weißensee, 19 de julio de 1988.

Izquierda: el cantante asiste a los Rock and Roll Hall of Fame Awards del 20 de junio de 1988 con su esposa Julianne Phillips, y su futura esposa, Patti Scialfa, al lado.

Páginas 142 y 143: Jawaharlal Nehru Stadium, Nueva Delhi, 30 de septiembre de 1988.

HUMAN RIGHTS NOW!

El londinense Wembley Stadium albergó el primer concierto de la
gira Human Rights Now! de Amnistía Internacional, que se celebró
el 2 de septiembre de 1988. Si Springsteen se había esforzado por
hallar la dirección hacia la cual conducir al grupo artísticamente
después de 1985, la gira le permitió, al menos, trasladarlos a lugares
en los que nunca habían estado geográficamente.

Los veinte conciertos de la gira, en la que también participaron Sting,
Peter Gabriel, Tracy Chapman y Youssou N'Dour, ayudaron a recaudar
fondos para Amnistía Internacional y llevaron el mensaje de la defensa
de los derechos humanos a lugares del mundo en los que Springsteen
nunca había tocado: Sudamérica, África, la India y Grecia. Disfrutaron
de nuevas vistas, un ambiente universitario y la sensación común de
estar haciendo algo con sentido. Para la E Street Band, también hay
que decir que el repertorio fue el más reducido de su carrera.

«Esa fue mi gira favorita –dijo Clarence Clemons a comienzos
de 2011–. Todo el público de los conciertos de África era de color.
Era la primera vez que veía a un negro aparte de mí mismo en un
concierto de Bruce».

En agosto, como anticipo de la gira, Springsteen publicó un EP de
cuatro canciones en vivo titulado *Chimes of Freedom*, en el que se
incluía la versión de la canción homónima de Dylan, interpretaciones
de «Tougher than the Rest» y «Be True» y la versión acústica en vivo de
«Born to Run» que había presidido el Tunnel of Love Tour.

«Cuando lleguemos a vuestra ciudad –decía Springsteen al presentar
la canción de Dylan–, salid, apoyad la gira, los derechos humanos
para todo el mundo ahora mismo y dejad que suene la libertad».

1987

HUMAN TOUCH Y LUCKY TOWN

1992

«PARA MÍ FUE MUY GRATIFICANTE
TOCAR CON AQUELLOS MÚSICOS:
ALGUNOS ME APORTARON COSAS
MUY INTERESANTES».

BRUCE SPRINGSTEEN, 2011

1989

1 de marzo: se acaba el proceso de divorcio entre Springsteen y Julianne Phillips.

23 de septiembre: la E Street Band toca en el cuadragésimo cumpleaños de Springsteen; no volverían a tocar juntos hasta 1995.

18 de octubre: Springsteen disuelve la E Street Band.

h. noviembre: comienza la grabación de *Human Touch*, que se prolonga durante 1990 en varios estudios de Los Ángeles.

1990

12 de febrero: Springsteen participa en una cena benéfica para Rainforest Alliance con una actuación única de un supergrupo formado por, entre otros, Sting, Paul Simon, Bruce Hornsby, Don Henley y Herbie Hancock.

14 de abril: hace un dueto con Tom Waits en el banquete nupcial que celebra el productor e ingeniero Chuck Plotkin en Santa Mónica.

24 de julio: Nace Evan James Springsteen, el primogénito de Springsteen y Patti Scialfa.

16-17 de noviembre: da dos conciertos acústicos en solitario para el Christic Institute, un bufete de abogados de carácter social, en el Shrine Auditorium de Los Ángeles.

1991

Marzo: finalizan las sesiones de grabación de *Human Touch*.

8 de junio: Springsteen y Scialfa celebran su boda en su casa de Los Ángeles.

h. julio: comienza la grabación de *Lucky Town* en Thrill Hill (el estudio casero de Springsteen en Los Ángeles) para luego seguir en los cercanos A&M Studios.

30 de diciembre: nace Jessica Rae Springsteen, el segundo hijo de los Springsteen.

1992

Enero: finalizan las sesiones de grabación de *Lucky Town*.

31 de marzo: sale *Human Touch* (Estados Unidos: n.º 2; Reino Unido: n.º 1) y *Lucky Town* (Estados Unidos: n.º 3; Reino Unido: n.º 2).

Página 145: backstage en el Brendan Byrne Arena, East Rutherford, Nueva Jersey, 28 de julio de 1992.

Derecha: «Un grupo de líderes jugando a ser músicos acompañantes y descuartizando las melodías de los demás»: así es como describió Bruce Hornsby al supergrupo que se formó para colaborar con Rainforest Alliance el 12 de febrero de 1990.

"Esta [canción] procede de un disco del que la gente suele pensar que es el menos logrado –dijo Springsteen sobre el escenario en 2005–. Siempre que hojeo una revista y veo una lista con mis álbumes, una de las que dicen qué discos míos comprar y cuáles no, este no siempre sale bien parado. Quizás de manera injusta."

Rio con tranquilidad. La multitud siguió su ejemplo. Horas antes, un noruego –Springsteen estaba bastante seguro de que era noruego– le había pedido «I Wish I Were Blind», del disco *Human Touch*. A Springsteen, que tocaba en solitario, entre las guitarras, el piano y el órgano, le complació interpretarla, y deseó que el chico tuviera días mejores, porque esa canción significaba una cosa: «Solo se puede soportar uno *malo*», bromeó Springsteen.

Ya en 1989, Springsteen había luchado durante dos décadas para seguir adelante. Los dos primeros discos habían dado paso a la desesperación de *Born to Run*, que, a su vez, desembocó en las disputas legales que dieron lugar a *Darkness on the Edge of Town*. *Darkness* marcó el inicio de un período de productividad casi inigualable. Fue fructífero en lo que se refiere al aspecto económico y, después, salió *The River*, que no solo prosiguió donde había concluido su predecesor, sino que también presagió el tumulto de *Nebraska* y la alegre algarabía de *Born in the U.S.A.* Tocó hasta el punto del agotamiento: el propio y el de todos los demás. No porque pudiera, sino porque era la única forma de acallar a su tumulto interior. «No pude parar hasta haberme quemado –le dijo a James Henke en una entrevista de 1992 para la *Rolling Stone*–. Quemado por completo». Dio un paso atrás. Se casó. Con todo, la vida conyugal, en lugar de aportarle algún tipo de felicidad doméstica, solo le condujo por el nuevo laberinto de pasillos oscuros en el que se gestaría *Tunnel of Love*. Una gira y luego otra más, esta en los rincones más apartados del mundo en nombre de Amnistía Internacional. Cuando concluyó, a finales de 1988, Springsteen, tal y como le contó a Henke, se perdió sin más.

Dos años más tarde se subió en solitario al escenario del Shrine Auditorium de Los Ángeles para dar el primero de los dos conciertos benéficos que ofreció para el Christic Institute, un bufete de abogados que se dedicaba a temas relacionados con la justicia social y los derechos civiles. «Puede que os parezca gracioso, pero hace algún tiempo que no hago esto –dijo–, así que si estáis tentados a seguir la música con las palmas, os voy a pedir que no lo hagáis, porque me confundiré».

Compuesto por versiones simplificadas de algunos de los clásicos más celebrados, el *set-list* de cada actuación comenzaba con «Brilliant Disguise» y acababa con Jackson Browne y Bonnie Raitt, que subían al escenario para unirse a Springsteen y tocar «Highway 61 Revisited», de Dylan, y «Across the Borderline», de Ry Cooder. Ambas noches, justo antes de llegar al final, Springsteen alargaba su relato con tres canciones: «Thunder Road», «My Hometown» y «Real World», una de las seis canciones que estrenó en el transcurso de los dos conciertos.

«AUNQUE UNA PARTE DE NOSOTROS CLAMA POR UN MUNDO CON UNA CERTIDUMBRE MORAL, ESE MUNDO NO EXISTE. NO FORMA PARTE DEL MUNDO REAL».

Bruce Springsteen, 1992

Interpretada en solitario al piano, con la voz de Springsteen dando rienda suelta a una poderosa combinación de angustia y determinación, «Real World» es todo un ajuste de cuentas consigo mismo. «Los años transcurridos parecen un solo y largo día –canta–. Pero estoy vivo y me siento bien». Los obstáculos han sido numerosos; la «fiesta de la carretera», creada a base de «dolor y autocompasión»; el santuario de su corazón, construido con «el oro de los locos, el recuerdo y las lágrimas derramadas». Se despoja de las ilusiones de la felicidad, de las «campanas de la iglesia» y de las «banderas desplegadas». Lo que queda es un hombre, una mujer y «la esperanza de estar haciendo algo de verdad».

Tras abandonar la carretera en 1988, él y Patti Scialfa intentaron establecerse en Nueva Jersey, pero no les fue bien. Probaron en Nueva York, pero la cosa tampoco les funcionó. Al final, Springsteen sugirió que hicieran las maletas y se dirigieran a Los Ángeles. Al amparo del sol y el relativo anonimato que brinda Hollywood, el cantante intentó salir de otro de sus oscuros agujeros. Volvió a terapia («Quiero encontrar algunas respuestas, quiero pedir ayuda», cantaba en «Real World») y se sometió a ella con la misma energía que había empleado a la hora de aprender a tocar la guitarra y sacar adelante su carrera y su grupo. Ahora era su vida lo que estaba intentado sacar adelante.

En marzo de 1989, Springsteen finalmente se divorció. Aquel verano, de vuelta en Nueva Jersey, pasó por ciertos bares para participar en improvisaciones. El 23 de septiembre, con la E Street Band (incluido Steve Van Zandt) a su lado, Springsteen celebró su cuadragésimo cumpleaños en el McLoone's Rum Runner de Sea Bright, Nueva Jersey, donde abordó un repertorio de clásicos del rock y del soul tales como «Twist and Shout» y «Having a Party».

Bonnie Raitt y Jackson Browne se unieron a Springsteen en los bises en el Christic Institute, Shrine Auditorium, Los Ángeles, 16 y 17 de noviembre, 1990.

Constituyeron un puente perfecto para acabar con «Glory Days». Menos de un mes después, Springsteen, decidido a no limitarse a revivir el pasado, se sentó y llamó a todos los miembros del grupo para decirles que iba a seguir adelante sin ellos.

«Nunca lo consideré como si estuviera dando el finiquito al grupo», dijo Springsteen en 2011. Sin embargo, en la E Street Band cada integrante se lo tomó de una manera distinta. Se produjo mucho dolor, pero a algunos no les sorprendió demasiado. Habían advertido el distanciamiento hacia el final del Born in the U.S.A. Tour y, además, habían notado cómo cambiaban los intereses de Springsteen en la forma en que grabó *Tunnel of Love* y en cómo se comportaba en la gira que siguió al lanzamiento del disco. Clarence Clemons estaba de gira en Japón con Ringo Starr cuando recibió la llamada. Starr, que había pasado por una situación semejante con los Beatles, intentó calmar a The Big Man. Roy Bittan estaba tan seguro de que se avecinaban cambios que llevó a cabo los suyos propios. Se trasladó a Los Ángeles. No demasiado lejos de Springsteen, quién acabó por irse a la acogedora casita que había comprado a comienzos de la década de 1980 por catorce millones de dólares.

Un mes después de la disolución del grupo, llamó a Bittan y quedó con él para cenar. (Por esta época también fue cuando Springsteen y Scialfa supieron que ella estaba embarazada.) Tras la cena, Bittan le mostró a Springsteen el estudio de grabación que había montado en el garaje y tocó para él algunas de las canciones que había compuesto, entre ellas una estilo rock destinada a la E Street Band titulada «Roll of the Dice». Cuando Springsteen llamó al grupo, no sabía qué iba a suceder después. «No tenía ningún plan», comentó. Y sin un plan, le costaba mucho componer más canciones. Springsteen se llevó a casa las composiciones de Bittan en un casete y se pasó la noche poniéndoles letra. Bittan se despertó al día siguiente con una llamada de teléfono. Era su antiguo jefe, que estaba a punto de convertirse en su nuevo jefe, para decirle que había compuesto un éxito. Inspirándose en Bittan, las libretas de Springsteen comenzaron a llenarse. Grabaron como un grupo de dos personas y luego fueron incorporando a músicos tales como Jeff Porcaro, que asumió la batería –instrumento que ya había tocado en Toto– y Randy Jackson –quien formaría parte del jurado de *American Idol* en el futuro–, que se encargó del bajo. David Sancious tocó el órgano en un par de canciones. Sam Moore, de los célebres Sam & Dave, colaboró como cantante.

El proceso era, en cierto modo, nuevo, ya que casi todos los músicos eran nuevos y el hecho de grabar de forma exclusiva en Los Ángeles era completamente nuevo, pero había algo que no había cambiado: las canciones se iban amontonando según pasaban los meses. Springsteen tenía motivos de peso para no darse prisa con otro disco. Evan James Springsteen había nacido en julio de 1990. Springsteen y Scialfa se habían casado en junio de

«SABÍA QUE ME IBA A RESULTAR DIFÍCIL, YA QUE ME HABÍA HECHO MUCHAS CONCESIONES PERSONALES. IGNORABA COMPORTAMIENTOS BÁSICOS, COMO, POR EJEMPLO, QUE SI VAS A DESAPARECER, NO ESTÁ DE MÁS HACER UNA LLAMADA».

Bruce Springsteen acerca de la vida familiar, 2011

1991. Había llegado el momento de cambiar pañales: la vida en familia se afianzó.

Mientras tanto, el rock 'n' roll seguía su camino. Desde *Appetite for Destruction*, el álbum con el que habían debutado en 1987, Guns N' Roses habían introducido un muy necesario elemento de peligro en el mundo del pop metal y se habían convertido en el nuevo grupo más grande del mundo. Tanto, que el 17 de septiembre de 1991 publicaron dos discos: *Use Your Illusion I* y *Use Your Illusion II*. Una semana antes, Nirvana ponía a la venta «Smells Like Teen Spirit», el primer single de *Nevermind*. Tanto la canción como el álbum no tardaron en marcar el comienzo de un sonido más fuerte y más furioso. El hip-hop había logrado hacerse un lugar tanto como desahogo para la frustración juvenil como fuerza comercial.

En diciembre de 1991, los Springsteen dieron la bienvenida a su hija, Jessica Rae. Springsteen tenía cuarenta y dos años por entonces y llevaba cuatro sin lanzar ningún álbum. La buena noticia para los que estaban esperando es que había acabado uno. La noticia aún mejor es que casi había concluido otro. «*Human Touch* fue, sin lugar a dudas, algo en lo que puse un gran empeño –le comentó a Henke–. Fue un gran trabajo». El trabajo cotidiano que acabó por dar forma a su vida después

Izquierda: tras disolver la E Street Band, Springsteen creó un nuevo grupo en el que, entre otros, se incluía Jeff Porcaro, el batería de Toto.

Izquierda: él y Patti Scialfa también empezaron a dar forma a otro conjunto, del cual el primer miembro, Evan James Springsteen, nació en julio de 1990.

Páginas 152 y 153: concierto benéfico del Christic Institute, noviembre de 1990.

«AHORA ENTIENDO QUE LOS DOS MEJORES DÍAS DE MI VIDA FUERON AQUEL EN EL QUE TOMÉ LA GUITARRA Y EN EL QUE APRENDÍ A DEJARLA. ALGUIEN ME PREGUNTÓ CÓMO LLEVABA TANTO TIEMPO TOCANDO. LE DIJE QUE ESA ERA LA PARTE FÁCIL, QUE LO DIFÍCIL ES PARAR».

Bruce Springsteen, 1992

de *Tunnel of Love*. Más tarde, se alejó para poder pensar, y en cuestión de semanas compuso un nuevo álbum: *Lucky Town*. Si Guns N' Roses podía hacerlo, ¿por qué no iba a poder Bruce Springsteen? Sea como fuere, nadie podía decirle que no. El 31 de marzo de 1992 llegaron a las tiendas los dos álbumes.

Human Touch tiene como protagonista a un hombre de mediana edad que intenta comportarse de acuerdo con su edad y aceptar la ambigüedad del mundo que se escapa a su control. «Hay un momento en el que tienes que darte cuenta, tomar tus propias decisiones y hacer las cosas lo mejor que puedas», le explicó a Bill Flanagan en una entrevista para *Musician* en noviembre de 1992.

Es posible reconocer los lugares oscuros, ese «río negro de la duda» del que se habla en «Real World» o aquel «cielo negro del que caen serpientes, ranas y un amor que ha sido en vano» de «Soul Driver». Uno se percata de los ríos que ha cruzado, tal y como hace Springsteen en «With Every Wish», aunque sabe que «en las lejanas orillas hay siempre otro bosque en el que un hombre se puede perder». Lo que no se hace es esconderse ante las dificultades. Es un riesgo, desde luego, una jugada como la de «Roll of the Dice». Aunque hay perdedores (como los de «I Wish I Were Blind» y «Gloria's Eyes»), es el mismo riesgo para *todos*. «Así que te has sentido derrotado y has sufrido; dime quién no», canta Springsteen en «Human Touch».

Tanto «Man's Job» como «Real Man» transforman al fornido héroe de *Born in the U.S.A.* en un romántico empedernido cuya hombría no tiene nada que ver con el levantamiento de pesas, sino con su capacidad de compromiso. Es todo o nada, como dice la canción «All or Nothin' at All», ya desde el título. «Cross My Heart», canción basada en una pieza de Sonny Boy Williamson (*bluesman*, que llevaba mucho tiempo muerto, pero al que Springsteen hace figurar como coautor), profesa un compromiso parecido.

En «57 Channels (and Nothin' On)» vemos a un Springsteen acomodado en su «casa burguesa de las colinas de Hollywood», aunque acaba por demostrar que el dinero no lo puede comprar todo. Ni siquiera ponen nada bueno en televisión. En «The Long Goodbye» cuenta cómo se fue a vivir a la Costa Oeste («Empecé a irme hace veinte años, supongo que he estado haciendo las maletas con cierta lentitud») de un modo optimista («bésame, cariño, y váyamonos volando»). La última canción del disco, «Pony Boy», está basada en una melodía tradicional que la abuela de Springsteen le cantaba a su nieto y que este, más adelante, le canta a su hijo.

Uno de los motivos por los que *Human Touch* no ha tenido una buena recepción a lo largo del tiempo es que no parece, a pesar de su título –traducible por «Toque humano»–, especialmente humano. Se trata de un elaborado producto de estudio, lo cual se hace más patente aún al escuchar las interpretaciones de «Real World» y «Soul Driver» en el Christic Institute. Aunque en el escenario parecían crudas y poderosas, las habían sometido a un tratamiento intensivo de chapa y pintura en el taller. Cuando Van Zandt escuchó el disco, sugirió que se volviera a grabar con la E Street Band. «¡Y puede que tuviera razón!», confesó

«TODOS VIVIMOS CON NUESTRAS ILUSIONES Y NUESTRA AUTOIMAGEN, Y BUENA PARTE DE TODO ELLO ES UNA QUIMERA».

Bruce Springsteen, 1992

Springsteen. Pero el cantante no tenía ninguna intención de hacerlo.

He aquí otro de los problemas de *Human Touch*: *Lucky Town*. Compuesto a gran velocidad, el segundo disco deja ver a un Springsteen que ha salido del vendaval y se ha recompuesto. En este segundo álbum parece beneficiarse de todo el trabajo realizado en el primero. En la ciudad que describe en «Lucky Town», el «cielo se ha despejado gracias a las intensas lluvias» y el cantante, a pesar de tener las manos manchadas, se dispone a seguir adelante: «Me voy a construir una nueva casa». La suciedad de la que habla no es baladí, ya que confiere al disco cierta textura.

«Better Days» entona un coro góspel ante la comprensión de que «es un patético final el de verse fingiendo y llevando ropa de pobre cuando se es un hombre rico». Es en ese ataque de autoconciencia donde encuentra fuerzas y el punto desde donde comenzar de nuevo. Por ello, la escena de la boda en torno a la que gira «Book of Dreams» sirve como escenario para el perdón propio.

En «Local Hero» narra la triste pero verídica historia en la cual se encontró con un retrato suyo de terciopelo negro en su ciudad natal, cuadro que estaba a la venta por 19,99 dólares. «Lo peor es que a un lado estaba Bruce Lee y parecía que estuviera a punto de lanzarme una patada a la cabeza –explicó Springsteen al público en la MTV en 1992–. Al otro lado había un perro que ni siquiera me estaba mirando». Acaso anticipándose a lo que estaba por venir (o reaccionando a artículos como el que había publicado John Lombardi en 1988 en *Esquire*), Springsteen escribió unos versos en los que deconstruía el ciclo vital de las celebridades: «Primero me nombraron rey, luego me proclamaron papa y, al final, trajeron la cuerda para ahorcarme».

Aunque en «Leap of Faith» aborda el mismo enfoque fatalista respecto al amor que en *Human Touch*, da un mejor ritmo y emplea una metáfora en cierto sentido

En enero de 1989, Springsteen interpretó «Crying» en la ceremonia anual del Rock and Roll Hall of Fame como homenaje a Roy Orbison, que había fallecido el mes anterior.

blasfema: «Tú eras el mar Rojo y yo era Moisés».

«If I Should Fall Behind» es una tranquila plegaria con la que se pide paciencia y comprensión; probablemente esta es la canción de más éxito de Springsteen con temática nupcial.

Aquel «límpido momento de amor y verdad» tras el que andaba Springsteen en «Real World» llegó con el nacimiento de su hijo. «Disparaste a través de mi ira y mi rabia –canta en "Living Proof"– para hacerme ver que mi prisión no era más que una jaula abierta».

Pero no todo es tan hermoso. En «Souls of the Departed» hay imágenes de la violencia de Oriente Próximo y de las calles de Los Ángeles, que yuxtapone a los temores de un padre que arropa a su hijo por la noche, y que a su vez yuxtapone con aquellas de la admisión del padre en un trabajo en el que ejerce su oficio «en la tierra del rey dólar, donde a uno le pagan y el silencio pasa como el honor». No es más inocente que los personajes que en «The Big Muddy» lidian contra sus propias obligaciones morales. Esta canción tomó su título (y el estribillo) de la que Pete Seeger compuso en 1967 con el título de «Waist Deep in the Big Muddy» contra el conflicto de Vietnam.

Lucky Town termina lejos de la oscuridad cuando la voz de «My Beautiful Reward» levanta el vuelo como un pájaro «sobrevolando alto los campos grises» y «hacia la orilla silenciosa del río».

«Tanto *Human Touch* como *Lucky Town* surgieron en un momento en el que tenía que hallar lo que necesitaba; iba a tener que hacer que las cosas siguieran su curso, cambiar, probar cosas nuevas, cometer errores: simplemente vivir», escribió Springsteen en *Songs*.

Human Touch se abrió paso hasta el segundo puesto de la lista de *Billboard*; *Lucky Town* alcanzó el número tres. En el momento en el se publicó el artículo de Henke, en agosto de 1992, se habían vendido más de un millón y medio de copias de cada álbum. Son buenas cifras, sobre todo si las sumamos. Sin embargo, había disuelto la E Street Band y se había lanzado a la carretera con un nuevo grupo de músicos y vivía en Los Ángeles. Había mucho en lo que podían indagar los periodistas y los fans de toda la vida si querían. La gira tuvo una buena acogida en los lugares en los que Springsteen tenía fuerza, pero no así en los demás mercados. Donde en otros tiempos tocaba varias noches consecutivas, a veces tan solo había organizado un concierto.

Desde el exterior, la carrera de Springsteen daba la impresión de estar truncándose. Sin embargo, en ciertas cuestiones importantes, se revitalizó. «Visto en perspectiva, para él fue un importante período de transición», afirmó Bittan. Tenía que hacerse. Springsteen tenía que ver qué era lo que podía hacer, lo que le llevó a aprender que podía realizar todo lo que quisiese.

Izquierda: perfeccionar la gira europea de 1992 del World Tour, con una duración de cinco noches, en el londinense Wembley Arena, julio de 1992.

Superior: puedes mirar, pero es mejor que no toques. Arropado por ropa interior femenina en el Paseo de la Fama, 1992.

Y EL PREMIO
ES PARA...

Y entonces, de repente, Bruce Springsteen fue galardonado
con un Oscar y se convirtió en un héroe para la comunidad
gay. Fue el director Jonathan Demme quien puso en
marcha todo con una llamada de teléfono y una petición.
Estaba rodando un filme titulado *Philadelphia* en el que
narraba la historia de un abogado portador de sida al
que despedían de su bufete y reaccionaba poniendo una
demanda por discriminación. Tom Hanks interpretaba
el papel principal. Demme esperaba que Springsteen
pudiera componer una canción.

Con el recuerdo aún reciente de un amigo que había
muerto hacía poco a causa del cáncer, Springsteen escribió
«Streets of Philadelphia». Programó una caja de ritmos y,
después, bajó el tempo. Se sentó frente al sintetizador
y creó un solitario lienzo de acordes menores. «Estaba
magullado y maltrecho, sin poder contar lo que sentía»,
comenzó a cantar.

«Has captado una soledad particular que experimentan
muchos pacientes gay con sida», le dijo Judy Wieder, de
The Advocate, al cantante durante una entrevista en 1996.

«Eso es lo que todo el mundo necesita: básicamente
algún tipo de aceptación y que no se le abandone a su
suerte», respondió Springsteen. En un momento anterior
de la entrevista, comentó que tenía la impresión de que
Demme había intentado que el tema fuera menos
amenazante para que intervinieran él, Hanks y Neil Young,
que también participó con una canción. El filme se estrenó
a finales de 1993 y los tres fueron nominados a un Oscar.
Hanks obtuvo el de Mejor Actor, y Springsteen se impuso
a Young en el de la categoría de Mejor Canción Original.
Lanzado a modo de single, «Streets of Philadelphia» llegó
a número nueve, por lo que se convirtió en el primer
single de Springsteen que volvía a estar entre los diez
más vendidos desde «Tunnel of Love».

Dos años después, Springsteen volvió a recibir una
nominación por otra canción de soledad desesperada.
«Dead Man Walking», del filme homónimo de Tim Robbins
(*Pena de muerte*), daba voz a un condenado que, en uno de
los textos más desoladores de Springsteen, dice que no va
a pedir perdón: «[...] mis pecados son lo único que tengo».

Cuando Wieder le preguntó si
conseguiría de nuevo la estatuilla,
Springsteen respondió: «Con los dibujos
animados de Disney no tengo ninguna
opción». Y tenía razón. Una de la canciones
del filme *Pocahontas* recibió el premio.

Fotografía principal: fotograma del
videoclip de «Streets of Philadelphia».

Recuadro: celebración con Tom Hanks
y Steven Spielberg, 21 de marzo de 1994.
Elton John (izquierda) ganaría en 1995
con una canción de «dibujos animados»,
«El Rey León».

THE GHOST OF TOM JOAD

1995

«ES UNA GRAN HISTORIA. LA HISTORIA
DE AQUELLO EN LO QUE SE VA
A CONVERTIR ESTE PAÍS: UN GRAN
PUNTO DE ENCUENTRO MULTICULTURAL».

BRUCE SPRINGSTEEN, 1996

1992

6 de mayo: tiene lugar la primera actuación del nuevo grupo de Springsteen ante una serie de ejecutivos del ámbito discográfico en el Bottom Line, Nueva York.

9 de mayo: Springsteen aparece por vez primera en el *Saturday Night Live* de la NBC.

15 de junio: el Globe Arena de Estocolmo, Suecia, alberga el primer concierto del World Tour 1992.

13 de julio: acaba la gira europea en el londinense Wembley Arena.

23 de julio: la gira estadounidense comienza con once noches consecutivas en el Brendan Byrne Arena, East Rutherford, Nueva Jersey.

22 de septiembre: se realiza la grabación en directo de *In Concert/ MTV Plugged* en los Warner Hollywood Studios, Los Ángeles.

17 de diciembre: el Rupp Arena, Lexington, Kentucky, alberga el último concierto del World Tour 1992.

1993

13 de enero: el cantante pronuncia el discurso en la ceremonia de Creedence Clearwater Revival en el Rock and Roll Hall of Fame.

31 de marzo: el SECC, Glasgow, Escocia, alberga el inicio del World Tour 1993.

12 de abril: sale *In Concert/MTV Plugged* (Estados Unidos: n.º 189; Reino Unido: 4).

20 de mayo: la actuación que realizan en el dublinés RDS Arena cuenta con Joe Ely y Jerry Lee Lewis como invitados.

1 de junio: el Valle Hovin Stadion, Oslo, Noruega, alberga el último concierto del World Tour 1993.

24 de junio: Springsteen toca en el Concert to Fight Hunger, que se celebra en el Brendan Byrne Arena, East Rutherford, Nueva Jersey.

25 de junio: Springsteen aparece por primera vez en el *Late Night with David Letterman* de la NBC.

Otoño: graba material para un nuevo disco que no llega a salir.

23 de diciembre: se estrena el filme de Jonathan Demme titulado *Philadelphia*, en cuya banda sonora participa Springsteen con «Streets of Philadelphia».

1994

5 de enero: nace Samuel Ryan Springsteen, el tercer hijo de Springsteen y Scialfa.

22 de enero: Springsteen es galardonado con un Globo de Oro en la categoría de Mejor Canción Original por «Streets of Philadelphia».

21 de marzo: «Streets of Philadelphia» consigue también un Oscar como Mejor Canción Original.

Marzo: Springsteen graba más canciones para su disco «perdido».

Septiembre-octubre: tiene lugar la fase principal de la grabación del álbum *American Babylon* de Joe Grushecky and The Houserockers, producido por Springsteen.

Octubre-diciembre: se producen las últimas sesiones del álbum «perdido», de Springsteen.

1995

Enero: Springsteen vuelve a reunir a la E Street Band para grabar nuevas canciones con el fin de incluirlas en un recopilatorio de grandes éxitos.

28 de febrero: lanzamiento de *Greatest Hits* (Estados Unidos: n.º 1; Reino Unido: n.º 1).

1 de marzo: Springsteen obtiene varios Grammy: Canción del Año, Mejor Interpretación Vocal de Rock Masculina, Mejor Canción Rock y Mejor Canción Escrita Específicamente para una Película o Televisión, todos ellos por «Streets of Philadelphia».

Marzo: comienza la grabación de *The Ghost of Tom Joad* en Thrill Hill West.

2 de septiembre: Springsteen y la E Street Band respaldan a Chuck Berry y Jerry Lee Lewis en el concierto de inauguración del Rock and Roll Hall of Fame, celebrado en el Cleveland Municipal Stadium.

Septiembre: se llevan a cabo las últimas sesiones de grabación de *The Ghost of Tom Joad*.

17-24 de octubre: Springsteen toca como guitarra solista en la minigira October Assault de Joe Grushecky and The Houserockers.

19 de noviembre: participa en el concierto homenaje a Frank Sinatra en su octagésimo cumpleaños, que se celebra en el Shrine Auditorium, Los Ángeles.

21 de noviembre: sale *The Ghost of Tom Joad* (Estados Unidos: n.º 11; Reino Unido: n.º 16).

22 de noviembre: da en el Count Basie Theater, Red Bank, Nueva Jersey, el primer concierto del Solo Acoustic Tour.

29 de diciembre: tiene lugar en Los Ángeles el estreno mundial del filme de Tim Robbins titulado *Dead Man Walking* (*Pena de muerte*), que cuenta con la canción homónima de Springsteen.

1996

28 de enero: acaba en el Fox Theater de Atlanta la primera gira estadounidense del Solo Acoustic Tour.

12 de febrero: comienza en el Alte Oper, Fráncfort, Alemania, la gira europea.

13 de febrero: «Dead Man Walkin'» es nominada al Oscar como Mejor Canción Original (aunque es «Colors of the Wind», de Pocahontas, la que recibe el galardón).

20 de febrero: Springsteen inaugura el prestigioso Festival di Sanremo de Italia.

8 de mayo: acaba en el madrileño Palacio de Congresos y Exposiciones, España, la primera gira europea del Solo Acoustic Tour.

16 de septiembre: el Solo Acoustic Tour se reanuda en Estados Unidos, en concreto en el Benedum Center, Pittsburgh.

26 de octubre: Springsteen obtiene el primer John Steinbeck Award anual, premio concedido para distinguir a escritores, artistas, pensadores y activistas cuya obra entronque con el espíritu de Steinbeck.

8 de noviembre: tras haberse trasladado con su familia desde Los Ángeles a Nueva Jersey a comienzos de año, Springsteen da un concierto benéfico en su escuela primaria, la St. Rose of Lima, Freehold.

14 de diciembre: acaba en el Ovens Auditorium, Charlotte, Carolina del Norte, la segunda gira estadounidense del Solo Acoustic Tour.

1997

27 de enero: el Kokusai Forum Hall, Tokio, acoge el inicio de la gira japonesa-australiana del Solo Acoustic Tour.

17 de febrero: acaba la gira japonesa-australiana del Tour en el Palais Theatre, Melbourne.

26 de febrero: Springsteen obtiene un Grammy en la categoría de Mejor Disco Folk Contemporáneo por *The Ghost of Tom Joad*.

5 de mayo: recibe el Polar Music Prize de manos del rey Carlos XVI Gustavo de Suecia en el Grand Hotel de Estocolmo.

6 de mayo: el Austria Center de Viena alberga el inicio de la última parte del Solo Acoustic Tour.

26 de mayo: tras 127 conciertos realizados a lo largo de año y medio, el Solo Acoustic Tour llega a su fin en el parisino Palais des Congrès.

2 de noviembre: se realiza la primera «Seeger Session» en Thrill Hill East.

1998

4 de abril: Springsteen toca «The Ghost of Tom Joad» en un homenaje a la directora de teatro Elaine Steinbeck (viuda de John Steinbeck) en el Bay Street Theater, Sag Harbor, Nueva York.

26 de abril: muere a los setenta y tres años Doug Springsteen.

10 de noviembre: sale *Tracks* (Estados Unidos: n.º 27; Reino Unido: n.º 50), la caja recopilatoria.

5 de diciembre: la BBC emite el documental para televisión titulado *Bruce Springsteen: A Secret History* («Bruce Springsteen: una historia secreta»).

1999

15 de marzo: Springsteen entra en el Rock and Roll Hall of Fame el primer año en que es candidato.

9 de abril: el barcelonés Palau Sant Jordi, España, alberga el inicio del Reunion Tour.

13 de abril: aparece *18 Tracks* (Estados Unidos: n.º 64; Reino Unido: n.º 23).

9 de junio: Springsteen entra en el Songwriters Hall of Fame.

27 de junio: acaba la gira europea del Reunion Tour en el Valle Hovin Stadion, Oslo, Noruega.

15 de julio: comienza la primera gira estadounidense del Reunion Tour con quince noches seguidas en el Continental Airlines Arena, East Rutherford, Nueva Jersey.

4 de septiembre: el astrónomo neozelandés I. P. Griffin descubre el pequeño planeta 23.990 y lo bautiza oficialmente como Springsteen.

29 de noviembre: acaba en el Target Center, Minneapolis, Minnesota, la primera parte de la gira estadounidense.

2000

28 de febrero: el Reunion Tour se reanuda en el Bryce Jordan Center, Penn State University, Pensilvania.

28 de marzo: tiene lugar el estreno de *High Fidelity* (*Alta fidelidad*), en la que Springsteen se interpreta a sí mismo en una breve secuencia onírica que marca el debut del cantante en el cine.

4 de junio: la primera interpretación pública de «American Skin (41 Shots)», en el Philips Arena, Atlanta, provoca importantes reacciones.

1 de julio: el Reunion Tour llega a su fin a lo grande con diez noches consecutivas en el neoyorquino Madison Square Garden.

Página 161: retrato de Neal Preston, 1995.

Derecha: momento de relajación en Thrill Hill West, el estudio casero de Springsteen en Beverly Hills donde se grabó *The Ghost of Tom Joad*.

Springsteen se encontraba en Europa dando unos magníficos y eufóricos conciertos de rock con la que se ha denominado como The Other Band («el otro grupo») cuando el 3 de abril de 1993 *Los Angeles Times* publicó un artículo titulado «Children of the Border» («Los niños de la frontera»). El escritor Sebastian Rotella viajó hasta los 1.200 acres del Balboa Park de San Diego, lugar donde se hallaba el San Diego Zoo, así como museos, auditorios y una comunidad oculta de niños que cruzan la frontera de México para montar un campamento debajo de un puente, inhalar gasolina y vender drogas y sexo a los hombres que se acercan hasta allí en automóviles de gama alta.

Desesperados, hambrientos y enganchados a las drogas, tenían apodos tales como Squirrel o Little Dracula. A uno al que le preguntaron si estaba preocupado por el sida, respondió lo siguiente: «Claro, pero el dinero es más importante». Eran, como escribió Rotella, «nómadas en el limbo entre las sociedades».

La vida en Los Ángeles le brindaba a Springsteen cierto anonimato. La ciudad es grande y densa y está repleta de personas famosas y otras que intentan parecerlo. La urbe le proporcionaba, asimismo, una cómoda ruta a través de la cual escaparse en motocicleta, solo o con amigos, hacia el Joshua Tree National Park o el Angeles National Forest, hasta las montañas de San Gabriel o incluso el desierto de Mojave, las zonas menos habitadas de Arizona, Nuevo México, Colorado y Nevada.

En un viejo motel de la ciudad de Four Corners, Springsteen y un amigo entablaron una noche una conversación con un mexicano cuyo hermano había muerto en un accidente tras unirse a una pandilla de motoristas en el valle de San Fernando. Historias como esas volaban con el polvo y las plantas rodadoras en aquellos lugares. Mientras Springsteen recogía a trabajadores emigrantes en el arcén de la carretera, las historias de los niños de la frontera y los cárteles mexicanos de la droga llegaban impresas al umbral de su puerta.

Esa misma idea de una segunda oportunidad, de una vida mejor, que había llevado a la gente al oeste desde los primeros tiempos de la nación –y que había conducido a los padres de Springsteen a California, y después al propio Springsteen–, es la que llevaba a los hombres, mujeres y niños al norte de México. Con independencia de los riegos que acarrea cruzar el desierto y la frontera; sean cuales sean las dificultades que puedan esperar al otro lado. «No es que fuera un gran secreto, pero California ya era como iba a ser el resto del país», dijo Springsteen en 2012.

Tras haber pasado gran parte de la última década volcado en sí mismo, Springsteen volvió a interesarse por la vida que había más allá de su propia piel. Lo que vio le hizo regresar a *Darkness on the Edge of Town* y a la que había sido una de sus influencias: la adaptación cinematográfica que había llevado a cabo en 1940 John Ford

«JOHN HAMMOND SE REIRÍA AHORA, PORQUE SIEMPRE ME DECÍA QUE HICIESE UN DISCO CON SOLO UNA GUITARRA».

Bruce Springsteen, 1996

de *The Grapes of Wrath* (*Las uvas de la ira*), la historia que había publicado John Steinbeck en 1939 y que trataba sobre otra migración al oeste. «Aunque su piel era más oscura y su idioma no era el mismo, estas gentes estaban atrapadas en las mismas terribles circunstancias», escribió Springsteen en *Songs*.

Invocando el espíritu del deseo de justicia universal del protagonista de Steinbeck, Springsteen compuso «The Ghost of Tom Joad». Steinbeck ambientó la historia de los Joad entre la angustia del Dust Bowl y a lo largo de la Ruta 66 desde Oklahoma a California. Springsteen hizo de su canción un hogar de refugiados modernos que duermen en automóviles y bajo pasos elevados y puentes «sobre una almohada de dura roca». La canción acaba con la promesa que Springsteen pone en boca de Tom Joad: «dondequiera que veas a alguien luchando por ser libre, mírale a los ojos, mamá, y me verás a mí».

«No creo que exista ningún hombre que sea inocente –le dijo Springsteen a David Corn en una entrevista de 1996 para *Mother Jones*–. Existe la responsabilidad colectiva. Esta idea se encuentra en la canción: todo el mundo sabe hacia dónde se dirige». Ese lugar era, de nuevo, una carretera que estaba «viva» aquella noche, pero solo porque se encontraba repleta de almas rotas.

Springsteen había estado ocupado en su estudio casero de Los Ángeles desde que había acabado la gira, a mediados de 1993, y había grabado con varios miembros de la banda. También había grabado en solitario la mayor parte de un disco a base de pulsar teclados y accionar *loops* de batería. «El disco que verá la luz en algún momento», afirmó Jon Landau en 2001, pero 1994, que acabó sin que saliese nada nuevo, no fue el momento adecuado.

Izquierda: en un cambio que se produjo en los conciertos benéficos del Christic Institute cinco años antes, Springsteen dejó la Fender en su funda.

Izquierda: aunque las composiciones de Springsteen habían recibido influencias de *The Grapes of Wrath* desde *Darkness on the Edge of Town*, con el nuevo disco se hizo patente la importancia de este libro.

Páginas 166 y *167:* la E Street Band vuelve a subirse –brevemente– a un escenario para grabar un vídeo para «Murder Incorporated» en la neoyorquina discoteca Tramps el 21 de febrero de 1995.

Aunque «Joad» podría haber sido una canción perfecta para aplicar el tratamiento de *Nebraska*, no se compuso con ello en mente. Se había escrito para la E Street Band.

En enero de 1995, sin previo aviso, Springsteen y la E Street Band se reunieron en el Hit Factory de Nueva York: era la primera vez que estaban juntos en un estudio desde la grabación de *Born in the U.S.A.*, de lo cual hacía más de una década. En unos diez días, habían dado forma a varias nuevas canciones, entre las cuales algunas se iban a incluir en el futuro recopilatorio de grandes éxitos. Sin ser exactamente una reunión ni necesariamente una idea fugaz, ni el propio Springsteen sabía con exactitud de qué se trataba. «No sé cómo me siento esta noche... Si he perdido perspectiva o si la he ganado», escribió la víspera de aquellas sesiones. Las numerosas reformulaciones de una de las canciones, «Blood Brothers», sirvió de marco para un documental acerca de las sesiones que se publicó en 2001. «Blood Brothers» da una explicación de los motivos («tenemos que seguir nuestros propios caminos y asumir nuestros retos») más que de lo que vendría después, y, cuando a finales de febrero de 1995, se lanzó *Greatest Hits*, el final de la nota manuscrita de Springsteen en la canción estaba abierto: «Ha sido agradable ver a los chicos».

El álbum debutó en el primer puesto de *Billboard*, y no cabe duda de que el regreso de la E Street Band tuvo algo que ver con ello. Otra de las nuevas canciones, «Secret Garden», una enternecedora oda a los misterios del amor (con imágenes sexuales no tan misteriosas), contó con el primer solo de Clarence Clemons desde *Born in the U.S.A.* Grabado también para este disco, aunque nunca publicado hasta el momento, estaba el paranoico y ardiente rock titulado «Murder Incorporated». El recopilatorio se cerraba con el polvo y el sol del «camino al sur del río Grande» y con Springsteen cantando «This Hard Land» –otra pieza de la época de *Born in the U.S.A.*– como llamada a las armas: «Seguid firmes, hambrientos y vivos [...] y encontraos conmigo en un sueño de esta dura tierra».

Dos semanas después de que *Greatest Hits* se pusiera a la venta, *Los Angeles Times* publicó otro artículo que llegó a oídos de Springsteen. Con texto y trabajo de campo de Mark Arax y Tom Gorman, «California's Illicit Farm Belt Export» («La exportación de granjas ilegales de California») arrojaba luz acerca de la creciente influencia de los cárteles de la droga mexicanos en el valle Central del estado, donde habían montado laboratorios para producir metanfetamina valorada en millones de dólares, y que dejaba un rastro de muerte y destrucción. Apodados «*cowboys* de Sinaloa» –por el estado del oeste mexicano del que procedía la mayoría–, los traficantes tenían laboratorios tan difíciles de localizar que las autoridades eran alertadas de su presencia solo «después de la explosión de un almacén o una casa». Tras recordar al hombre que había conocido en una de sus escapadas en motocicleta, cuyo hermano había muerto mientras iba con una pandilla, Springsteen recogió los datos del artículo periodístico –la forma en

la que el ácido yodhídrico utilizado en la producción quema la piel e inflige un daño similar en los pulmones al inhalarse– y compuso una canción acerca de dos hermanos, Miguel y Luis, que «cocinan» metanfetamina porque saben que «hay que estar un año trabajando en el campo para ganar la mitad que en una jornada de diez horas». Cuando explota la caseta en la que trabajan, Miguel desentierra 10.000 dólares («todo lo que habían ahorrado») y entierra a Luis en el lugar donde se encontraba el dinero. El público tiene que reflexionar sobre este cambio.

La historia acerca de los chicos de la frontera se convirtió en «Balboa Park», una canción en la que Springsteen usa apodos tales como Little Spider, X-man y Cochise para los niños. Trafican con drogas y entran en el Mercedes de un hombre rico para hacer lo que sea a cambio de lo que quiera. Cuando uno de esos automóviles atropella a Spider al huir de una patrulla fronteriza, vuelve a quedar claro cuál es el precio del negocio.

«Me interesaba volver a conectar con aquello sobre lo que había escrito en profundidad –dijo Springsteen–, pero con una ambientación distinta y de otra forma». Los chicos del parque, así como los hermanos Miguel y Luis, eran «otros». Estaban al margen de la sociedad, por lo que era fácil que la mayoría de la gente los ignorase. No importaba que Springsteen tuviera un Oscar ni que aquellas casas fueran de un extremo a otro del país, ya que podía ver su propia historia en sus historias. *The Ghost of Tom Joad* salió a la luz el 21 de noviembre de 1995. «Te estás viendo arrastrado a los escenarios del infierno –escribía Mikal Gilmore en el libro de 1997 titulado *Night Beat: A Shadow History of Rock & Roll* ("Ritmo nocturno: una historia entre las sombras del rock & roll")–. El infierno americano».

«Straight Time» narra el paso de un expresidiario por el altar hasta convertirse en un padre de familia que aúpa por los aires a sus hijos en la cocina: una aparente historia de éxito hasta que vemos que su esposa lo mira con recelo. «Parece que solo se puede conseguir la libertad a medias», afirma. Mientras toma cerveza y recorta una escopeta en el sótano, se va sumiendo en el escepticismo. Esa misma desazón es la que contagia al vendedor de zapatos de «Highway 29». Con solo cuatro tensos versos, el protagonista pasa de ayudar a una mujer a probarse un zapato a ser un fugitivo huido y a morir con ella en un accidente de tráfico.

En la década de 1980, el escritor Dale Maharidge y el fotógrafo Michael Williamson viajaron por Estados Unidos –subiéndose a menudo a los trenes de carga– con el fin de dejar constancia de la pobreza y la marginación. Su experiencia se plasmó en *Journey to Nowhere: The Saga of the New Underclass* («Un viaje a ninguna parte: la saga de la nueva clase baja»). En las estanterías del cuarto de estar de Springsteen había una copia de este libro. Una noche en la que no

log5raba conciliar el sueño lo agarró y lo leyó de una vez. «Me pasé aquella noche en vela pensando qué pasaría si el oficio que había aprendido se quedase de repente obsoleto y resultase inútil –escribió para el prefacio de una edición del libro que se publicó en 1996–. ¿Qué haría para cuidar a mi familia? ¿Qué no haría?».

Springsteen compuso dos canciones a partir del reportaje de Maharidge y Williamson: «Youngstown», donde se formula las anteriores preguntas en el contexto de las acerías abandonadas del nordeste de Ohio, y «The New Timer», en la que narra la historia de dos vagabundos, uno reciente y otro que llevaba en la calle desde la Gran Depresión. Una noche matan al anciano de la canción, que figura en el libro con el apodo de No Thumbs («Sin pulgares»). «Sin quitarle nada; alguien que mata solo por matar».

Tanto el narrador de «The Line» como el de «Dry Lightning» andan buscando a alguien. Uno es un exmilitar licenciado que vive cerca de San Diego. Comienza a trabajar en el Servicio de Ciudadanía e Inmigración patrullando «la línea» con un veterano que lleva diez años en el puesto y cuya familia procede de México. «Así que el trabajo era distinto para él». Los dos van a Tijuana a tomar una copa con los mismos a los que habían devuelto a México el día anterior. El narrador conoce a una mujer llamada Louisa. Este la ayuda a ella y al hermano a que pasen la frontera y, después, todo se enreda: el hermano trafica con drogas, y el compañero del narrador los acaba de detener. Este contempla tanto a su colega como la posibilidad de tener que dispararle, de verse en la *necesidad* de disparar para poder estar con Louisa. No lo hace. Seis meses después deja el trabajo y se dedica a buscarla de ciudad en ciudad y de bar en bar.

«Dry Lightning» presenta el solitario recuerdo de una mañana en la que había «un trueno que sonaba bajo por las llanuras de mezquite». La bella imagen del portazo de una puerta de tela metálica, tan repleta de energía y significado en «Thunder Road», aquí se convierte en una molestia que hace que uno esté despierto toda la noche. Y el dolor permanece. «Te hartas de pelear y al final pierdes el miedo».

«¿Quién no ha estado despierto en la cama para reflexionar acerca de las decisiones del día –se preguntaba Springsteen– del año o de toda la vida?».

En «Galveston Bay», que es uno de los pocos momentos brillantes del álbum, se presenta otra decisión. En lugar de continuar con la espiral de violencia que comenzó con los lugareños que llevaron al «Klan de Texas» a «quemar las embarcaciones vietnamitas en el mar», Billy Sutter deja el cuchillo y se aleja de Le Bin Son, un inmigrante al que se le acusa de haber matado a dos de esos texanos y que, al considerar que actuó en defensa propia, lo declaran inocente.

«Across the Border» es una plegaria que se realiza la noche antes del viaje para cruzar la frontera. «Sé que tendré amor y fortuna en algún lugar al otro lado de la frontera». El álbum se cierra con «My Best Was Never Good Enough», un golpe repleto de clichés a los noticieros de la noche y a la forma en que se montan para «quitar la dignidad a los acontecimientos humanos», tal y como manifestó Springsteen en *Songs*.

The Ghost of Tom Joad es un susurro. Es muy poco lo que sucede a nivel musical. Hasta el más mínimo detalle tiene importancia, como el narrador de «Dry Lightning», que ve cómo «el anillo de la estufa se pone rojo», o los zapatos de Little Spider, que están «cubiertos de fango del río», o el «hermoso cielo de hollín y arcilla» de Youngstown. El disco obtuvo un Grammy como Mejor Disco Folk Contemporáneo, pero los álbumes folk no aparecen demasiado en la radio, y este no fue una excepción. Llegó al decimoprimer puesto en la lista de *Billboard*, y eso bastó. Springsteen también sabía que no iba a ser un éxito. Tampoco necesitaba que lo fuera. Hizo las paces consigo mismo y halló la forma de tocar con el grupo y grabar el disco con la voz con la que más a gusto se sentía a la hora de componer. Gracias al álbum también pudo hacer algo que había tenido en mente desde *Nebraska*: llevar a cabo una gira en solitario en auditorios pequeños, en los que no tocaba desde la década de 1970. Todas las noches pedía silencio. Y casi todas las noches lo conseguía.

El 13 de enero de 1996, un día después de haber actuado ante un lleno completo de 2.600 personas en el Stambaugh Auditorium de Youngstown, Ohio, Springsteen conoció a Maharidge y Williamson. Se encontraban allí porque *CBS Morning News* estaba realizando un reportaje acerca de su libro. No esperaban que Springsteen aún estuviera allí. Juntos, se metieron furtiva e ilegalmente en la acería abandonada que albergaba el alto horno Jeanette (el *Jenny* de la canción de Springsteen). Después, cuando se dio cuenta de que los cámaras estaban allí para trazar el perfil del libro, Springsteen salió y concedió una entrevista a la que anteriormente su gente se había negado.

«LA CONCLUSIÓN ES QUE, A LO LARGO DE LA DÉCADA DE 1990, LA VOZ QUE HA TENIDO MÁS PRESENCIA Y VITALIDAD PARA MÍ HA SIDO SOBRE TODO LA FOLK. LO CIERTO ES QUE NO HA SIDO MI VOZ ROCK».

Bruce Springsteen, 1996

En 2011, Maharidge y Williamson revisitaron sus anteriores trabajos –incluida la historia del allanamiento con Springsteen– en *Someplace Like America: Tales From the New Great Depression* («Un lugar como América: historias de la nueva Gran Depresión»). La pregunta a la que tuvo que enfrentarse una y otra vez Springsteen durante la gira fue «¿por qué?». ¿Por qué escribir esas historias? ¿Cómo? ¿Cómo puede un hombre tan rico y famoso estar relacionado con un niño que cruza la frontera para drogarse debajo de un puente? Como si perderse en la marea de la fama pudiera hacer que los problemas desaparecieran. Escribió un prefacio para el nuevo libro. Las cuestiones laborales se analizan con demasiada frecuencia solo mediante estadísticas. Al presentar a las personas que hay detrás de esas cifras con «toda su humanidad», es posible establecer contacto con ellas, incluso sentir cierta empatía. Springsteen escribió lo siguiente al respecto: «[Esta forma de componer me aportó] cierto optimismo acerca de que aún podíamos desandar el camino y encontrar un mejor lugar como nación y también como individuos».

Las voces que caracterizan *The Ghost of Tom Joad* resultan inquietantes.

EL GRUPO SE VUELVE A REUNIR

En los últimos instantes de la aparición de Springsteen en el programa *Charlie Rose* en 1998, el presentador le pidió al cantante que anunciase algo de la E Street Band. No hubo suerte. Se tuvo que conformar con la respuesta a la pregunta de qué significaba para él la E Street Band. «Aparte de mi familia –dijo Springsteen–, son las relaciones más esenciales de mi vida».

Cuatro meses después, en marzo de 1999, Springsteen se subió al escenario con el grupo para celebrar su entrada en el Rock and Roll Hall of Fame. Para aquel entonces, ya habían estado trabajando juntos para preparar una gira que comenzaría en España en abril. En un concierto de ensayo antes de la gira, celebrado en el Asbury Park Convention Hall, habló de una «refundación» del grupo.

Steve Van Zandt había regresado, con lo que habría tres guitarras. *Tracks* proporcionó a Springsteen abundante material nuevo con el que trabajar e, inspirado por el momento, redescubrió su lado más roquero. Springsteen compuso «Land of Hope and Dreams» para finalizar con ella los conciertos y dar testimonio de la misión que tenía en esta nueva época. Cuando la gira tocaba a su fin, añadió «Further on (up the Road)», un par de canciones que había compuesto con un amigo de Pittsburgh llamado Joe Grushecky y, por último, «American Skin (41 Shots)».

El tema, que era una respuesta a la muerte de Amadou Diallo –un inmigrante africano de veintitrés años al que cuatro policías neoyorquinos habían disparado cuarenta y una veces–, ardía en una búsqueda del sentido de la violencia que azota a Estados Unidos. La composición, empática y furiosa al mismo tiempo, aunque no buscaba culpables, suscitó reacciones airadas por parte de los líderes sindicales de la policía y de más de un comentarista. La inspiración directa de los titulares había llevado a Springsteen a un terreno que no pisaba desde *Born in the U.S.A.*: el ruedo político. Springsteen seguía haciendo lo que siempre había hecho: dejar que las canciones hablaran por él. Se escogió una versión para cerrar el especial de 2001 de la HBO denominado *Live in New York City*, en el cual se dejó constancia de los diez conciertos del Madison Square Garden con los que se clausuró la gira en el verano del año 2000.

Entre Nils Lofgren y Steve Van Zandt en el último concierto del Reunion Tour, Palais Omnisports de París-Berry, París, 2 de junio de 1999.

THE RISING

2002

«EL DISCO TENÍA QUE REBOSAR UNA ESPECIE DE
ENERGÍA OPTIMISTA, PERO DEBÍA SER
UNA ESPERANZA QUE HABÍA QUE GANARSE. NO
PODÍA LIMITARSE A TÓPICOS TALES COMO "TODO
VA A IR BIEN" O "LAS COSAS VAN A MEJORAR"».

BRUCE SPRINGSTEEN, 2002

2001

27 de marzo: sale el disco y el DVD *Live in New York City* (Estados Unidos: n.º 5; Reino Unido: n.º 12).

21 de septiembre: Springsteen participa en el telemaratón *America: A Tribute to Heroes* («América: homenaje a los héroes»), con el que se pretente recaudar fondos para las víctimas del 11-S y sus familias.

2002

Enero-marzo: tienen lugar las principales sesiones de grabación de *The Rising* en el estudio Southern Tracks de Atlanta.

30 de julio: sale *The Rising* (Estados Unidos: n.º 1; Reino Unido: n.º 1).

7 de agosto: comienza el Rising Tour en el Continental Airlines Arena, East Rutherford, Nueva Jersey.

17 de diciembre: acaba la parte del Rising Tour en el Conseco Fieldhouse, Indianápolis, Indiana, en 2002.

2003

23 de febrero: Springsteen obtiene un Grammy al Mejor Álbum de Rock (por *The Rising*), otro a la Mejor Canción de Rock y un tercero a la Mejor Interpretación Vocal de Rock Masculina (por «The Rising»).

28 de febrero: el Rising se reanuda en el Arena at Gwinnett Center, Duluth, Georgia, con el que sería el primero de los siete conciertos estadounidenses antes de tocar en Australia, Nueva Zelanda y Canadá entre marzo y abril.

6 de mayo: comienza en el Stadion Feyenoord, Róterdam, Países Bajos, la principal gira europea del Tour.

28 de junio: el último concierto europeo de la gira se celebra en el Stadio Giuseppe Meazza, Milán, Italia.

15 de julio: comienza la última parte de la gira con siete noches consecutivas en el Giants Stadium, East Rutherford, Nueva Jersey (donde volverían a tocar tres veces más en agosto).

4 de octubre: el Rising Tour concluye en el Shea Stadium de Nueva York.

11 de noviembre: sale *The Essential Bruce Springsteen* (Estados Unidos: n.º 14; Reino Unido: n.º 28).

18 de noviembre: se lanza el DVD *Live in Barcelona*.

2004

8 de febrero: Springsteen y Warren Zevon comparten un Grammy a la Mejor Interpretación de Rock de un Dúo o Grupo con Vocalista por la canción «Disorder in the House».

15 de marzo: el cantante pronuncia el discurso en la ceremonia de ingreso de Jackson Browne en el Rock and Roll Hall of Fame.

Marzo-agosto: comienza en Thrill Hill East, Thrill Hill West y Southern Tracks la fase principal de la grabación de *Devils & Dust*.

1-13 de octubre: Springsteen y la E Street Band encabezan el Vote for Change Tour a favor del candidato presidencial John Kerry.

28 de octubre-1 de noviembre: asiste y toca en los mítines Fresh Start for America («Un nuevo comienzo para Estados Unidos») de Kerry.

Página 177: retrato de Mitch Jenkins, septiembre de 2002.

Derecha: Sydney Cricket Ground, 22 de marzo de 2003.

El 21 de septiembre de 2001, los televisores de Estados Unidos y de todo el mundo emitieron lo que estaba sucediendo en la bahía de Nueva York. Al fondo, la estatua de la Libertad sostenía la antorcha encendida. Tras ella, el demolido panorama urbano neoyorquino. En un cercano estudio de sonido iluminado como una iglesia, Springsteen aguardaba con una guitarra acústica al hombro y una armónica enganchada, listo para comenzar el telemaratón benéfico repleto de famosos *America: A Tribute to Heroes*. La imagen se fundió para dar paso al cantante, que estaba respaldado por un coro compuesto por Patti Scialfa, Steve Van Zandt y Clarence Clemons. «Esta es una oración por nuestros hermanos y hermanas caídos –dijo–. Hay un círculo rojo de sangre en el frío y oscuro suelo –comenzó a cantar–. Y la lluvia cae».

«My City of Ruins» no se compuso para aquella noche. Se escribió para Asbury Park. Las décadas de dificultades económicas habían arrancado la pintura a la ciudad y la habían dejado arruinada, vapuleada y vacía. La canción hace que la soledad se estrelle contra la esperanza cuando entona «Cuéntame otra vez cómo empezar de nuevo» con fuerza con el coro góspel, que dice «¡Vamos, álzate!». Acaba con oraciones con las que se pide fuerza, fe y amor, las piedras angulares de la obra de Springsteen. En aquel momento, la ciudad de «My City of Ruins» se convirtió en algo más que en una población costera con dificultades.

Durante aquellos diez días, Springsteen había pasado por una maraña emocional como todos los demás. Al principio se produjo la impresión inicial cuando los dos aviones colisionaron contra las torres gemelas del World Trade Center, luego otro más contra el Pentágono en Washington D. C. y un tercero sobre un campo de Pensilvania. Condujo hasta el cercano Rumson-Sea Bright Bridge, desde donde cualquier otro día se habría tenido unas vistas fantásticas de las torres. Pero ya no estaban.

Todo el mundo lidiaba con el miedo y la ira. Todos buscaban consuelo en la intimidad de la familia y de los viejos amigos de confianza. Y así, la historia cuenta que cuando Springsteen salía de una plaza de aparcamiento en la playa un par de días después de los ataques, un conductor bajó la ventanilla y le gritó: «¡Te necesitamos, hombre!».

Springsteen había abandonado Los Ángeles para regresar a Nueva Jersey. Vivía en una granja de 160 hectáreas y trabajaba en una casa reformada de trescientos años. No se encontraba lejos de Freehold, donde se había criado, ni de Asbury Park, lugar en el que había comenzado a forjarse su leyenda. Estaba incluso más cerca de la casa en la que había grabado *Nebraska*, en la que había buceado en los rincones más oscuros del paisaje psicológico estadounidense. Volvía a trabajar con la E Street Band. Estaba en casa, y la casa era, precisamente, el punto de partida de todas las historias que había intentado contar.

«Cuando uno se levanta por la mañana, incluso aunque sea el más recalcitrante de los pesimistas o los cínicos, está dando un paso hacia el siguiente día», dijo Springsteen en 2002 para *Time*. El 11-S fueron miles de personas las que dieron ese paso para hallar que sus vidas habían cambiado

«BÁSICAMENTE, TODO LO QUE COMPUSE DESPUÉS [DEL 11-S] ESTABA CONTEXTUALIZADO DE UN MODO U OTRO POR AQUEL SUCESO. INTENTÉ HALLAR UN CENTRO EMOCIONAL QUE ME HICIESE SENTIR BIEN. LO CURIOSO ES QUE AQUELLO QUE HACEMOS POR LOS DEMÁS ES LO QUE ESTAMOS INTENTANDO HACER POR NOSOTROS MISMOS».

Bruce Springsteen, 2002

para siempre. Algunos se levantaron, fueron a trabajar y no regresaron a sus hogares. Hubo un momento en el que *todo* cambió. Aquel instante, así como los duros momentos de tormento que vendrían después, era de lo que se encargaría Springsteen. Cuando *The New York Times* comenzó a publicar los perfiles de las víctimas en su serie «Portraits of Grief» («Retratos del dolor»), Springsteen vio una y otra vez su nombre vinculado a las vidas de los que habían muerto. Había entradas a conciertos, fotografías de reuniones en la parte trasera de rancheras y recuerdos de su música sonando a todo volumen en las radios de los automóviles. En el artículo dedicado a Steven B. Lillianthal se podía leer lo siguiente:

«Además de a su familia, adoraba el golf, The Jets y a Bruce Springsteen, y no necesariamente en ese orden». Cuando podía, Springsteen telefoneaba a los supervivientes para transmitirles palabras de aliento y saber más acerca de los seres queridos que habían perdido.

«La diferencia era que en ese disco escribí acerca de algo que todos habían visto y que algunos habían experimentado –le dijo Springsteen a *Time*–, y, obviamente, algunos lo habían experimentado de un modo mucho más personal».

En esas historias de coraje y dolor fue donde Springsteen encontró el álbum que había estado buscando desde que salió a la carretera con la E Street Band en el año 2000. Además, por primera vez desde que Jon Landau apareciera para ayudar a que acabaran *Born to Run*, hubo una cara nueva en la sala de control. Brendan O'Brien, que tenía en su haber el trabajo realizado con Pearl Jam y Rage Against the Machine, se encargó de la producción del álbum, que se llevó a cabo en su mayoría en los estudios Southern Tracks de Atlanta. Nunca hablaron de grabar un disco sobre el 11-S. Hasta que Springsteen apareció con la canción que daba título al álbum, en la que pone voz a un bombero, que muere

en acto de servicio tras acudir en auxilio de la gente («llevando la cruz de mi llamada», dice la canción), O'Brien no supo qué hacía el cantante. O'Brien se debatió un instante consigo mismo ante la ingente tarea: «Me está sucediendo a mí; espera, es que este es Bruce –explicó en 2001–. Y está funcionando. Y muy bien».

«Into the Fire» retoma la historia de ese bombero que carga con unas escaleras y la narra desde el punto de vista de su viuda. «Necesito tus besos –canta Springsteen–, pero el amor y el deber te llamaron para que acudieras a algún lugar más elevado». Al igual que «My City of Ruins», acaba también con una plegaria, esta vez para que todos encontremos fuerza, fe, esperanza y amor en la fuerza, la fe, la esperanza y el amor que demostraron aquellos que dieron la vida. Springsteen retoma una y otra vez en el disco esos mismos conceptos fundamentales. «Countin' on a Miracle», compuesta por Springsteen en el año 2000, hace que sean posibles la fe, la esperanza y el amor en un mundo reducido a las más crudas realidades. No hay ningún «cuento de niños» y tampoco ninguna «canción interminable». Y en cuanto al final feliz, «vino y se fue para siempre». La magia que queda es la que hay entre

Izquierda: los bomberos se abren paso entre las ruinas del World Trade Center, 11 de septiembre de 2001.

Superior: Springsteen inauguró el telemaratón *America: A Tribute to Heroes* con una interpretación de «My City of Ruins».

«ERA MUY IMPORTANTE QUE EL GRUPO TOCASE IGUAL –Y CON EL MISMO COMPROMISO Y LA MISMA INTENSIDAD– QUE EN CUALQUIER OTRO MOMENTO DE SU HISTORIA Y QUE SE HICIESE UN DISCO QUE TRANSMITIESE ESOS VALORES E IDEALES».

Bruce Springsteen, 2003

dos personas, e incluso para que exista debe producirse una intervención divina.

«You're Missing» es un triste y confuso inventario de los pequeños detalles de la vida, cosas a las que no prestamos atención hasta que se convierten en lo único a lo que mirar: la ropa que está atrás en el armario, la taza de café en la encimera, las fotografías en la mesilla de noche. Todo está como estaba. «Pero faltas tú», dice el narrador mientras se esfuerza por conciliar la pérdida de la pareja con el hecho de tener que consolar a los hijos y seguir adelante. Como era de esperar, también había rabia. Aunque en «Empty Sky» se introduce la venganza («Quiero el ojo por ojo»), no se conforma con las respuestas fáciles ni con un escandaloso patriotismo. «Lonesome Day» es una advertencia para «preguntar antes de disparar».

«Worlds Apart» trata de dos personas en toda la extensión de la palabra: se las presenta de modo que la distinción entre el bien y el mal está difuminada y no es absoluta. «Bajo la lluvia bendita de Alá, seguimos siendo mundos distintos», dice la letra, a la que, por si no era suficiente, añadió el sonido del cantante pakistaní Asif Ali Khan y su grupo al de la E Street Band.

«Paradise» comienza con un terrorista suicida que lleva una bomba y que examina los rostros entre la multitud antes de que la canción se centre en el Pentágono, donde «las colinas de Virginia se han puesto marrones» y donde a los desconsolados solo les queda el anhelo del tacto, el olor y el gusto que les resultan familiares. «La pérdida

Última actuación del Rising Tour, en el Shea Stadium de Nueva York, 4 de octubre de 2003.

«AQUEL FUE UNO DE AQUELLOS MOMENTOS EN LOS QUE LOS AÑOS INVERTIDOS Y LAS RELACIONES ENTABLADAS Y ALIMENTADAS CON MI PÚBLICO ME HICIERON SABER QUE LA GENTE QUERÍA VERME».

Bruce Springsteen, 2002

está relacionada con lo que se echa de menos», comentó Springsteen a *Time*. Aquellas cosas que evocamos una y otra vez en nuestras mentes. «Lo mismo puede decirse de los sueños por la noche», le explicó a Jon Pareles para *The New York Times*. Uno está a punto de ahogarse en ese dolor, algo que no sucede porque en la segunda parte de la canción el narrador sale «de entre las olas» y siente el sol. El paraíso está vacío, mientras que en el mundo de los vivos está el calor del afecto.

En «Nothing Man» se habla de un héroe local, alguien que salió y que tal vez ayudó a otros a lo largo del camino, teniendo que lidiar con la culpa del superviviente. «Todo el mundo de por aquí se comporta como si nada hubiera cambiado», mientras que en casa lo único que puede hacer es mirar su arma en la mesilla de noche. Precisamente, Springsteen hace su mejor trabajo cuando desconoce lo próximo.

«Further on (up the Road)», canción que Springsteen y el grupo tocaron en la Reunion Tour, hace de la sensación de tener un objetivo («una canción que cantar») y de una «ardiente fiebre del alma» el motor para pasar por las buenas y las malas etapas. «Waitin' on a Sunny Day» le sirvió a Springsteen de acompañamiento para hablar de la sensación de sinsentido que puede acompañar a la pérdida, una deriva que puede hacer que una persona se sienta tan inútil como «un camión de helados en una calle desierta». Como canción puramente pop, Springsteen le confesó al público del programa *Storytellers* de la VH1 que era de las que solía escribir y desechar. Aunque después, según explicó Springsteen, «El señor Landa suele aparecer y decir: *No*, esa no».

«Let's Be Friends (Skin to Skin)» y «The Fuse» son canciones que tratan del amor en una época del terrorismo, donde no hay motivo para no disparar, ya que nadie sabe cómo va a acabar todo. «Let's Be Friends» parece una frase desenfadada con la que romper el hielo con alguien por la acera en una tarde soleada. En «The Fuse», se yuxtaponen un sensual encuentro vespertino y una «larga línea negra delante de la Santa Cruz».

En *The Rising*, la E Street Band expandió su sonido como nunca lo había hecho. «No es que quisiera que fuese disperso –dijo O'Brien–. Tenía la idea de que resultara exuberante». Muy recargado a causa de la grabación de pistas adicionales, se trató de un procedimiento muy distinto al que habían llevado a cabo la última vez que habían estado juntos para hacer «todo el ruido posible» para *Born in the U.S.A.* Pero esa casa de la que hablaban en «Mary's Place» era en la que se habían convertido en la E Street Band y tocaban en una fiesta el sábado por la noche, donde Springsteen decía que estaba «sacando toda la fe» que veía. Y de nuevo recurrió a la música para curar aquello que afligía al cantante y al público. Como sabía que no hay nada que alivie tanto como la vieja música soul, tomó prestado el estribillo de la canción del disco de 1964 de Sam Cooke titulada «Meet Me at Mary's Place».

Con quince canciones y una duración que superaba con creces una hora, fue el disco más largo de Springsteen desde *The River*. «Intenté ayudarle a que el disco tuviera once o doce temas –dijo O'Brien–. Pero él me decía: "No sé cuándo podré hacerlo otra vez", así que transigí y todas se incluyeron en el disco».

Izquierda y *derecha:* para recordar su primer disco juntos desde *Born in the U.S.A.*, Springsteen y la E Street Band dieron un concierto especial para el programa *Today* de la NBC desde el Asbury Park Convention Hall.

Lanzado el 30 de julio de 2002, *The Rising* llegó con todo el peso de la autoridad de Springsteen. «La mayoría de las estrellas del pop parecía que perdieron cualquier importancia justo después del 11-S –escribió Pareles en *The New York Times*–. Pero no Springsteen». *Time* se refirió a *The Rising* como «la primera obra relevante de arte popular que reacciona frente a los acontecimientos [del 11-S]». El crítico A. O. Scott escribió lo siguiente para *Slate*: «Si algún artista estadounidense pudiera evocar una respuesta adecuada y completa a los acontecimientos de aquel día, tendría que ser Springsteen».

Se había estado preparando para el trabajo y rellenando el currículum desde *Born to Run*. Aunque no todas las canciones de *The Rising* fueron compuestas tras los ataques, el producto final tomó las medidas del país el 12 de septiembre y no se acobardó ante la magnitud de la tarea. Incluso la portada, con un Springsteen difuminado y el título del álbum de color naranja, alzándose como una torre en llamas, hacía referencia al momento en el que las cosas habían cambiado y habían surgido nuevos retos. Springsteen eludió la sensiblería que definió a otras obras relacionadas con el 11-S, como la canción de Alan Jackson titulada «Where Were You (when the World Stopped Turning)», al comprender que, al contrario de lo que dice el título de este tema, el mundo no había dejado de girar. Springsteen también se alejó de la sensiblería de «Courtesy of the Red, White and Blue (the Angry American)», de Toby Keith, y su imagen de la estatua de la Libertad enojada.

«El secreto de componer pasa por abordar las canciones primero de forma personal para, después, diluirlas en sentimientos universales», le explicó Springsteen a Adam Sweeting en una entrevista del año 2002 para *Uncut*.

Sin embargo, ese mismo año, con la industria musical a las puertas de la era digital y la reducción de las emisoras de radio (y sus listas de reproducción) a manos de cada vez menos empresas, ¿cómo podía estar seguro Springsteen de que bastaría con que la gente escuchase el disco? Para asegurarse, él y Landau pusieron en marcha el plan publicitario más ambicioso de la carrera de Springsteen, lo cual, dado el tema, era una tarea delicada.

Asistió al *late night* de David Letterman, donde tocó y lo entrevistaron sentado en el sillón de los invitados. Letterman le preguntó a Springsteen si componía en el automóvil. «¿Haces tú números cómicos cuando conduces?», contraatacó Springsteen. Presentados por el actor James Gandolfini, con el neoyorquino Hayden Planetarium de fondo, Springsteen y su grupo también inauguraron los MTV Video Music Awards tocando «The Rising» bajo una lluvia torrencial.

Volvió a ser portada de *Time*, esta vez con el titular «Reborn in the U.S.A.» («Renacido en Estados Unidos»), así como de la *Rolling Stone*, donde aparecía sobre un prado de hierba salvaje de su granja, aunque bien podrían haber sido las ambarinas ondas de mies que inspiraron la propia «America the Beautiful». He aquí el titular: «Bruce Springsteen's American Gospel» («El evangelio estadounidense de Bruce Springsteen»).

Ted Koppel, periodista de la ABC, visitó la granja y asistió a un ensayo de la E Street Band para hacer un especial de dos partes en *Nightline*. Periodistas de las publicaciones más importantes se acercaron al mundo del cantante, con el que se sentaron a charlar en su granja y pudieron comprobar lo cómodo que se sentía y cuán fácil era verlo reír. «Puede parecer tan incongruente como *Patán*, el perro de Pierre Nodoyuna», escribió Sweeting en *Uncut*.

La mañana en la que se puso a la venta el disco, el programa *Today* de la NBC emitió en directo desde Asbury Park para entrevistar a los fans, a Springsteen y al grupo; además, ofreció varias canciones desde el Convention Hall. Por primera vez desde *Born in the U.S.A.* –su última grabación con la E Street Band–, Springsteen estaba en todos los lugares. *The Rising* debutó en lo más alto de la lista y permaneció allí durante tres semanas. Salieron a la carretera, recorrieron Estados Unidos y luego fueron a Europa. La CBS emitiría más adelante un fragmento de un concierto celebrado en Barcelona; la actuación completa acabó por publicarse en DVD, que recogía así el primer concierto completo de Springsteen que se ponía oficialmente a la venta.

En el verano de 2003, los estadios volvieron a albergar actuaciones de la gira, como los diez completos consecutivos en el Giants Stadium de Nueva Jersey, donde la fiesta previa de camionetas y rancheras de los fans se animaba con un enorme cartel con la silueta de Springsteen y Clemons. Para aquel entonces, la atención de Springsteen se había dirigido hacia el aspecto que se había eludido en *The Rising*: la política. La guerra de Afganistán había dado paso a la guerra de Iraq. «En mi opinión, el gobierno transformó el 11-S en un cheque en blanco», le dijo Springsteen a Ken Tucker en una entrevista de 2003 para *Entertainment Weekly*. En la misma entrevista, comentó que el mundo moderno exige que los individuos mostremos cierto escepticismo. El truco consiste en hacer que las conclusiones a las que nos lleve dicho escepticismo se convieran en algo creativo. «Tommy Morello, el guitarrista de Rage Against the Machine, dijo en una entrevista que la historia sucede en las cocinas y los cuartos de estar de la gente por la noche –continuó Springsteen–. La hace la gente al hablar y reflexionar. Por lo que a mí respecta, es cierto: uno debe aportar su granito de arena en la medida de lo posible.»

Superior: Stadion Feyenoord, Róterdam, Países Bajos, 8 de mayo de 2003.

Derecha: «Que llueva, que llueva…». Todo el mundo está de fiesta en los MTV Video Music Awards a pesar del tiempo. Hayden Planetarium, Nueva York, 29 de agosto de 2002.

VOTE FOR CHANGE

En una página de opinión que Springsteen envió a *The New York Times* y que el periódico publicó el 5 de agosto de 2004, pudo leerse con claridad el objetivo del cantante: «cambiar la dirección del gobierno y la actual Administración en noviembre».

Para ello, recibiría ayuda. El escrito tenía como fin anunciar una gira en octubre que contaría con la participación, entre muchos otros, de The Dave Matthews Band, Pearl Jam, R.E.M., Bonnie Raitt, Keb' Mo', Jackson Browne y John Fogerty. Con el lema «Vote for Change» («Vota por el cambio»), se separaron y transmitieron energía por algunos de los estados electorales más importantes. El 1 de octubre, por ejemplo, se celebraron cinco conciertos en Pensilvania. Springsteen encabezó el más importante, que tuvo lugar en su antiguo feudo: Filadelfia.

La guerra de Iraq y la bajada de impuestos a los más ricos (incluidos los guitarristas adinerados), junto con los excesivos recortes en demasiados programas que eran esenciales para ofrecer ayuda a los más desprotegidos del país, habían llevado a Springsteen a la ruidosa refriega de la política partidista. Como respuesta, esta se preguntó por qué no se limitó a cerrar el pico y a tocar la guitarra con la que se había comprado aquella enorme casa. «Es esta una interesante pregunta que, por el motivo que sea, parece que solo se le hace a músicos y a artistas», le dijo Springsteen a Ted Koppel en *Nightline*. Los grupos de presión influyen en el gobierno todos los días y nadie dice nada. «Los artistas escriben, cantan y piensan.»

Y, de todos modos, Springsteen *podía* limitarse a tocar y a cantar porque iba a decir lo mismo que escribió en *The New York Times*. Tenía canciones para hacerlo y, tras la gira, compuso un par de ellas inspiradas en los mítines a los que había asistido con el candidato demócrata a la presidencia, el senador John Kerry, el cual, después de todo, perdió las elecciones frente a George W. Bush.

Mitin de la campaña Fresh Start for America en la Ohio State University, Columbus, 28 de octubre de 2004.

DEVILS & DUST

2005

«CON INDEPENDENCIA DE LA DEIDAD A LA QUE ROGUEMOS, ESTÁ OCULTA EN EL CENTRO DE NUESTRA HUMANIDAD. Y CUANDO NOS DESENTENDEMOS DE NUESTRA COMPASIÓN, TAMBIÉN LO HACEMOS DE LO POCO QUE PODEMOS ROGAR A LA DIVINIDAD. DE AHÍ QUE LAS COSAS RESULTEN TAN SINIESTRAS DE VEZ EN CUANDO».

BRUCE SPRINGSTEEN, 2005

2005

13 de febrero: Springsteen obtiene un Grammy en la categoría de Mejor Interpretación Vocal de Rock Masculina por «Code of Silence».

19 de marzo: segunda «Seeger Session» en Thrill Hill East.

23 de abril: se emite la actuación de Springsteen para el programa *Storytellers* de la VH1 (grabada el 4 de abril).

25 de abril: se lanza *Devils & Dust* (Estados Unidos: n.º 1; Reino Unido: n.º 1) y comienza el Devils & Dust Tour en el Fox Theater, Detroit.

20 de mayo: concluye en el Orpheum Theater de Boston la primera gira estadounidense del tour.

24 de mayo: comienza la gira europea en el dublinés Point Theatre.

29 de junio: acaba la gira europea en el ICC Berlin.

13 de julio: comienza la última parte europea de la gira en el Corel Center, Ottawa.

6 de septiembre: se publica el DVD con la actuación para la VH1 en *Storytellers*.

15 de noviembre: sale *Born to Run: 30th Anniversary Edition* (Estados Unidos: n.º 18; Reino Unido: n.º 63)

22 de noviembre: comienza el Devils & Dust Tour en el Sovereign Bank Arena, Trenton, Nueva Jersey.

Página 191: retrato de Danny Clinch, octubre de 2005.

Superior: ensayo para el Devils & Dust Tour, abril de 2005.

Derecha: Royal Albert Hall, Londres, 27 de mayo de 2005.

ongrega a una masa crítica de estrellas del pop en un estadio de baloncesto oscuro y habrá luces brillantes, fastos, modas dudosas y el tipo de estruendo solo factible cuando la cultura popular se celebra a sí misma. Cuando se aprovecha de la manera adecuada, la arrogancia que se da cita en un solo certamen de los Grammy puede iluminar todo el oeste de Estados Unidos. Tómese, por ejemplo, la cuadragésimo octava gala de los Grammy, celebrada el 8 de febrero de 2006 en el Staples Center de Los Ángeles.

Gorillaz, animados en 3D para la ocasión, inauguraron la cita; a estos se les sumó primero De La Soul y luego Madonna, que comenzó en un monitor de vídeo y después apareció en el escenario acompañada de los bailarines de rigor y toda la fanfarria que exige la televisión en horario de máxima audiencia. En el homenaje a Sly & The Family Stone participaron (entre muchos otros) Joss Stone, Maroon 5, will.i.am (de The Black Eyed Peas), John Legend, Steven Tyler y Joe Perry (de Aerosmith), y, finalmente, un desafiante Sly Stone, que no solo no se subía a un escenario desde 1987, sino que al hacerlo se atavió con un traje plateado y lució una impresionante cresta blanca. Parecía la primera cacatúa del funk.

Linkin Park tocaron con Jay-Z (el cual llevaba una camiseta de John Lennon). Paul McCartney apareció entonces para ayudarlos con «Yesterday». Kanye West y Jamie Foxx cantaron «Gold Digger» –la oda de West a las novias con aspiraciones económicas– con la ayuda de la Florida A&M University Marching 100.

Entre esos dos momentos tan cargados de energía, Springsteen, con vaqueros y una cazadora negra, tocó solo.

«Tengo el dedo en el gatillo –comenzó a cantar–, pero no sé en quién confiar». Con el cantante medio en la oscuridad y medio iluminado, todos los elementos de la actuación sugerían una gran seriedad. Ya en esas primeras palabras de la canción, se mezclan la vida, la muerte y la confusión. «¿Qué pasaría si para sobrevivir tienes que destruir aquello que amas? El miedo es algo muy poderoso». En comparación con el resto de aquella velada, «Devils & Dust» fue un susurro muy serio que Springsteen dejó oír hasta llegar a un final furioso y marcado con la única exclamación política del espectáculo: «¡Traedlos de vuelta a casa!», refiriéndose a los soldados.

Al igual que la mayoría del 48,05 % de las personas que en 2004 votaron a favor del senador John F. Kerry, Springsteen permaneció los días siguientes a la reelección del presidente George W. Bush en un estado de profundo desaliento. Springsteen había estado trabajando con ahínco con Kerry en los últimos días de la campaña, a la cual aportó parte de la credibilidad que el cantante se había granjeado a lo largo de décadas de meticulosas decisiones artísticas. Al perder Kerry, en cierto modo, también lo hizo Springsteen. ¿Y qué se le iba hacer? Unos cuantos

«SIEMPRE SE INTENTA HALLAR UNA VOZ CON LA QUE NO SE HAYA CANTADO AÚN Y QUE HAGA QUE EL PERSONAJE PAREZCA MUY VIVO».

Bruce Springsteen, 2005

amaneceres más, y todo el mundo, fuera cual fuera su afiliación política, volvería a sus labores.

Tras haber marcado una pauta desde *Nebraska*, había llegado otra vez el momento de que Springsteen se pusiera manos a la obra (casi) solo. Debido a la atención que había generado en la década de 1990 y al éxito de las recientes giras, no había necesidad de preocuparse por la E Street Band. No se había producido ninguna ruptura; solo había sido un cambio de ritmos. Springsteen solo hizo una llamada telefónica: a Brendan O'Brien, que estaba en Atlanta. «Te toco unas cuantas canciones, me dices qué te parecen y nos ponemos manos a la obra», dijo Springsteen.

Un año antes, en noviembre de 2003, se puso a la venta *The Essential Bruce Springsteen*, que constaba de dos discos de algunos de los clásicos más celebrados y un tercer disco con una docena de temas inéditos. «From Small Things (Big Things One Day Come)» era un *outtake* de 1979 de la época de *The River*, una vertiginosa melodía acerca de las semillas que sembramos y las decisiones que tomamos. «County Fair», una grabación casera posterior a *Nebraska*, describe una dulce escena de una noche de verano en la que no falta el canto de un grillo. La majestuosa «None But the Brave», desechada en Nueva York durante las sesiones de *Born in the U.S.A.*, se pasea por el Asbury Park de la década de 1970 obsesionada por un recuerdo y en busca de respuestas: «Y ahora dime quién es el hombre que cree que puede decidir qué sueños suyos viven y cuáles se quedan a un lado».

El retrato del corredor de la muerte representado en «Dead Man Walkin'» supuso una de las tres canciones procedentes de bandas sonoras que se incluyeron en *The Essential*. Sean Penn

Izquierda: en el *backstage* con Paul McCartney en los Grammy, 8 de febrero de 2006.

Derecha: la intensidad y austeridad de la interpretación de Springsteen en «Devils & Dust» se desmarcaron de las luces brillantes y la fastuosidad del resto de la ceremonia.

«DE NIÑO SENTÍ LAS APLASTANTES MANOS DEL DESTINO Y LA FORTUNA, ASÍ COMO QUE NO LLEGAN A ANULARSE POR COMPLETO ENTRE SÍ».

Bruce Springsteen, 2005

usó «Missing» en *The Crossing Guard* (*Cruzando la oscuridad*), y John Sayles –que había dirigido los videoclips de «Born in the U.S.A.», «I'm on Fire» y «Glory Days»– incluyó «Lift Me Up» en su filme *Limbo*. En esta última canción, Springsteen canta con un suave falsete, algo que ya empleó en una versión acústica de «Countin' on a Miracle» que se grabó en la sala de Southern Tracks durante las sesiones de *The Rising*.

«Tenía varias voces distintas; a veces decía que podía ser tal persona y comenzaba a cantar de una forma, o pensaba en otra y la voz le cambiaba por completo –explicó O'Brien en 2011–. Así, lo que hacía era experimentar las voces e intentar ver cuán creíbles le parecían».

Lanzado el 25 de abril de 2005, *Devils & Dust* sacó del archivo más voces de más personajes cuyas vidas se ambientaron en circustancias más precarias. «Todas estas canciones tratan sobre personas cuyas almas están en peligro», afirmó Springsteen. En *The New York Times*, Jon Pareles dijo lo siguiente acerca del nuevo álbum de Springsteen: «[...] es el disco de los valores familiares, repleto de reflexiones acerca de Dios, la maternidad y el significado del hogar». Ambos tienen razón. Al igual que Springsteen en la ceremonia de los Grammy, *Devils & Dust* se mueve entre la luz y la oscuridad, entre la salvación y la condena.

«Todos llevamos las semillas de nuestra propia destrucción –afirmó Springsteen en Detroit durante la primera noche de la gira en solitario para promocionar el álbum–. Y las otras también». Estaba presentando «Leah», canción en la que narra la historia de un hombre que caminaba con optimismo hacia una nueva vida con una casa situada en «terrenos más elevados», con todas las connotaciones espirituales que esto implica. El narrador lleva un martillo en una mano. En la otra, «un farol encendido». Con una mano ha construido, y con la otra ha quemado. Es uno de los afortunados. Ha hallado la forma de «inclinar la balanza lo *justo*

De vuelta a casa; bien, casi a casa. Auditorio del Continental Airlines Arena, East Rutherford, Nueva Jersey, 19 de mayo de 2005.

en la dirección adecuada», comentó Springsteen. Lo mismo puede decirse del camionero que regresa en busca del calor y la comodidad de la cama de su pareja en «Maria's Bed», canción que entona con el mismo agudo y alegre falsete que el cantante de «All I'm Thinkin' About».

En la habitación de hotel de «Reno», Springsteen presenta la otra cara de la historia, qué podría haber sido, o incluso qué podría ser todavía. En ella, un hombre acude a una prostituta en un intento de perderse en la carne que esta vende. A través de la ventana, el hombre ve que el sol ha «ensangrentado» los cielos y entra «en pedazos» por las persianas. Cuando la mujer se dispone a trabajar, él cierra los ojos y se pierde en el recuerdo de lo que fue. En su cabeza, el sol fluye por el cabello de su amada mientras en el aire flota el aroma del «falso jazmín». Aunque en su mente está contento, estas palabras desmienten el idilio: «De algún modo, todo aquello que uno necesita nunca es suficiente. Tú y yo, Maria, aprendimos que es así». El relato vuelve a centrarse en la habitación de hotel, donde, tras acabar, comparten un trago, y la que es su mujer durante el tiempo concertado le ofrece un brindis: «Por el mejor que has echado», dice ella. En el que es uno de los momentos más desgarradores del álbum, el hombre piensa lo siguiente: «No ha sido el mejor, ni mucho menos».

La ambientación de Springsteen (que incluía transacciones económicas a cambio de actos sexuales) hizo que *Devils & Dust* tuviera que salir a la venta con una etiqueta en la que se indicaba que contenía imágenes para adultos, e incluso se prohibió su comercialización en Starbucks, lo cual fue todo un logro para un icono de cincuenta y cinco años. Patti Scialfa dijo que la usó a modo de licencia para la composición de «Bad for You», una lujuriosa pieza de su disco en solitario *Play it as it Lays*. Springsteen, por otra parte, tuvo que responder a la pregunta de Matt Lauer, de la NBC, acerca de la canción.

–En realidad es una historia de amor –comentó Bruce Springsteen.

–Es una historia de amor *explícito* –intervino Lauer.

–Es solo que está narrada desde un punto de vista distinto.

Una visión más corriente del amor, la que marca la diferencia entre «Leah» y «Reno», es la que puede encontrarse en las esperanzas y los miedos del padre protagonista de «Long Time Comin'». Volvemos a hallarnos con una pareja que es familiar: «Somos tú y yo, Rosie, crepitando como cables cruzados». Al igual que en «Reno», Springsteen nos conduce al oeste. La diferencia es que esta vez el paisaje abierto, la inmensidad de las estrellas y el mezquite en el viento sugieren posibilidades. «Si se me concediera un deseo en este mundo olvidado de Dios, hijos, sería que cometierais vuestros propios errores», canta Springsteen. Después, metiendo la mano bajo la camisa de su esposa para notar las patadas del tercer hijo que está en camino, dice lo siguiente: «Esta vez no voy a cagarla».

Cuando la gira llegó a Portland, Oregón, fue su hijo Evan el que le dio la guitarra a Springsteen antes de tocar «Long Time Comin'». «Me costó solo cien dólares», dijo Springsteen. A esto le añadió que su hijo no había tardado en percatarse

de que la frase adecuada para la canción tendría que haber sido «Esta vez no voy a cagarla *tanto*».

En un momento anterior durante la grabación del programa *Storytellers* para la VH1, Springsteen comentó que hubo un tiempo en el que le preocupaba que sus hijos se criaran sin las pruebas a las que él se tuvo que enfrentar. Un amigo le dijo que no lo hiciera: «Cuando uno es padre, le da lo mejor a sus hijos, porque el mundo ya se ocupará de todo lo demás –dijo Springsteen–. Es así. El mundo nos espera a todos».

En «Black Cowboys», el mundo de un niño del sur del Bronx llamado Rainey Williams se derrumba. Inspirada en el libro de Jonathan Kozol titulado *Amazing Grace* («Una gracia sorprendente»), en la canción se describe a Rainey, que veía desconsolado cómo su madre se echaba a la calle y a las drogas hasta que «la sonrisa de la que dependía se esfumó». Tras esto, toma el dinero que el novio traficante de su madre guardaba bajo el fregadero y se marcha a las llanuras de Oklahoma. Compuso «Silver Palomino» para una amiga que había muerto de cáncer y para los dos hijos de esta. «The Hitter» narra la historia de un chico al que, tras meterse en un lío, su madre lo manda a Nueva Orleans para alejarlo de la policía. Se convierte en un boxeador bastante bueno. A continuación, participa en algunos combates. Gana dinero. Cuando esos días quedan atrás, comienza a pelear con cualquiera y en cualquier sitio

Superior: Patti Scialfa sube al escenario para tocar «Brilliant Disguise» en el programa de la VH1 *Storytellers*, Two River Theater, Red Bank, Nueva Jersey, 4 de abril de 2005.

Derecha y *páginas 200* y *201:* retratos de Danny Clinch, octubre de 2005.

«LA CLAVE ERA QUE MI VOZ DEBÍA [...] DESAPARECER HASTA QUE SURGIERA LA DE LA PERSONA SOBRE LA QUE SE ESTUVIERA CANTANDO Y REFLEJASE QUÉ HARÍA, QUÉ NO HARÍA [...] Y LOS RITMOS DE SU DISCURSO».

Bruce Springsteen, 2005

para conseguir dinero y le cuenta a su madre su historia al otro lado de una puerta cerrada. «Con que me dejes quedarme acostado un rato me pondré en marcha», le pide a su madre.

«Dicen que lo primero que realmente le golpea con fuerza a uno cuando tiene hijos es el deseo de protegerlos –comentó una noche Springsteen en Filadelfia–. Este es un sentimiento inevitable». Y sí que lo es. Uno haría cualquier cosa. Imaginemos entonces a María siguiendo a su hijo Jesús en el ascenso al Calvario. «Esa es su prueba –comentó Springsteen en *Storytellers*–. Esa es su oscuridad al borde de la ciudad (*darkness on the edge of town*)». Pensemos que somos Jesús e imaginemos qué pudo haber pasado por su cabeza. Springsteen lo hizo a lo largo de toda la gira cada vez que tocó «Jesus Was an Only Son», canción en la que nos muestra a Jesús pensando en aquella pequeña taberna de Galilea. Podría haber arreglado aquel lugar. María Magdalena podría haberlo atendido. Podrían haber tenido hijos y verlos crecer.

«Siempre he creído que la valía de las opciones por las que nos decidimos se mide con relación a aquello que sacrificamos –dijo Springsteen–. Para elegir algo, hay que descartar otras cosas. Y eso es lo que da valor y significado a nuestras opciones».

«Matamoros Banks» comienza al final de una hoja de contabilidad. Springsteen nos dice cuánto vale disparar a un hombre al otro lado de la frontera. No existe la posibilidad de ocultar las consecuencias de sus acciones. «Pasas dos días sumergido en el río», canta Springsteen con suavidad.

«Las personas interesantes son aquellas que tienen algo que las está devorando –afirmó Springsteen–, algo que no saben a ciencia cierta qué es». Puede pensarse que lo que más le molestaba a Springsteen en aquel momento eran las elecciones. A «Devils & Dust» le siguió «All the Way Home», tema que comienza con el reconocimiento de saber cómo se siente uno cuando falla delante de todo el mundo (aunque esa canción la había compuesto en 1991). Muchas de las otras datan de la época de *The Ghost of Tom Joad*. O'Brien y Springsteen las tomaron y las afilaron musicalmente. Tras someter el disco a un meticuloso examen, la mayoría de los críticos lo situaron junto a *Nebraska* y *Joad*. Roy Bittan lo veía de otro modo. «*Devils* está más relacionado con *Human Touch* en cuanto al concepto. Aunque está más elaborado», afirmó en 2011.

Al igual que los conciertos de la gira de *The Ghost of Tom Joad*, los del Devils & Dust Tour comenzaban con Springsteen pidiendo silencio, aunque se trató de actuaciones más animadas en las que el cantante iba de la guitarra al piano, de este al piano eléctrico y de este último al órgano de fuelle y al banjo. Volvió a tocar «Real World» con sus legítimos arreglos. En «Reason to Believe», su voz parecía un aullido distorsionado gracias al uso de un *bullet mic* («micrófono bala»). A la hora de presentar «Part Man, Part Monkey», lanzaba ataques al presidente y al escepticismo de los conservadores respecto

«AÚN NO LE QUITO EL OJO DE ENCIMA PARA VER CÓMO LO HACE LA ANTIGUA ALINEACIÓN. ES COMO UN CLUB DE BÉISBOL. HACEN MUCHÍSIMAS NEGOCIACIONES QUE LLEVAN A QUE ENTRE EL NUEVO PAPA MIENTRAS SE ESPERA QUE HAGAN UNA TEMPORADA MEJOR».

Bruce Springsteen acerca de su catolicismo no practicante, 2005

a la teoría de la evolución. Bromeaba acerca de sus hijos, su carrera y su vida. Cuando en St. Paul, Minnesota, le pidieron que tocase «Book of Dreams» para una boda, respondió lo siguiente: «He pasado por un par de bodas». Cuando el público se rio, añadió: «Un par de veces no está mal. Clarence anda por ahí todavía de un lado para otro». En Florida, contó en el escenario con la presencia del saxofonista y de Steve Van Zandt. Springsteen decidió acabar los conciertos con una hipnótica versión de «Dream Baby Dream», de Suicide, la cual comenzaba con el órgano de fuelle, con el que hacía un *loop* que le permitía ir por el escenario repitiendo las pocas y sencillas frases de la canción una y otra vez. «Es puramente musical –comentó Springsteen en 2006 para *Mojo*–. Ahí reside su belleza. Es sencilla y puramente musical». Alegre, optimista y atemporal, encajaba en el concierto del mismo modo que lo hacían en su momento las canciones de *Devils & Dust*, con independencia de cuándo se hubieran compuesto. Al abordar esa cuestión con Pareles, Springsteen hizo que pareciese sencillo: «No está relacionado con la cronología –comentó– a la vez que siempre lo está».

Izquierda: aunque la guitarras estaban alineadas y listas para la grabación de *Storytellers*, Springsteen tuvo que volver a empezar «Waitin' On a Sunny Day» porque se había olvidado de la armónica.

Izquierda: en *Storytellers* se fusionaban electrizantes interpretaciones acústicas en solitario y comentarios y anécdotas cálidamente reveladores.

WE SHALL OVERCOME: THE SEEGER SESSIONS

2006

«EXISTE ALGO LLAMADO "PROCESO FOLK"
QUE HA ESTADO AHÍ DURANTE MILES DE AÑOS.
CON ÉL, SE CAMBIA UNA FORMA
ANTIGUA Y UNA ANTIGUA MELODÍA PARA
QUE LLEGUEN A LOS NUEVOS OÍDOS».

PETE SEEGER, 2006

2006

21 de enero: se realiza la última «Seeger Session» en Thrill Hill East.

8 de febrero: Springsteen obtiene su segundo Grammy consecutivo en la categoría de Mejor Interpretación Vocal de Rock Masculina por «Devils & Dust».

28 de febrero: sale *Hammersmith Odeon London '75* (Estados Unidos: n.º 93; Reino Unido: n.º 33).

24 de abril: sale *We Shall Overcome: The Seeger Sessions* (Estados Unidos: n.º 3; Reino Unido: n.º 3)

30 de abril: el New Orleans Fairgrounds acoge el inicio del Seeger Sessions Band Tour.

27 de mayo: tras una breve gira europea, el Tour regresa a Estados Unidos, donde se reanuda en el Tweeter Center, Mansfield, Massachusetts.

25 de junio: acaba la parte estadounidense de la gira en el PNC Arts Center, Holmdel, Nueva Jersey.

1 de octubre: comienza la principal parte europea de la gira en el Palamalaguti, Bolonia, Italia.

21 de noviembre: el Odyssey Arena, Belfast, Irlanda del Norte, acoge el final del Seeger Sessions Band Tour.

Página 205: últimos retoques durante los ensayos de la gira, abril de 2006.

Superior: Tweeter Center, Camden, Nueva Jersey, 20 de junio de 2006.

Derecha: la Sessions Band en Thrill Hill East.

SR. TAVENNER: ¿A qué se dedica?

SR. SEEGER: Bueno, pues he tenido muchos trabajos, aunque mi principal ocupación es estudiar el folclore estadounidense y me gano la vida tocando el banjo, lo que, para algunos, es una especie de maldición.

Era el año 1955 y habían citado a Pete Seeger a Nueva York para que declarase ante el Comité de Actividades Antiestadounidenses (HUAC: House Un-American Activities Committee). Como comisión investigadora del Congreso, el HUAC tenía la misión de eliminar a los que fueran desleales al país y a aquellos que pudieran simpatizar o estar relacionados con tramas comunistas para derrocar el *American way of life*. El congresista demócrata Francis E. Walter, demócrata del estado de Pensilvania y director del comité, presidió la declaración. También asistieron otros dos miembros, así como el abogado Frank Tavenner, dos investigadores y un secretario.

En la transcripción, que crepita como un noticiario en blanco y negro, puede apreciarse la honesta tenacidad de Seeger y la exasperación de los que le interrogaron. Estos tenían la intención de que el músico respondiera al hecho de que su nombre apareciese con frecuencia en el periódico comunista *Daily Worker* y por las actuaciones que había ofrecido en varios mítines y reuniones. La opinión de Seeger era que ningún estadounidense tendría por qué responder acerca de sus creencias religiosas, políticas o filosóficas. «Se trata de cuestiones privadas», argumentó.

Al creer que caería sobre él la sombra de la culpa si se amparaba en la quinta enmienda, se negó a hablar de ello. En su lugar, Seeger se ofreció una y otra vez a hablar de sus canciones y su música, a la vez que se negaba a decir nada acerca de dónde, cuándo y para quién había tocado. «Señor presidente, la respuesta es la misma que antes», dijo Seeger haciendo referencia a su creencia acerca de que las propias preguntas eran ilegítimas. «No aceptamos esta respuesta», dijeron. «Señor, mi respuesta es siempre la misma».

No *siempre*. Cuando le preguntaron si figuraba en una fotografía que se había tomado en la manifestación del 1 de mayo de 1952, Seeger respondió lo siguiente: «Es como cuando Poncio Pilato le preguntó a Jesucristo si era el rey de los judíos».

«Basta», dijo Walter.

Al final, Seeger espetó al comité: «Mi respuesta es la misma que antes» nueve veces seguidas. «El testigo queda rechazado», afirmó Walter. Aunque no consta en la transcripción, *seguro* que suspiró.

Cincuenta y cuatro años después y a una distancia de un par de estaciones de metro del momento y el lugar en el que Seeger se sentó aquel día, Springsteen se subió al escenario del Madison Square Garden y sumó su voz a la de los muchos que se habían congregado para celebrar el nonagésimo cumpleaños del músico.

«En algún momento –dijo Springsteen–, Pete Seeger decidió que se convertiría en un recordartorio andante y cantante de toda la historia estadounidense. Sería un archivo viviente de la música y la conciencia estadounidenses».

Seeger aprendió del propio Lead Belly y cantó con Woody Guthrie en The Almanacs. En 1963, Bob Dylan apareció en una reunión pro derechos civiles que se celebró en Greenwood, Mississippi. Seeger llevaba allí diez días cuando Dylan

«TU TRABAJO CONSISTE EN PONERTE EN EL LUGAR DE LOS DEMÁS. UNA PARTE FUNDAMENTAL DEL ACTO DE CREAR MÚSICA O ARTE ES LA IMAGINACIÓN. TAMBIÉN ES UN ENORME ACTO DE EMPATÍA».

Bruce Springsteen, 2006

Página anterior: en el *backstage* con Pete Seeger en el Clearwater Concert celebrado para conmemorar su nonagésimo cumpleaños. Madison Square Garden, 3 de mayo de 2009.

En esta página: Seeger comparece ante el Comité de Actividades Antiestadounidenses, agosto de 1955 (*izquierda*), y canta con Bob Dylan en Greenwood (Mississippi) en el concierto en apoyo a los derechos civiles y registro de voto, el 6 de julio de 1963 (*derecha*).

llegó. Más adelante ese mismo año, Dylan tocó en el Newport Folk Festival por primera vez. Seeger era miembro fundador de la junta del festival, que se clausuró con la interpretación de «We Shall Overcome» y «Blowin' in the Wind», por parte, entre otros, de Dylan, Seeger y Joan Baez. En la célebre Marcha sobre Washington de agosto de aquel año, Peter, Paul and Mary cantaron «If I Had a Hammer», de Seeger. En 1965, cuando Dylan tocó con instrumentos eléctricos en Newport, Seeger se enfureció tanto por la distorsión del sonido que amenazó con buscar un hacha y cortar el suministro eléctrico.

Seeger había participado en luchas por los derechos civiles, el trabajo y los trabajadores emigrantes, así como por el medio ambiente y contra la guerra. Seeger fue de un estado a otro y de ciudad en ciudad para ofrecer sus canciones, para pedir a la gente que cantase, que actuase para que la tradición folk avanzase. Era imparable y de una integridad intachable. Uno de los perfiles que publicó *The New Yorker* en 2006 acababa con la visión de Seeger, a sus más de ochenta años, solo en una cuneta, sin más compañía que el frío, la nieve derritiéndose y un cartel de cartón sobre el que había escrita una única palabra: *Peace* («paz»).

«Ese espíritu, el mismo fantasma de Tom Joad, está aquí encarnado esta noche con nosotros –le dijo Springsteen a la multitud del Madison Square Garden–. Va a estar en este escenario de forma momentánea. Se va a parecer mucho a ese abuelo que lleva camisas de franela y sombreros graciosos. Se va a parecer a ese abuelo que te puede dar una patada en el culo».

Aunque es evidente que la estrella de rock, que se había vuelto cada vez más explícita con sus propias creencias políticas, se enamoraría de Seeger, Springsteen sabía muy poco de la historia en 1997, año en el que organizó la gira en solitario para promocionar *The Ghost of Tom Joad*. Mientras se acomodaba de nuevo en casa, entre su lista de tareas musicales había una canción para un disco que se iba a hacer en homenaje a Seeger. Lo primero que hizo Springsteen fue acercarse a la tienda de discos, comprar todo lo que había de Pete Seeger en las estanterías y comenzar a empaparse de su historia.

Springsteen necesitaba encontrar un grupo (para una fiesta que iba a organizar en su casa de Nueva Jersey). Ante la sugerencia de Soozie Tyrell (que se había unido a la E Street Band durante el Rising Tour), contrató a los Gotham Playboys, los cuales estaban especializados en música cajún, zydeco y otras acústicas. «Ese era el sonido que estaba buscando, el que quería para el proyecto de Pete», escribió Springsteen en 2006. Reservaron una sesión de un día en su granja para noviembre de 1997, en la que el grupo se colocaría en la estancia principal, la sección de vientos se situaría en el pasillo y darían rienda suelta a la música. De ahí salió la versión de «We Shall Overcome» –que comenzaba como un himno al trabajo y, gracias a la ayuda de Seeger, acabó por convertirse en una parte de la lucha pro derechos civiles– que entregaron para el disco homenaje de 1998 titulado *Where Have All the Flowers Gone: The Songs of Pete Seeger*.

«ESON SON LOS AUTÉNTICOS INSTRUMENTOS FOLK, LOS QUE NO SE TIENEN QUE ENCHUFAR, LOS QUE SE CREARON PARA VIAJAR CON ELLOS [...]. SE HICIERON PARA TOCARSE EN CASAS, BARES Y SALONES SINDICALES. SON INSTRUMENTOS QUE COBRAN VIDA EN ESOS LUGARES».

Bruce Springsteen, 2006

Después, la E Street Band volvió a la vida. Más adelante, en el año 2004, tras el Vote for Change Tour, Springsteen y Jon Landau volvieron a la sesión de 1997 con la idea de realizar una segunda colección de *Tracks*. Hallaron el modo de hacer un proyecto independiente y reservaron otra sesión de un solo día para marzo de 2005, justo después del Devils & Dust Tour. Tras esos conciertos, a comienzos de 2006, una tercera sesión ocupó la granja durante otro día más.

El 24 de abril –solo 364 días después de *Devils & Dust*–, Springsteen lanzó *We Shall Overcome: The Seeger Sessions*, que sería su primer (y único) álbum de material no compuesto por él. Está repleto, según palabras de Springsteen, del sonido de la música al *hacerse* en contraposición a *interpretarse*.

«Todos somos hermanos y hermanas». Preparación antes del último ensayo en público antes de la gira, Asbury Park Convention Hall, 26 de abril de 2006.

«Hay cierta energía en ello cuando nadie lo sabe y te limitas a tocar –dice Springsteen en el DVD que recoge la gestación del disco–. Cuando se está buscando a tientas llega el instante en que la oportunidad y el desastre están a la mano. Si uno se decanta por la oportunidad, puede lograr algo realmente especial».

Había solos y cambios de clave que se hacían sobre la marcha. Las risas, el jaleo y los errores quedaron grabados. «¿Alguien quiere otra cerveza o algo? –dice Springsteen–. ¿Os habéis soltado para cantar? Necesitamos un sonido *salvaje*. ¡Quiero un sonido ebrio de cerveza y de whisky!».

Aunque Seeger no escribió las canciones del disco, las había llevado consigo en su viaje, había entonado las melodías que las protagonizaban y había encontrado consuelo y fuerza en ellas. «We Shall Overcome», que era un himno baptista reconvertido en una melodía frecuente del movimiento obrero antes de convertirse en un grito de guerra por los derechos civiles, es una canción que está orgullosa de su historia. Es una declaración: «Venceremos», «iremos de la mano» y «no tenemos miedo». Es tan imparable como «Eyes on the Prize»: «El nombre de la libertad es muy dulce, y pronto vamos a encontrarnos». Se trata de una promesa que se puede cantar en aquel momento, ahora y siempre. Son canciones que se pueden cantar en piquetes, en marchas o en iglesias junto a los dos *spirituals* del disco: «O Mary Don't You Weep» y «Jacob's Ladder». «Shenandoah», sin llegar a ser música sacra, es una oración, un sentido esbozo del hogar desde el recuerdo de uno de los pioneros que partieron hacia el oeste.

La más antigua de estas canciones, la siempre encantadora y antropomórfica «Froggie Went a Courtin» data de, como mínimo, la Escocia de mediados de la década de 1500. La más reciente, «My Oklahoma Home», la compusieron en 1961 Sis Cunningham y su hermano Bill. Narra la historia de una pobre alma que se instala en Oklahoma solo para ver que toda su vida –cultivos, esposa y casa– queda desmoronada por el Dust Bowl. «Todo excepto mi hipoteca voló por los aires», dice.

El protagonista de «Old Dan Tucker» se lavaba la cara con una sartén, se peinaba con una rueda de carro y tenía «dolor de muelas en el talón» cuando murió. Vaya usted a saber. Se trata de un buen borracho, uno divertido, y, como Springsteen le dijo a Dave Marsh en una entrevista para la radio, la clase de borracho que podría haber encajado en *Greetings*. Al otro lado del espectro de emociones se encuentra «Mrs. McGrath», una atronadora canción contra la guerra en la que un hijo regresa a casa tras más de siete años con las piernas reventadas por el fuego de cañón. «Todas las guerras en el extranjero, aquí lo proclamo, viven de la sangre y el dolor de una madre», dice esta al ver a su hijo. Marsh, que investiga para las notas del álbum, concluyó que esta canción se remonta a 1815, aunque Springsteen la sitúa en la actualidad gracias a un pequeño cambio: «¡Preferiría que mi hijo estuviese bien antes que tener al rey de América y a toda su Marina!».

«John Henry» y «Jesse James» dan nueva vida a los clásicos héroes del folclore estadounidense. Aunque ambos fallecen –James a mano de uno de los miembros de su propia banda; Henry tras la simbólica batalla con el martillo de vapor del magnate ferroviario–, sus historias continúan. Jesse tiene mujer e hijos. La esposa de John Henry toma el martillo y trabaja con el mismo ahínco que cualquier otro.

Trabajas «cuarenta días y cuarenta noches en el mar» –un trabajo de proporciones bíblicas– y esperas que el que te contrató te pague: esta es la voz de «Pay Me My Money Down». Aunque el chico de «Erie Canal» no tiene trabajo, posee una mula propia de complexión fuerte. Es preferible no hacer enfadar a un animal «con hierro en las pezuñas» y capaz de dar una coz a un hombre para mandarlo «de vuelta a Búfalo».

«Oía cientos de voces en aquellas viejas canciones folk, relatos procedentes de todos los momentos de la historia estadounidense (música de salón, sacra, de taberna, de las calles y de las cunetas) –explicó Springsteen en *The New Yorker*–. Tenía una percepción muy precisa de la música como entidad histórica [...]. A la vez, Pete siempre estaba dispuesto para la diversión y la ligereza, que es donde se manifestaba su propia gracia».

Seis días después del lanzamiento del álbum, Springsteen, respaldado por diecisiete músicos que parecían haber tomado la primera diligencia desde Nueva Jersey, clausuró el primer fin de semana del primer New Orleans Jazz and Heritage Festival que se celebraba tras el paso del huracán Katrina. Habían transcurrido ocho meses desde que las inundaciones arrasaran la ciudad y ahogaran a los ciudadanos, hiciesen del Louisiana Superdome un campamento de refugiados y acabasen con los barrios que habían dado a luz a la música que Springsteen estaba llevando a la ciudad.

El día anterior a la actuación visitó la ciudad para contemplar la destrucción y hablar con los voluntarios. El crítico de música Keith Spera, de la publicación de Nueva Orleans *Times-Picayune*, explicó en su libro titulado *Groove Interrupted: Loss, Renewal, and the Music of New Orleans* («La interrupción del ritmo: pérdida, renovación y la música de Nueva Orleans») que Springsteen donó 80.000 dólares al New Orleans Musicians Clinic.

Situados ante la ciudad que había perfeccionado la música como elemento sanador, Springsteen y la Sessions Band se dispusieron a tocar. Comenzaron con «O Mary Don't You Weep» y la apocalíptica promesa de Dios a Noé: «La próxima vez no será agua, sino fuego». En el momento clave del repertorio, hizo una pausa para hablar de lo que había presenciado el día anterior: «Creo que he contemplado vistas que jamás creí posibles en una ciudad estadounidense –dijo Springsteen–. [...] Es lo que sucede cuando la gente lleva a cabo sus juegos políticos con las vidas de los demás».

Izquierda: un descanso durante los ensayos de los Grammy, 8 de febrero de 2006. Springsteen consiguió su segundo premio consecutivo por la Mejor Interpretación Vocal de Rock Masculina por «Devils & Dust».

Superior: el emotivo concierto inaugural del New Orleans Jazz and Heritage Festival, 30 de abril de 2006.

«HAY MÚSICA SIEMPRE QUE SE PUEDE HABLAR EN VOZ ALTA. AUNQUE SUENE A ROCK, NO LLEGA A SER MÚSICA ROCK. NO SE ESTÁ CONFINADO A AQUEL RITMO EN CONCRETO NI A AQUELLOS TEMPOS. SI SE TIENE EN CUENTA LA RAPIDEZ CON LA QUE SE MONTÓ, NO DEJA DE SORPRENDER LO BIEN QUE QUEDARON LOS ARREGLOS AL COMBINARSE».

Bruce Springsteen, 2006

Después, presentó «How Can a Poor Man Stand Such Times and Live», una canción compuesta por *Blind* Alfred Reed poco después del crack de 1929. Springsteen conservó el primer verso, escribió tres nuevos que hablaban específicamente de Nueva Orleans y dedicó la canción al «presidente espectador». Springsteen azotó su guitarra (pegada al pecho, más al estilo de Woody Guthrie que al de una estrella de la E Street Band) hasta que al final se le rompió una cuerda. La apartó y prosiguió. Después, cantó «Jacob's Ladder» y, a continuación, «We Shall Overcome». Con solo tres canciones, había pasado de la rabia por lo que era a la esperanza de lo que sería. Springsteen cerró la parte principal con «My City of Ruins», y dejó para los bises la canción más conocida en la ciudad: «When the Saints Go Marching In». Pero con una banda integrada para improvisaciones de vientos de segunda línea, Springsteen la interpretó a modo de promesa, y hurgó en su historia para recuperar el último verso: «Hay algunos que ahora dicen que este turbulento mundo es el único que habrá. Pero yo espero esa mañana en la que se revele el nuevo mundo».

Dave Malone, cantante y guitarrista de The Radiators, de Nueva Orleans, le dijo a Spera lo siguiente: «Me quedé allí llorando como un niño».

La gira abandonó Nueva Orleans para dar el salto a Europa. Las viejas canciones de Springsteen cobraron nueva vida. «Open All Night» se convirtió en un swing de bar al estilo *big band*. «If I Should Fall Behind» pasó a ser un vals. «Blinded by the Light» entró en la máquina del tiempo y sonó como una especie de funk del Dust Bowl.

Alejándose de las declaraciones que había hecho al final de su interpretación de «Devils & Dust» en la ceremonia de los Grammy, Springsteen puso una nueva letra a la canción que había compuesto Seeger contra la guerra de Vietman titulada «Bring Them Home», y quitó la *t* y la *h* del título. Inspirándose en «He lies in the American Land», poema de Andrew Kovaly que musicalizó Seeger, Springsteen compuso «American Land». Con el tono de casi todas las canciones celtas, esta presenta la imagen idílica que un inmigrante tiene del país («hay diamantes por las aceras», «los ríos llevan oro») y la contrapone a la realidad («las manos del país que siempre estamos intentando dominar»). Estas formaron parte de una edición ampliada de *We Shall Overcome* (la cual también incluyó «How Can a Poor Man Stand Such Times and Live». También se lanzaron un álbum y un DVD con una actuación en Dublín.

Seeger comentó en *Billboard* que le hubiera encantado ir a uno de esos conciertos... si hubiera encontrado un buen disfraz. Se le honró, y, con un poco de suerte, la atención que le había prestado Springsteen tal vez hiciera que hubiera más gente interesada por su música: «Por Dios bendito, no necesito publicidad», dijo al respecto.

He aquí lo que comentó Springsteen por su parte: «Uno puede sentir la frescura que hay en el sonido de la sorpresa de los aplausos –le dijo a la NPR–. Con el paso del tiempo, el componente de lo ritual va penetrando en distintas partes de los conciertos. Pero, para hacer que todo parezca recién estrenado, cada canción tiene que ser un paso hacia un territorio que tenga algo de inexplorado».

Al mando en el Heineken Music Hall, Ámsterdam, 16 de mayo de 2006

MAGIC

2007

«RECUERDO QUE TRAS LEER ALGUNAS DE LAS RESEÑAS EN LAS QUE LOS CRÍTICOS DECÍAN QUE [SPRINGSTEEN] ERA "DEMASIADO INDULGENTE", ME DIJE A MÍ MISMO: "QUE LES DEN"».

BRENDAN O'BRIEN, 2011

2007

11 de febrero: Springsteen obtiene un Grammy en la categoría de Mejor Disco Folk Tradicional (por *We Shall Overcome: The Seeger Sessions*) y otro en la de Mejor Vídeo Musical de Larga Duración (por *Wings for Wheels: The Making of Born to Run*).

Febrero-mayo: comienzan las sesiones de grabación de *Magic* en Southern Tracks; las sesiones de *Working on a Dream* siguen su curso y se intercalan entre las distintas partes del Magic Tour a lo largo de los años 2007 y 2008.

5 de junio: salen *Live in Dublin* (Estados Unidos: n.º 23; Reino Unido: n.º 21) y el DVD.

30 de julio: muere Terry Magovern, amigo y ayudante de Springsteen.

2 de agosto: Springsteen toca «Terry's Song» en el funeral de Magovern.

2 de octubre: se lanza *Magic* (Estados Unidos: n.º 1; Reino Unido n.º 1) y comienza el Magic Tour en el Hartford Civic Center, Hartford, Connecticut.

19 de noviembre: acaba en el TD Banknorth Garden de Boston la primera parte estadounidense de la gira. Última actuación completa de Danny Federici.

25 de noviembre: el madrileño Palacio de Deportes acoge el inicio de la primera gira europea del Magic Tour. Charles Giordano sustituye a Federici.

19 de diciembre: acaba la primera gira europea en el O2 Arena.

2008

10 de febrero: Springsteen obtiene un Grammy a la Mejor Canción Rock, otro a la Mejor Interpretación Vocal de Rock Masculina (ambos por «Radio Nowhere») y un tercero a la Mejor Interpretación Instrumental Rock (por «Once Upon a Time in the West», el disco homenaje *We All Love Ennio Morricone*).

28 de febrero: el Magic Tour se reanuda en el mismo lugar en el que comenzó, el Hartford Civic Center.

20 de marzo: Federici hace su última aparición con la E Street Band en el Conseco Fieldhouse, Indianápolis.

16 de abril: Springsteen muestra su apoyo a la candidatura de Barack Obama.

17 de abril: fallece a los cincuenta y ocho años Danny Federici.

21 de abril: Springsteen interpreta tres canciones y entona un panegírico en el funeral de Federici, que se celebra en Red Bank, Nueva Jersey.

2 de mayo: acaba en el Bankatlantic Center, Sunrise, Florida, la segunda parte estadounidense de la gira.

7 de mayo: tocan en directo todas las canciones de los discos *Darkness on the Edge of Town* y *Born to Run* para recaudar fondos para el lugar en el que actúan: el Count Basie Theater, Red Bank, Nueva Jersey.

22 de mayo: comienza la segunda parte europea de la gira en el dublinés RDS Arena.

20 de julio: la gira acaba en Europa con el concierto del Camp Nou, Barcelona.

27 de julio: la última parte de la gira se inicia en el Giants Stadium, East Rutherford, Nueva Jersey.

24 de agosto: el Magic Tour concluye en el Sprint Center, Kansas.

5 de septiembre: tiene lugar en la Bienal de Venecia el estreno mundial del filme de Darren Aronofsky titulado *The Wrestler* (*El luchador*), en el cual figura una canción compuesta por Springsteen.

Página 217: luces y sombras, 2007.

Derecha: Datch Forum, Milán, 28 de noviembre de 2007.

Las Dixie Chicks fueron un aviso. En marzo de 2003, durante un concierto en Londres, la cantante Natalie Maines dejó clara la oposición del grupo a la inminente guerra en Iraq. Por añadidura, dijo que le avergonzaba que el presidente George W. Bush fuera de Texas, ya que ella había nacido en ese estado. Y la gente enloqueció. Destruyeron sus discos. Dejaron de sonar en la radio. Se produjeron protestas en sus conciertos. Se dijo de ellas que eran antiestadounidenses y antipatriotas. Las instaron a que se callasen y se limitasen a cantar. Se trazaron líneas de batalla. Springsteen, ocupado con el Rising Tour, recurrió a su propia página web para ofrecerles su apoyo. «Para mí –escribió–, son unas maravillosas artistas estadounidenses que están expresando valores americanos mediante su libertad de expresión». Siete meses después, casi sin haber desempaquetado el equipaje, se sentó y compuso una canción titulada «Livin' in the Future». El tiempo pasó.

«La estrella de rock Bruce Springsteen es un hombre liberal –dijo el conservador Bill O'Reilly durante el programa del 3 octubre de 2007 de Fox News–. En estos momentos está promocionando su nuevo disco. Y, con esa labor, apareció en el programa *Today* del pasado viernes». O'Reilly dio paso a una grabación en la que Springsteen hablaba desde Rockefeller Plaza, a las puertas de la sede central neoyorquina de la NBC: «En los últimos seis años, nos hemos visto obligados a sumar varios factores a la interpretación de la imagen de Estados Unidos: escuchas telefónicas ilegales, desaparición de votantes, supresión del hábeas corpus, abandono de nuestra gran ciudad de Nueva Orleans y su gente, ataque a la constitución y pérdida de nuestros mejores hombres y mujeres en una trágica guerra. Así que esta es una canción acerca de algunas cosas que no tendrían que estar sucediendo».

Desde una posición magnánima, O'Reilly reconoció que el discurso de Springsteen era fruto de una «disidencia legítima». Sin embargo, solo podría *respetarse* por completo una vez que Springsteen accediera a asistir al programa de O'Reilly y defendiera allí su postura. «A las estrellas del pop, como sabéis, rara vez se les puede pedir cuentas», comentó O'Reilly. Cinco días después, el presentador ofrecía 25.000 dólares a obras sociales si Springsteen asistía a su programa. Dos días después, el cómico Stephen Colbert, cuyo personaje en *The Colbert Report* es una parodia de O'Reilly, mostró su rechazo al nuevo disco de Springsteen, «repleto de propaganda contra la guerra y de odio a Bush». ¿Que cuál era la única forma de que Springsteen se redimiera? Ir al programa de Colbert y disculparse. «¿Sabes una cosa? –dijo Colbert–. Seré generoso contigo. No hace falta ni que te disculpes. Basta con que vengas a mi programa».

La reacción de Springsteen fue hacer aquello que todos los que se habían enfadado con las Dixie Chicks hubieran querido que hiciesen *ellas*. El mundo se estaba desmoronando y la E Street Band iba a poner cartas en el asunto. «Tenemos planeado *cantar* sobre esto», afirmó Springsteen. Así, dio la señal a Max Weinberg, quien hizo que la E Street Band comenzase con «Livin' in the Future», cuyas siniestras imágenes bailan al son del saxofón de Clarence Clemons y con un ritmo que recuerda a «Tenth Avenue Freeze-Out».

«TIENE QUE SER POLÍTICA PARA TENER RESONANCIA. ADEMÁS, DEBE SER UNA BUENA CANCIÓN ACERCA DE UNA RUPTURA. [...] ASÍ ES COMO ME GUSTA HACERLO. ESO ES LO QUE TE IMPIDE COMENZAR A SERMONEAR».

Bruce Springsteen, 2011

Los primeros versos de Springsteen determinan el tono de la canción: «Una carta viene volando con un mal viento». En los cielos hay «pólvora y tonos grises». El horizonte es de un «rojo sangriento». Un beso llega con el «sabor de la sangre en la lengua». Alguien ha soltado a los perros salvajes. Los mares están creciendo y la tierra se desmorona. Una mujer llega paseando por la ciudad y los «tacones de sus botas resuenan como el tambor de una pistola al girar». Llegan malas noticias de todas partes. ¿Es el trueno lo que suena a lo lejos? ¿O acaso el «sonido que hace algo honrado al hundirse»?

«Livin' in the Future» fue la «genesis, el pequeño punto de partida del álbum», afirmó Springsteen en 2011. Lanzado el 2 de octubre de 2007, *Magic* es portador de un malestar que fluye por él a la deriva mientras la libertad se mueve «como un fantasma entre los árboles» en la canción que le da título. A lo largo de sus doce canciones, la sangre que vierte y salpica acaba por teñir los cielos.

Esa sangre es el precio del engaño, de caer en la trampa y ceder a la ilusión. «Te cortaré por la mitad mientras tienes una sonrisa de oreja a oreja», canta Springsteen asumiendo el papel del más tétrico de los pregoneros de feria.

Era consciente de que el álbum salía en las vísperas de un año electoral. Sabía que se había convertido en una especie de barómetro, de modo que cada nuevo disco suyo era una lectura del barómetro del sueño americano. Como tal, *Magic* iba a ser vapuleado tanto por la derecha como por la izquierda mientras se gritarían entre sí a favor de la diversión y el provecho. Ni el gruñido rabioso del discurso ni la confianza en la opinión contundente eran novedad para Springsteen. Cuando llegó el momento de promocionar el álbum, incluso se prestó a participar en un programa de actualidad. Se trataba de *60 Minutes*, del que lo normal es que se desarrollara de manera tranquila, aunque,

después de todo, seguía siendo un programa de actualidad. A sus cincuenta y ocho años, entró de buen grado en la refriega. «Ese es el lío en el que estamos, y no se va a solucionar por sí solo –dijo en diciembre de 2007 para *Spin*–. Hay que seguir presionando y siendo fieles a las propias ideas y al pequeño papel que se pueda desempeñar. ¿Que Bill O'Reilly me va a maldecir? Pues que Dios le bendiga».

Tras trabajar en Atlanta con el productor Brendan O'Brien y con la E Street Band, Springsteen creó su disco más ambicioso musicalmente desde *Born to Run*, más semejante a *Pet Sounds* que a un asalto a lo punk. Los chelos y violines dan cuerpo a unas melodías pop. Los espaciosos arreglos proceden de la propia mano de Springsteen. *Magic* suena como si todo estuviera bien. Y no lo está. «I'll Work for Your Love» es una canción que se puede tararear y que trata acerca de lo que su propio título (traducible como «Trabajaré por tu amor») implica.

Izquierda: a causa de las críticas vertidas contra George W. Bush, las Dixie Chicks tuvieron que enfrentarse a la hostilidad de los conservadores.

Superior: Springsteen también se situó en la línea de fuego con los comentarios que realizó en el programa *Today*, 28 de septiembre de 2007.

«ES EL ANHELO NO CORRESPONDIDO POR UN MUNDO PERFECTO. EL POP ES DIVERTIDO. ES UNA DIVERSIÓN. IMPORTANTE, PERO UNA DIVERSIÓN AL FIN Y AL CABO, Y AHÍ RESIDEN SU BELLEZA Y SU GRACIA».

Bruce Springsteen, 2007

Pero en los ojos de la amada se encuentran «las páginas del libro de las Revelaciones»: el propio apocalipsis. La «ciudad de la paz se ha derrumbado, nuestro libro sagrado ha sido arrojado». Fe, amor, paz y esperanza... Todo aquello que había impedido que *The Rising* se convirtiese en un canto fúnebre se había perdido con el transcurso de los años. «El disco es un recuento de gastos y pérdidas», le dijo Springsteen a A. O. Scott, crítico de *The New York Times*.

Un recuento que casi nadie estaba muy interesado en asumir. Era mucho más fácil discutir acerca de qué bando debería ganar una guerra política que centrarse en el número de víctimas de cualquiera de las guerras reales que se estaban librando. «Ya no ponderamos la sangre que hemos derramado», canta un furioso Springsteen en «Last to Die», donde después añade lo siguiente: «Nos limitamos a apilar los cuerpos fuera de casa». La canción toma el estribillo –«¿Quién será el último en morir por error?»– del discurso que en 1971 pronunció John Kerry poco tiempo después de regresar de Vietnam ante la Comisión de Relaciones Exteriores del Senado. «¿Cómo se le puede pedir a un hombre que sea el último en morir en Vietnam?», quiso saber Kerry. Lo único que había cambiado era el nombre de la guerra.

Superior: John Kerry presta declaración ante la Comisión de Relaciones Exteriores del Senado, abril de 1971.

Derecha: ensayos de la gira en el Asbury Park Convention Hall, septiembre de 2007.

«SIEMPRE HE CREÍDO QUE CUANDO SE LOGRAN UNAS LETRAS DURAS CON CIERTA LUMINOSIDAD, SE CONSIGUE QUE NO SEAN DEMASIADO UNIDIMENSIONALES. Y ASÍ ERA COMO LO HACÍA. DEJABA QUE ESTUVIERAN REPLETAS DE DULZURA, LO QUE ME HACÍA TAN FELIZ QUE NO PODÍA NO ACCEDER».

Brendan O'Brien, 2011

En un ensayo previo a la gira en Asbury Park, Scott vio cómo Springsteen y el grupo lograban una transición perfecta entre «The Rising» y «Last to Die». «No es nada exagerado decir que la visión del señor Springsteen respecto a la historia estadounidense posterior al 11-S puede palparse en el espacio que media entre los estribillos de esas dos canciones», escribió Scott. A lo que hay que añadir que, en realidad, puede hacerse desde cualquier punto de esas dos canciones. En 2002: «sueño de vida». En 2007: el sol se pone «entre llamas mientras la ciudad arde».

En «Gypsy Biker» la madre quita las sábanas de la cama de su hijo, fallecido en combate, como primer paso para empaquetar toda su vida. La hermana del difunto permanece sentada en silencio. El hermano está borracho. «Toda la ciudad está derrotada, ¿de qué lado estás?». ¿Qué diferencia hay? «A los muertos no les preocupa mucho quién tiene razón y quién no». A pesar de ser una canción triste, marcada por los lamentos de los apesadumbrados solos de guitarra, también hay ira en ella desde el primer verso: «Los especuladores ganaron dinero con la sangre que derramaste».

En «Devil's Arcade», el soldado logra regresar a casa vivo, aunque no entero. Herido en cuerpo y alma, todos los días se despierta con «el espeso polvo del desierto» sobre la piel. «Alguien hizo una apuesta, alguien la pagó». No el mismo *alguien*, desde luego. Nunca lo es.

«You'll Be Comin' Down» y «Your Own Worst Enemy» son advertencias. «Una calle tranquila, dinero fácil y grandes mentiras», canta Springsteen en la primera, creando una historia que está condenada a fracasar. La segunda está marcada por una poética ausencia de autorreflexión. El protagonista, al enfrentarse a una imagen demasiado nítida de los tiempos, hizo desaparecer

«todos los espejos». Springsteen ha empleado durante años la pregunta «¿Hay alguien vivo ahí?» como parte de su puesto en escena. En «Radio Nowhere», proporciona consistencia a la búsqueda de una conexión humana con sentido en un mundo de satélites en el que uno se siente a menudo como «otro número perdido en un archivo».

«Girls in Their Summer Clothes» parece una canción de los Beach Boys, y, de hecho, suena como tal, pero tiene tintes del ocaso de la historia de un muchacho que se encontró en el lado equivocado de una ruptura y abandonó su ciudad. Hay en esta canción la suficiente melancolía e insidiosa nostalgia como para hacer que pensemos que su mejor época quedó atrás, sobre todo cuando las chicas pasan junto a él.

Cuando Springsteen publicó *The Rising*, aún tenía muy presentes los días inmediatamente posteriores a los ataques terroristas del 11-S, días en los que toda la nación se reconcilió y todo parecía posible. El largo camino que lo llevó a *Magic* para Springsteen estuvo marcado por todas las violaciones de las libertades civiles que mencionó en el programa *Today*. Retroceder le iba a costar mucho trabajo. Con el fin de dejar clara su postura, volvió de nuevo a la bandera, conocedor del poder que tiene la imagen. En «Long Walk Home», esta ondea sobre el juzgado en recuerdo de algo que dijo el padre de la narradora. La bandera es una promesa. Hace referencia a «ciertas cosas que están grabadas en piedra: quiénes somos, qué haremos y qué no haremos». Springsteen consideró que se había traicionado la bandera y llegó a la conclusión de que había llegado el momento de ponerse manos a la obra. «Cuando oscurece se supone que tengo que ponerme a cantar –le dijo Springsteen a Scott Pelley en *60 Minutes*–. Ya ha oscurecido».

Retrato de Todd Heisler, 2007.

Magic se acabó cuando, el 30 de julio de 2007, fallecía
a los sesenta y siete años de edad Terry Magovern, amigo
y ayudante de Springsteen desde hacía mucho tiempo.
La peculiar función de Magovern se describe a la perfección
en el Devils & Dust Tour, donde su puesto era el de «Terry
Magovern». «Encontrarse con Terry era como toparse
con una enorme formación rocosa en el desierto –anotó
Springsteen en su página web–. Se puede rodearla, ignorarla
o subirse a ella (cosa poco recomendable), pero tenía que
hacer frente a su presencia, a su permanencia». Springsteen
compuso «Terry's Song», la tocó en el funeral de Magovern
y la añadió como última canción del disco.

Ya en la gira, las canciones de *Magic* lograron hacerse
hueco con facilidad entre lo más granado del repertorio
de Springsteen. «Gypsy Biker» se convirtió en un feroz
duelo de guitarras entre Springsteen y Steve Van Zandt.
La continuidad sobre la que llamó la atención Scott entre
«The Rising» y «Last to Die» se prolongó en «Long Walk
Home» y de esta a «Badlands». En «Devils Arcade», canción
en donde la batería de Max Weinberg sonaba como un latido
de corazón, con su Fender iluminaba desde atrás apuntando
al cielo. En Anaheim, California, Springsteen se puso
en contacto con Tom Morello, guitarrista de Rage Against
the Machine, para tocar con él una nueva e intensa versión
eléctrica de «The Ghost of Tom Joad». Los nuevos arreglos
de «Reason to Believe» la convirtieron en un zapateo de
bar de carretera. «Livin' in the Future» conservó parte
de la forma de anuncio público que le había dado Springsteen,
y, cuando la gira se aproximó al momento en que tendrían
lugar las elecciones y al final del mandato de Bush, «Magic»
llegó con un brindis: «Va a caer el telón de este espectáculo
de ocho años de trucos de magia».

En noviembre de 2007, al final de la primera tanda de
conciertos en Estados Unidos, Danny Federici abandonó
la gira y se centró en su propia batalla contra el cáncer.
Charles Giordano, de la Seeger Sessions Band, se incorporó
en el momento en que se dirigían a Europa. Cuatro meses
después, el 20 de marzo de 2008, ya de vuelta en Estados
Unidos, Federici subió al escenario para tocar unas cuantas
canciones. «Vamos, hermano –dijo Springsteen mientras
sonreía a Federici y a su acordeón–. ¿Estás listo? Empezaremos
nosotros, solo Danny y yo». Springsteen comenzó con
«4th of July, Asbury Park (Sandy)» y, por un breve instante,
las cosas fueron como siempre habían sido. Federici falleció
el 17 de abril.

Cuando la gira se reanudó el 22 de abril, en Tampa, Florida,
el concierto se abrió con un vídeo homenaje de «Blood
Brothers». El foco señaló al asiento vacío de Federici
y Springsteen condujo al grupo por una interpretación
de «Backstreets» en la que faltó el órgano. Roy Bittan
tocó el acordeón en «Sandy» después de que Springsteen
se lo pidiera. Como primer bis, optaron por «I'll Fly Away».
Springsteen bromeó con que aquello era *bluegrass*
de Nueva Jersey.

Para aquel entonces, Springsteen ya había manifestado
su apoyo al candidato presidencial Barack Obama,
quien acabaría por vencer en las primarias demócratas
frente a Hillary Clinton. «Habla a la nación que he

imaginado con mi música durante los últimos treinta
años –escribió Springsteen en su página web–, a una
generosa nación con una ciudadanía dispuesta a hacer
frente a matizados y complejos problemas, a un país que
está interesado por su destino colectivo y por el potencial
de su espíritu al unirse». Citando «Long Walk Home»,
Springsteen añadió lo siguiente: «Un lugar en el que
"[...] nadie te estruja y nadie está solo"».

Como había hecho con John Kerry, Springsteen
se echó a la carretera en nombre de Obama. Así, dio
conciertos acústicos en los que tocó «This Land Is Your
Land», «The Rising», «No Surrender», «The Promised
Land» y «The Ghost of Tom Joad». En Ohio, tocó «Mr.
Spaceman», de los Byrds, para el astronauta y exsenador
John Glenn. En Michigan, una vez dejaron atrás Detroit,
decidió sacar «Used Cars» del cajón de las canciones
que casi nunca tocaba.

El 2 de noviembre, dos días antes de las elecciones,
Springsteen y Patti Scialfa aparecieron en un mitin
de Obama en Cleveland, Ohio. Springsteen pronunció
un discurso sobre los sueños, la determinación y el
trabajo duro que hacen falta para construir una nación
más equitativa. «Y sea cual sea el don que Dios haya
decidido concedernos –dijo–, reside en nuestra relación
con los demás [...], y es ahí desde donde lanzamos
nuestra pequeña reclamación a los cielos». Después,
a su catálogo de canciones perfectamente adecuadas
para tal ocasión, Springsteen añadió una más: «Working
on a Dream». El amor y la esperanza, al parecer, habían
regresado.

Superior: última actuación
completa de Danny Federici
con la E Street Band, celebrada
en el TD Banknorth Garden,
Boston, 19 de noviembre de 2007.

Izquierda: «Yes we can!».
En los mítines de la campaña
del que no tardaría en convertirse
en el presidente Barack Obama,
Cleveland, 2 de noviembre de 2008.

DANNY FEDERICI
(1950-2008)

Danny Federici fue un músico «intuitivo». Esa palabra
se repitió una y otra vez tras su muerte, el 17 de abril
de 2008. «Su estilo era fluido y resbaladizo, dirigido
a los espacios que dejaban los otros miembros de la
E Street Band», dijo Springsteen en el funeral de Federici.
No podía tocar un tema de la misma manera dos veces
si alguien se lo pedía. Y si se lo pedían, no lo hacía, porque
tenía su propio carácter. Era The Phantom, el muchacho
que había tirado los amplificadores sobre la policía
y después había desaparecido en el éter en medio
de los disturbios del Great Clearwater Swim Club,
y que además había logrado evitar durante semanas
una orden de arresto.

«Mi tranquilo y tímido amigo, Dan Federici, fue
el único responsable de algunas de las circunstancias
más peliagudas de nuestra carrera de cuarenta años»,
afirmó Springsteen. Como la vez en que Federici aparcó
un vehículo en una zona de remolque. Había una planta
de marihuana en el asiento. «De repente, remolcaron
el vehículo –explicó Springsteen–. Me dijo que se iba
a denunciar que lo habían robado, y yo le comenté que
no era una buena idea». Y no lo era. «Fue mi amigo,
y de los buenos –dijo Springsteen–, de los que pasan
todas las pruebas».

Se remontaron a la época anterior a la E Street, al
Upstage, cuando Federici y Vini *Mad Dog* Lopez quisieron
que Springsteen tocara en *su* grupo. Después llegó Child,
más adelante Still Mill, y al final acabó por ser la dominación
mundial. Desde su órgano B3, Federici podía evocar
el sonido de las celebraciones en el paseo marítimo
o la amenaza de una tormenta. Obraba, en palabras
de Springsteen, milagros. «Huelga decir que todos
crecimos y nos enteramos de que "es solo rock 'n' roll"...
pero no lo es –dijo Springsteen–. Tras una vida viendo
a un hombre obrar su milagro para ti, noche tras noche,
se parece muchísimo más al amor».

Danny Federici durante
los ensayos del Magic Tour
en el Asbury Park Convention
Hall, septiembre de 2007.

WORKING ON A DREAM

2009

«ME DI CUENTA DE QUE, A PESAR DE QUE ME ENCANTABAN AQUELLAS MAJESTUOSAS MELODÍAS Y EL ROMANTICISMO, NO LAS HABÍA TRABAJADO EN EL PASADO. CUANDO ENCUENTRAS UNA VETA PEQUEÑA, PERO INTACTA, ESTÁ A REBOSAR».

BRUCE SPRINGSTEEN, 2009

2009

11 de enero: Springsteen consigue un Globo de Oro en la categoría de Mejor Canción Original por «The Wrestler».

13 de enero: sale un segundo volumen recopilatorio, *Greatest Hits* (Estados Unidos: n.º 43; Reino Unido: n.º 3).

18 de enero: Springsteen toca en We Are One: The Obama Inaugural Celebration en el Lincoln Memorial de Washington D. C.

27 de enero: sale *Working on a Dream* (Estados Unidos: n.º 1; Reino Unido: n.º 1).

1 de febrero: Springsteen y la E Street Band se encargan del espectáculo del descanso de la 43.ª Super Bowl.

8 de febrero: consigue un Grammy a la Mejor Canción Rock por «Girls in Their Summer Clothes».

1 de abril: el HP Pavilion, San José, California, alberga el primer concierto del Working on a Dream Tour.

3 de mayo: Springsteen participa en el Clearwater Concert, en el Madison Square Garden, con motivo del nonagésimo cumpleaños de Pete Seeger.

23 de mayo: acaba la primera parte estadounidense de la gira en el Izod Center, East Rutherford, Nueva Jersey.

30 de mayo: el Pinkpop Festival de Megaland, Landgraaf, Países Bajos, acoge el comienzo de la gira europea.

2 de agosto: la gira europea acaba en el Auditorio Monte do Gozo, Santiago de Compostela, España.

19 de agosto: comienza la última parte de la gira en el Comcast Theater, Hartford, Connecticut.

20 de septiembre: el United Center, Chicago, alberga la primera interpretación del disco *Born to Run* al completo durante la gira.

25 de septiembre: se graba en el neoyorquino Apollo Theater un pequeño concierto para *Spectacle*, que más adelante se publicaría en DVD.

2 de octubre: el Giants Stadium, East Rutherford, Nueva Jersey, acoge la primera interpretación del disco *Darkness on the Edge of Town*.

9 de octubre: tiene lugar el último concierto en el Giants Stadium antes de su demolición, en febrero de 2010. Este concierto cuenta con la primera interpretación en directo del disco *Born in the U.S.A.* al completo.

7 de noviembre: el Madison Square Garden acoge la interpretación del disco *The Wild, the Innocent & the E Street Shuffle* al completo.

8 de noviembre: el Madison Square Garden alberga la primera interpretación en vivo del disco *The River* al completo.

22 de noviembre: finaliza el Working on a Dream Tour en el HSBC Arena, Búfalo, Nueva York (este concierto incluye la primera interpretación en directo del disco *Greetings from Asbury Park, N.J.* al completo.

5-6 de diciembre: Springsteen consigue un Kennedy Center Honors.

13 de diciembre: se filma una interpretación en vivo de *Darkness on the Edge of Town* en el Paramount Theater, Asbury Park, para incluirla en *The Promise: The Darkness on the Edge of Town Story*.

29-30 de octubre: Springsteen actúa en el vigésimo quinto aniversario de los conciertos Rock and Roll Hall of Fame, Madison Square Garden.

Páginas 231 y *233:* retratos de Danny Clinch, junio de 2010.

Superior derecha: repertorio para el Madison Square Garden, 7 de noviembre de 2009.

Centro: Hyde Park, Londres, 28 de junio de 2009.

Derecha: premier italiana de *The Promise*, Roma, 11 de noviembre de 2010.

2010

31 de enero: consigue un Grammy en la categoría de Mejor Interpretación Vocal de Rock Masculina por «Working on a Dream».

22 de junio: sale el DVD *London Calling: Live in Hyde Park*.

16 de noviembre: se lanza *The Promise* (Estados Unidos: n.º 16; Reino Unido: n.º 7) y la caja *The Promise: The Darkness on the Edge of Town Story*.

7 de diciembre: Carousel House, Asbury Park, acoge la última actuación de Clarence Clemons con la E Street Band.

2011

h. febrero: comienza la grabación de *Wrecking Ball*.

18 de junio: muere a los setenta y nueve años Clarence Clemons.

21 de junio: Springsteen interpreta dos canciones y entona un panegírico en el funeral de Clemons, que se celebra en Palm Beach, Florida.

h. octubre: se realizan las últimas sesiones de *Wrecking Ball*.

Springsteen se encontraba con Pete Seeger en Washington D. C. «Estaba *helando* –comentó Springsteen–. Había unos diez grados bajo cero». Seeger, a quien le faltaban cuatro meses para su nonagésimo cumpleaños, tenía un banjo, pero este instrumento no abriga. «Le dije que esperaba que se hubiera puesto algo debajo de la camisa de franela», comentó Springsteen. Seeger lo miró. «Sí, llevo unos calzoncillos largos debajo», respondió Seeger. Continuaron con lo que estaban haciendo, perfeccionando la interpretación de «This Land Is Your Land» con la que clausurarían el We Are One, concierto para celebrar la inauguración presidencial de Barack Obama.

Al día siguiente, el 18 de enero de 2009, un abrigado Springsteen ocupaba su lugar en la escalinata del Lincoln Memorial. Delante de él, cientos de miles de personas llenaban el National Mall. A su derecha, Obama y su familia observaban. Detrás de él, los integrantes de un coro de góspel, vestidos con brillantes trajes rojos, ocupaban los peldaños que había entre la estrella de rock y Lincoln. The Joyce Garrett Singers elevaron el estribillo de «The Rising» hasta los cielos. Springsteen sonrió y se inició una canción de salvación, que, en aquel momento, parecía estar realmente al alcance de la mano. Gran parte de lo que había visto en los últimos años parecía ser lo contrario a lo que había imaginado que debería ser el país. «Y, así, de repente, la noche de las elecciones –le dijo Springsteen a David Fricke para la *Rolling Stone*–. De inmediato aparece el lugar del que has estado cantando durante todos esos años».

Casi al final del concierto, Seeger y su nieto se unieron a Springsteen en el centro del escenario para cantar *todos* los versos de «This Land Is Your Land», incluidos los que versan sobre la oficina de socorro y la propiedad privada, que suelen evitarse. Lo hicieron del modo en que lo habría hecho Woody Guthrie, que siempre había sido el de Seeger. Este, con su camisa de franela y un gorro de ganchillo, gritó la letra para que todo el mundo pudiera cantarla con él. Levantó las manos. Fue hermoso.

«Nos ha venido bien como calentamiento –dijo Springsteen once días después en Tampa, Florida–. Aunque tendremos muchísimos fanáticos del fútbol, no estará la estatua de Lincoln mirándonos por encima del hombro».

Mientras los Pittsburgh Steelers y los Arizona Cardinals estaban preparándose para salir a disputar el encuentro de la 43.ª Super Bowl, Springsteen y la E Street Band estaban poniendo todo a punto para la actuación del descanso. Tras acceder a tocar, el cantante también concedió la que se anunció como su primera conferencia de prensa desde la gira de 1988 con Amnistía Internacional. Le sorprendió haber participado en una hacía poco tiempo. «Si va a haber muchas preguntas acerca de fútbol, esta será la conferencia de prensa más corta del mundo –dijo Springsteen, más aficionado al béisbol–, porque no sé absolutamente nada del tema». Señaló a Clarence Clemons. «Clarence sí que jugaba al fútbol –comentó Springsteen–, de ahí el bastón que usa».

Si las ceremonias inaugurales fueron una oportunidad para reflexionar en profundidad, la Super Bowl lo fue para una celebración por todo lo alto. La Liga Nacional de Fútbol (National Football League: NFL) organiza tan bien el encuentro que cada año se oye más fuerte que debe convertirse en un día de fiesta nacional. En 2009, un anuncio publicitario de treinta y dos segundos emitido durante el partido costaba tres millones de dólares. Noventa millones de espectadores vieron el acontecimiento en Estados Unidos. «La NFL nos preparó una fiesta de aniversario como nunca la habíamos organizado nosotros mismos, incluso con fuegos artificiales», explicó Springsteen en un documental entre bastidores que comienza con él sentado en un tráiler mientras contempla un *set list* que incluye «Nebraska», «The Ghost of Tom Joad», *El manifiesto comunista* y «Badlands».

«Eh, *no*», dice al final.

Tras treinta y cuatro años desde que saliera *Born to Run*, Springsteen comenzó el concierto de veinte minutos junto a Clemons formando una silueta que recreaba la fotografía de la portada del disco. Comenzaron con «Tenth Avenue Freeze-Out», y tras ella «Born to Run». The Joyce Garrett Singers volvieron para ayudar a la banda en «Working on a Dream». Y, al final, llegó «Glory Days». Springsteen resumió el relato de la historia del grupo, desde la suya propia y la de todos hasta llegar al final. Estuvo repleto de luces y algo hortera (un árbitro subió al escenario para amonestarles por retrasar el juego mientras Springsteen y Steve Van Zandt bromeaban al final de «Glory Days»). Fue el Cadillac rosa expuesto a ojos de todo el mundo. «Si alguien quería asomarse doce minutos y hacerse una idea de qué era lo que hacíamos, aquello le habría valido», dijo Springsteen en 2011.

Izquierda: en el descanso de la 43.ª Super Bowl, Raymond James Stadium, Tampa, 1 de febrero de 2009.

En esta página: actuación con Pete Seeger, su nieto Tao Rodriguez-Seeger (*superior*) y los Joyce Garrett Singers (*inferior*) en la ceremonia inaugural de Obama. Lincoln Memorial, Washington D. C., 18 de enero de 2009.

La NFL llevaba años detrás de Springsteen para que tocase en la Super Bowl. Si lo consiguieron fue porque los años tienen la suficiente capacidad para hacer que uno se dé cuenta de que no tiene por qué ser tan quisquilloso. «Te preocupa menos que te tomen el pelo que tener que proteger algo», afirmó (tras ver que Tom Petty actuó el año anterior y no le pasó nada). Además, *Working on a Dream* se había lanzado cinco días antes del partido. «Así, tenemos nuestros intereses económicos, por supuesto», comentó en la conferencia de prensa. Añádase el Globo de Oro que otorgaron a Springsteen el 11 de enero por la canción del filme de Mickey Rourke *The Wrestler* (*El luchador*) y se hará patente que el año 2009 había empezado bastante bien.

Nunca se habría imaginado que tocaría «The Rising» en la inauguración del mandato del primer presidente afroamericano del país. «Pero ocho años pasan y estás ahí –le dijo Springsteen a Jon Pareles, crítico de *The New York Times*–, nadando en la corriente de la historia, al igual que tu música».

La historia, en otro sentido, fluye a través de *Working on a Dream*. Las relaciones por las que se define el disco son de larga duración. Se trata de aquellas en las que se puede confiar, se atesoran y demuestran su valía. Tras haber perdido a Terry Magovern y a Danny Federici, Springsteen lanzó un disco que no se centró tanto en la muerte como en el tiempo. «Y, en ciertos momentos, el tiempo queda relegado en presencia de alguien a quien se ama –le dijo a Mark Hagen, de *The Guardian*–. Parece que el amor es capaz de trascender el tiempo».

Springsteen estaba hablando en concreto de «Kingdom of Days», canción en la que una estación pasa inadvertida excepto por un «sutil cambio de la luz» que uno de los protagonistas percibe en el rostro de la persona amada, con la que ríe y cuenta «las arrugas y las canas».

«Pensé: "Caramba, es sencillamente perfecta" –dijo Garry Tallent en 2011–, una de las mejores canciones que jamás haya compuesto».

«This Life» establece un nexo entre el amor y el propio Big Bang, con la propia creación del universo. «Mil millones de años o solo una noche», canta dulcemente Springsteen. «Tomorrow Never Knows» vibra con los recuerdos felices y con un futuro que, aunque incierto, *suena* bien. Todo el disco *suena* bien.

El don de Springsteen para la composición puramente pop, ignorado durante mucho tiempo (para frustración de Van Zandt), por último se reconoció. Abrazó la calidez de grupos y solistas tales como The Beach Boys, The Byrds y Roy Orbison. *Magic* llegó con un Springsteen en tonos sepia mirando desde la portada, una imagen de penetrante seriedad. *Working on a Dream* está dominado por suaves colores, luces tenues y una reconfortante nostalgia. Springsteen, con la Luna y un cielo estrellado detrás, sonríe mirando hacia otra parte.

Él y Brendan O'Brien comenzaron a grabar el disco mientras *Magic* estaba aún mezclándose. Max Weinberg, Garry Tallent y Roy Bittan se encargaron de lo básico.

«PONDRÉ *THE RISING*, *MAGIC* Y EL NUEVO DISCO EN UNA PILA FRENTE A OTROS TRES DISCOS QUE HAYAMOS HECHO EN CUANTO AL SONIDO, LA PROFUNDIDAD Y LOS PROPÓSITOS DE AQUELLO DE LO QUE HABLAMOS. RESULTA MUY SATISFACTORIO PODER HACERLO EN ESTE PUNTO DEL CAMINO».

Bruce Springsteen, 2009

El resto de la E Street Band –incluido Federici– fue añadiendo las correspondientes pistas. «Necesitamos una base de sonido en las voces –dijo Springsteen en el estudio al oír cómo sonaba "This Life"–. Precisamos que domine el sonido».

Inmóvil delante de su micrófono en medio del estudio, intentando explicar «Life Itself», Springsteen dijo lo siguiente: «La clave de esta canción se basa en contener la tensión, así que tenéis que ser muy cuidadosos. Es como una especie de cable tensado, ¿de acuerdo?». Es una de las pocas canciones del disco en las que todo está en peligro.

«Outlaw Pete», el *western* de ocho minutos con el que empieza el álbum, presenta el pasado como un elemento que, en lugar de ignorarse, debemos tener en cuenta.

Invitados, junto con U2, al segundo de los dos conciertos celebrados en el Madison Square Garden para celebrar el vigésimo quinto aniversario del Rock and Roll Hall of Fame, 30 de octubre de 2009.

«NO ME PREOCUPA QUIÉN SOY. MI IDENTIDAD, AQUELLO CON LO QUE LA GENTE CONECTA, SON ELEMENTOS QUE ESTÁN BIEN ASENTADOS [...]. TAMBIÉN CUENTO CON UNA SERIE DE PERSONAJES E IDEAS QUE HE ABORDADO DURANTE MUCHO TIEMPO. AHORA, A MI EDAD, NO SON COSAS QUE PUEDAN INHIBIRTE, SINO MÁS BIEN LIBERARTE».

Bruce Springsteen, 2009

Cuando el cazarrecompensas Dan localiza a un transformado Pete, solo para morir en el enfrentamiento, susurra: «No podemos borrar lo que hemos hecho» y declara: «Eres Pete el Forajido». Y eso es así, lo quiera Pete o no. Con todo, esa canción es un cuento de hadas, un homenaje a un libro infantil titulado *Brave Cowboy Bill* («Bill, el valiente vaquero») que la madre de Springsteen solía leerle todas las noches. El cantante comentó a *Rolling Stone* que quería lograr algo caricaturesco, como la canción de los Beatles titulada «Rocky Raccoon». Pete, al parecer, había pasado tres meses en prisión cuando tenía seis meses de edad. Asaltó un banco en pañales. Para alegrar un poco más todo, Springsteen parece tomar prestada una melodía de «I Was Made for Lovin' You», de Kiss.

En «Life Itself», por otra parte, se nos presenta el desmoronamiento de una pareja. En la mayoría de las ocasiones, Springsteen ha descrito los conflictos amorosos desde el punto de vista del protagonista, es decir, que nos ha conducido a su mente y nos ha presentado su lucha con el compromiso. «Good Eye» es un buen ejemplo de ello. Se trata de un intenso blues en el que se pasa con rapidez del «eras la única» al «pero dirigí mi ojo bueno a la oscuridad y el ciego al sol». En «Life Itself» nos cuenta la historia desde el otro lado, desde la perspectiva de alguien que se centró en una única persona para acabar diciendo lo siguiente: «Sabía que tenías problemas, cualquiera podía darse cuenta [...]. Como si no necesitases nada más para la vida en sí».

Al debatir la entrada de batería con la que se abre «My Lucky Day», Springsteen le dijo a Weinberg lo siguiente: «Tiene que dar la impresión de que va a sonar muchísimo, como si fueras a perder el control. Salvaje. Descuidado pero sin serlo». La capacidad de Weinberg para traducir esas instrucciones en música da fe de la longevidad de *esa* relación. «My Lucky Day», «What Love Can Do» y «Surprise, Surprise» explican por qué a algunos críticos, como Noel Murray, del A.V. Club de *Onion*, les encantó el sonido del disco pero sugirieron que «nadie se fijó demasiado en las letras». Tratan del amor. La fuerza del amor y su milagro. Amor, amor, amor.

Y después tenemos «Queen of the Supermarket». Durante el Devils & Dust Tour, Springsteen bromeó acerca de visitar a Roy Orbison. «He escrito una canción nueva sobre el windsurf», dijo Orbison. «Ajá», pensó Springsteen. Pero Orbison tenía una voz con la que podía lograr cualquier cosa. «Cuando salió su siguiente disco, tenía una hermosa canción titulada "Windsurfer". Recuerdo que casi tuve ganas de practicar windsurf», comentó Springsteen.

«Queen of the Supermarket» es un tema que cuenta con una orquestación y unos arreglos de gran belleza y que trata acerca de un supermercado, de la abundancia de riquezas que alberga y de una mujer particularmente hermosa que trabaja allí. «Un sueño aguarda en el pasillo número dos», canta Springsteen mientras empuja el carrito de la compra y admira el cabello de la mujer, aunque esté oculto bajo la «gorra de la empresa». «Es una canción

«Este pequeño bebé nació en el sendero de los Apalaches». El forajido Bruce se pone el ostentoso sombrero tejano, Wachovia Spectrum, Filadelfia, 28 de abril de 2009.

que gira en torno a encontrar la belleza allí donde se ignora o donde pasa desapercibida», dijo Springsteen a Hagen, quien, como respuesta, sugirió que a veces un supermercado es solo un supermercado.

«The Wrestler», la historia de un hombre que lleva sus heridas como única divisa, se añadió a modo de *bonus track* y aportó cierto peso al álbum. La canción más destacable, sin embargo, fue la compuesta para Federici. En «The Last Carnival» se revisita a Wild Billy, cuyo circo ha llegado a su fin. Con Jason, el hijo de Federici, al acordeón, Springsteen rememora los sonidos del paseo marítimo de los primeros años del grupo. «Esta noche vamos a subir a ese tren sin ti —canta—. El tren que no deja de moverse y cuyo humo abrasa el cielo nocturno».

Y en él siguieron adelante. Una vez en la carretera, los temas del álbum se fueron quedando rápidamente fuera del *set list*. Al final solo quedó la canción que da título al disco. Aunque Springsteen estaba entusiasmado con el álbum, se publicó en un mundo en el que los más desfavorecidos se habían quedado fuera de la economía, el desempleo resultaba acuciante y el índice de miseria era un problema de primer orden. Más que el de cualquier otro artista popular, el tono de Springsteen siempre había sido contemporáneo y correcto. Había sido correcto en sus discos y en sus discursos. Había comprendido los tiempos y había trabajado para estar a la altura. Siempre. Con independencia de cuán vistosa fuera la música, no era el momento de la acuarela pop del «roquero laureado» (como *The New York Times* se refirió a él).

Sólidos clásicos tales como «Johnny 99» y «Badlands» tomaron el control. Springsteen rehízo «Hard Times Come Again no More», de Stephen Foster, y la transformó en una escalofriante plegaria. Comenzaron a tocar álbumes completos (sobre todo *Born to Run* y *Darkness on the Edge of Town*) en el orden original de las canciones. En Nueva York, interpretaron los veinte temas que componen *The River*. Para recordar los últimos conciertos del Giants Stadium de Nueva Jersey antes de que lo demolieran, Springsteen compuso una canción titulada «Wrecking Ball» («Bola de demolición»), con la que habló de un estadio, al mismo tiempo que de mantenerse firme en los tiempos difíciles.

En la última noche de la gira, el 22 de noviembre de 2009, en Búfalo, Nueva York, Springsteen incorporó una interpretación íntegra de *Greetings from Asbury Park, N.J.* como parte del *set list* total de treinta y cuatro canciones. Con Mike Appel cerca para observar, Springsteen, que había cumplido sesenta años en septiembre, hizo un viejo truco durante la interpretación de «Growin' Up».

«Ahí estábamos... », dijo Springsteen para presentar la historia de aquella noche en el Student Prince, en la que, mientras él y Van Zandt estaban en el escenario, la tormenta se desataba en Kingsley Street. «De repente, la puerta, que se había quedado abierta, salió volando por la calle —comentó Springsteen—, y entró en escena la alargada sombra de un hombre».

«CUANDO ESCUCHAS LA MÚSICA DE BRUCE NO ERES UN PERDEDOR: ERES UN PERSONAJE DE UN POEMA ÉPICO QUE TRATA... DE PERDEDORES».

Jon Stewart, cómico de televisión, 2009

En 2009, las entradas de aquel hombre eran más lentas que nunca. Clarence Clemons necesitaba algo más que un bastón. A causa de las prótesis que llevaba en las caderas y las rodillas, además del gran dolor que padecía, precisaba un elevador para subir al escenario todas las noches. Pero se las arreglaba para llegar hasta Springsteen y desempeñar su papel en la historia del grupo.

—Quiero tocar contigo —dijo Clemons.

—¿Qué podía decirle? —asentí.

Clemons comenzó a tocar. «Algo que sonaba como la frescura de un río —comentó Springsteen, pidiéndole que siguiera haciéndolo—. Al final de aquella noche —narró Springsteen—, nos miramos y...», concluyó el cantante mientras hacía el gesto de asentimiento con la cabeza. Volvieron a adoptar la pose de la portada de *Born to Run*. El público enloqueció.

«Nos metimos en el automóvil, un enorme Cadillac. Condujo a través de los bosques a las afueras de la ciudad. Nos entró mucho sueño y caímos en un sueño largo, largo, largo, largo. Y al despertar...».

Dos semanas después, Springsteen estaba en la Casa Blanca. En aquella ocasión era a él al que estaban homenajeando, ya que iba a recibir un Kennedy Center Honors junto a Robert De Niro, Mel Brooks, Dave Brubeck y Grace Bumbry. «Puede que yo sea el presidente —dijo Obama—, pero él es el Jefe».

Superior: con el resto de galardonados en el Kennedy Center, diciembre de 2009.

Superior derecha: con un gorro que le prestó un fan en el último concierto del Giants Stadium, 9 de octubre de 2009.

Inferior derecha: donde está el corazón: Thrill Hill East, junio de 2010.

CLARENCE CLEMONS (1942-2011)

Era The Big Man. A lo largo de la historia ha habido estrellas del rock. Ha habido leyendas, mitos y figuras que están por encima de todo. Pero solo ha habido un Big Man. Por ello, casi no parecía real cuando se dijo que el 18 de junio de 2011 había fallecido, una semana después de sufrir un ictus en su casa de Florida.

«Estar junto a Clarence era como estar junto al tipo más duro del planeta», dijo Springsteen en el funeral de Clemons. Con él, no había nada que no pareciera posible. Cuando Springsteen pedía a gritos un solo –«¡Big Man!»–, no era música lo que tocaba. Estaba convocando a la naturaleza. «La pérdida de Clarence se parece a la de algo elemental –dijo Springsteen–. Es como haber perdido la lluvia o el aire». Durante cuatro décadas, Clemons había sido el contrapunto de Springsteen: cómico, histriónico y alegre, el único miembro de la E Street Band que apareció en la portada de un álbum del grupo. Y en la portada de *Born to Run* podía verse algo más que a Springsteen y a Clemons: era Springsteen *apoyándose* en Clemons. «Fue mucho lo que me apoyé en Clarence –comentó–. En varios sentidos, mi carrera se basó en ese apoyo».

Sin Clemons, «Jungleland» perdería algo del misterio de la noche de la que habla, «Badlands» sería un poco menos sólida y «Ramrod» y «Working on the Highway» no tendrían el mismo carácter pendenciero de bar. ¿Y qué sería del inmenso optimismo que recalcaba «Thunder Road»? El responsable era el saxofón de Clemons. Este era esencial. Clemons era innegable. «¿Que cuán grande era The Big Man? –preguntó Springsteen–. Demasiado grande como para morir. Y eso es un hecho... Clarence no dejará la E Street Band el día de *su* muerte. La dejará el día que nosotros muramos».

Clarence Clemons guarda un minuto de silencio por las víctimas del terremoto de Japón antes de la apertura de la temporada de los Florida Marlins, Sun Life Stadium, Miami, 1 de abril de 2011.

WRECKING BALL

2012

«NO TE PUEDES EQUIVOCAR
CON EL ROCK'N'ROLL».

BRUCE SPRINGSTEEN, 2012

2012

6 de marzo: sale *Wrecking Ball* (Estados Unidos: n.º 1; Reino Unido: n.º 1).

9 de marzo: Springsteen y la E Street Band tocan en el Apollo Theater de Harlem.

15 de marzo: pronuncia el discurso inaugural del festival de música South by Southwest, Austin.

18 de marzo: el Philips Arena, Atlanta, acoge el inicio del Wrecking Ball Tour.

2 de mayo: acaba la primera gira estadounidense del Tour en el Prudential Center, Newark, Nueva Jersey.

13 de mayo: el Estadio Olímpico de la Cartuja, Sevilla, España, alberga el inicio de la primera gira europea.

31 de julio: Springsteen acaba la primera parte europea de la gira en el Helsingin Olympiastadion, Filandia, con el concierto más largo de su carrera hasta la fecha: cuatro horas y seis minutos.

14 de agosto: comienza la última parte estadounidense de la gira en el Fenway Park, Boston.

Octubre-noviembre: se une a Barack Obama en la campaña electoral, que culmina con la reelección del presidente el 6 de noviembre.

2 de noviembre: Springsteen y el grupo participan en el telemaratón de la NBC *Hurricane Sandy: Coming Together* para recaudar fondos.

5 de diciembre: *Wrecking Ball* encabeza la lista de la *Rolling Stone* con los mejores cincuenta discos de 2012.

10 de diciembre: acaban los conciertos de 2012 de la gira en el Palacio de los Deportes de México D. F.

12 de diciembre: Springsteen y el grupo tocan en 12-12-12: The Concert for Sandy Relief, que se celebra en el Madison Square Garden con objeto de recaudar fondos para ayudar a los damnificados por el huracán Sandy.

2013

8 de febrero: Springsteen recibe el galardón de Persona del Año de MusiCares.

8 de marzo: sale *Collection 1973–2012* (solo en Australia, por lo que no entra en las listas de ventas estadounidenses ni británicas).

14 de marzo: comienza la gira australiana en el Brisbane Entertainment Centre, Brisbane.

31 de marzo: finaliza la gira australiana en el Hanging Rock, Macedon.

29 de abril: comienza la segunda parte europea de la gira en el Telenor Arena, Oslo.

14 de junio: Springsteen toca en Londres una versión acústica de «The Promised Land» para agit8, una campaña emprendida por músicos contra la pobreza.

20 de junio: dedica en el Ricoh Arena, Coventry, Reino Unido, una interpretación del disco *Born to Run* al completo a James Gandolfini, que había fallecido el día anterior y había sido compañero de reparto de Steve Van Zandt en la serie *Sopranos* (*Los Soprano*).

22 de julio: tiene lugar la premiere mundial de *Springsteen & I*, un largometraje documental «generado por los usuarios».

28 de julio: finaliza la segunda parte europea de la gira en el Nowlan Park, Kilkenny, Irlanda.

12 de septiembre: comienza la gira sudamericana en el Movistar Arena, Santiago de Chile.

21 de septiembre: el Cidade do Rock, Río de Janeiro, alberga el final del Wrecking Ball Tour.

12 de octubre: Springsteen ingresa en la American Academy of Arts and Sciences.

Página 245: Oslo, 29 de abril de 2013.

Extremo izquierda: Fenway Park, Boston, 14 de agosto de 2012.

Extremo superior: discurso inaugural del festival South by Southwest, 15 de marzo de 2012.

Superior: telemaratón *Hurricane Sandy: Coming Together*, 2 de noviembre de 2012.

Izquierda: Springsteen recibe el galardón de Persona del Año de MusiCares, 8 de febrero de 2013.

El 19 de enero de 2012, en los inicios de un año que prometía otras elecciones presidenciales polémicas y para las que el electorado estaba de mal humor, se presentaron los detalles del que sería *Wrecking Ball*, el decimoséptimo álbum de estudio de Bruce Springsteen.

Aunque el título resultaba reconocible por el hecho de pertenecer a una canción que Springsteen había estrenado en el año 2009 durante el Working on a Dream Tour, el tono del primer single fue bastante diferente. «We Take Care of Our Own» irrumpió con las mismas aspiraciones de convertirse en un himno, aunque con furia. Después de que Springsteen y la E Street Band inaugurasen la ceremonia de los Grammy el 12 de febrero con ese tema, *The New York Times* dijo de ella que «confunde la empatía con el patriotismo».

«Con independencia de quién haya dicho eso, necesita a alguien que escriba acerca del pop de un modo más inteligente», le comentó Springsteen al cómico Jon Stewart en la *Rolling Stone*. En «We Take Care of Our Own» no solo hay una evidente ausencia del canturreo de animadoras necesario para un buen juego patriotero, sino que también es una canción casi cínica. Tras haber pasado por este tipo de malentendidos con «Born in the U.S.A.», es fácil preguntarse si Springsteen no estaba retomando aquella lucha para atraer a la gente solo para golpearla con el resto del álbum.

Considerada como un prefacio, «We Take Care of Our Own» presagia un bullente rock de estadio. El New Orleans Superdome al que hacía referencia (junto a las típicas casitas que menciona) no es el que ve el mundo durante un evento deportivo mundial como la Super Bowl, sino que se trata del campo de refugiados del huracán Katrina, un horrible lugar que parecía carecer del elemento humano más necesario: la esperanza.

«El camino de las buenas intenciones se ha quedado seco como un hueso», canta Springsteen. ¿Dónde quedan los corazones? ¿Dónde está la clemencia? El amor, el trabajo, el espíritu y la *promesa* «de costa a costa».

«¿Cuidamos de los nuestros?», preguntó Springsteen a un auditorio parisino repleto de periodistas el 16 de febrero antes del lanzamiento del disco, que tendría lugar el 6 de marzo. Esa es la premisa del álbum. «Además, están los escenarios donde se reúnen los personajes que han sido afectados por el fracaso de esas ideas y valores».

Wrecking Ball gira en torno a la pérdida. Los personajes han perdido sus hogares, trabajos y pensiones. Ha desaparecido el sentido básico de la justicia y la decencia, la piedra angular de la edificación estadounidense en la que Springsteen llevaba trabajando desde la década de 1970. Al igual que ocurrió con *The Rising* y *Magic*, fue como si la época reclamase a Springsteen. No era el momento de los exuberantes arreglos ni de las canciones pop de amor.

«DE ALGUNA MANERA, ES COMO SI LA SESSIONS BAND HUBIERA GRABADO UN DISCO DE MÚSICA ORIGINAL Y ME HUBIESE ENCARGADO DE LLEVARLA UN PASO MÁS ALLÁ DE LO QUE LO HUBIERA HECHO EN EL ESCENARIO».

Bruce Springsteen, 2011

Springsteen colaboraba desde 2010 con el productor Ron Aniello –que ya había trabajado en el álbum que había publicado Patti Scialfa en 2007 con el título de *Play it as it Lays*– en un nuevo repertorio de canciones más orquestadas, el sucesor sonoro más evidente de *Working on a Dream*. En febrero de 2011, Springsteen comenzó a trabajar en «Easy Money», que se convertiría en la segunda canción de *Wrecking Ball*. En «Easy Money» compara a los banqueros que habían hundido las economías de una forma tan despiadada, imprudente e impune con simples matones callejeros. O viceversa. Sea como fuere, con matones bien vestidos. Al día siguiente, inició «We Take Care of Our Own». A las dos semanas, ya estaba compuesto el resto del álbum.

«Shackled and Drawn» narra la airada y feroz mirada de los desempleados a los festivos banqueros que viven en la mansión de la colina. En «Jack of All Trades», el banquero engorda mientras que el trabajador está delgado. «Death to My Hometown» se acerca a una rebelión declarada, un zapateado irlandés marcado por el ritmo de una AK-47, en el que Springsteen ordena lo siguiente: «Mandad al infierno a los barones ladrones».

La protestas del movimiento Occupy, que intentaron hacer frente al creciente poder de las corporaciones y a la disparidad de la riqueza, y que comenzaron en Wall Street, Nueva York, en septiembre de 2011, para extenderse por todo el país y por el mundo durante gran parte de aquel otoño, podrían haber pillado a Springsteen por sorpresa, pero él ya había trabajado con su rabia en los meses anteriores. De hecho, esta aumentó cuando mantuvo una conversación con Tom Morello, partidario de Occupy y guitarrista de Rage Against the Machine, que participa en dos de las canciones más sombrías del disco: «Jack of All Trades» y «This Depression». La segunda marca el momento en el que la política se convierte en un tema personal. No se trata de la depresión económica. Esta vez se trata de la oscuridad que se cierne sobre todas las cosas, la que evoca la imagen de Doug Springsteen sentado solo en la oscuridad de la cocina, con la cerveza en la mesa y un cigarrillo encendido en los labios.

Wrecking Ball toma el nombre de la canción homónima y se convierte en una especie de panegírico. Springsteen la compuso mientras se preparaba para los últimos conciertos del Giants Stadium de Nueva Jersey, que no tardarían en demoler. Tuvo todo a su favor para convertirse en una novedad que solo interesaría de verdad a los habitantes de la ciudad. En su lugar, Springsteen halló fuerza en el paso del tiempo, en el modo en el que todo se derrumba pero la gente persevera. «Los malos tiempos llegan, los malos tiempos se van, sí, solo para volver otra vez –canta–. Trae tu bola de demolición». En ese momento, el álbum afianza su posición. Así, encuentra la determinación y los personajes comienzan a volver a organizar sus vidas, hasta el punto de tener incluso un poco de tiempo para la pasión en «You've Got It».

«La falta de trabajo da lugar a una carencia de yo», dijo Springsteen a los periodistas en París. Lo había visto cuando era pequeño: el desempleo había destrozado a su padre mientras que su madre se había mantenido a flote gracias al trabajo. Esa dinámica y aquellos años de formación eran a lo que hacía referencia cuando le volvían a preguntar cómo era posible que a un hombre que tenía más dinero que algunos bancos no le gustaran los banqueros.

Las injusticias fundamentales que había vivido Springsteen cuando era un niño le sirvieron para escribir de forma explícita en la actualidad, tal vez de una manera tan explícita como en *Darkness on the Edge of Town*, el disco al cual acudía con más frecuencia en su formato de *box set*. Bruce Springsteen estaba enojado. Pero, como dijo en París, tiene que haber algo más que ira. Hay que continuar, hacer que la historia prosiga. Para avanzar, Springsteen miró atrás. «Shackled and Drawn» se basa en la canción de 1972 titulada «Me and My Baby Got Our Own Thing Going», compuesta por Lyn Collins y producida por James Brown.

«Death to My Hometown» contiene fragmentos de «The Last Words of Copernicus», grabada por el musicólogo Alan Lomax en el Alabama Sacred Harp Convention el 12 de septiembre de 1959 (menos de dos semanas antes del décimo aniversario de Springsteen y en pleno auge del movimiento pro derechos civiles en Estados Unidos).

«Rocky Ground» contiene un fragmento de «I'm a Soldier

in the Army of the Lord» en la grabación que hizo Lomax en 1942 en una iglesia de Clarksdale, Mississippi. Las grabaciones de Lomax rebosan fuerza y espíritu. «Rocky Ground» es una mezcolanza de singular maestría: cuenta con una base góspel y una parte hip-hop (de la que se encargó la cantante Michelle Moore después de que Springsteen decidiera que él no podía hacer aquel trabajo). Esta canción está repleta de imágenes religiosas: rebaños errantes, ángeles que gritan, mercaderes en el templo y la llegada de un nuevo día.

De la misma forma que se ha negado a desprenderse de la bandera estadounidense, Springsteen adopta una posición propia de la izquierda, pero usa un lenguaje religioso del que se suele apoderar la derecha. Springsteen tiende un puente entre las dificultades de la actualidad y el pasado. Nada de esto es nuevo, y para convencerse basta con escuchar las voces del último tema del disco, titulado «We Are Alive». Son las voces de los muertos que se dirigen a los vivos. Dicen que ya han visto todo antes. Todos estamos en el mismo barco, parecen decir, con lo que se hacen eco de la penúltima canción del álbum.

«SI UNO SE FIJA EN EL PERSONAJE DE "JACK OF ALL TRADES" O EN "ROCKY GROUND" Y TODAS AQUELLAS VOCES, SE DARÁ CUENTA DE QUE SON VOCES RESISTENTES Y QUE LLEGAN A LAS NUEVAS GENERACIONES».

Bruce Springsteen, 2012

«ESTAMOS AQUÍ PARA DAR OTRO CONCIERTO QUE HAGA SENTIR QUE ESTA NOCHE ES LA MEJOR DE TODAS EN LAS QUE HAYAMOS ACTUADO. ES EL CÓDIGO DE HONOR DE LOS SABUESOS DE LA CARRETERA. NOSOTROS NO SALIMOS A PASAR EL RATO».

Bruce Springsteen, 2013

La última de las grandes noches
en el legendario Apollo Theater
de Harlem, 9 de marzo de 2012.

«Land of Hope and Dreams» ya llevaba un tiempo escrita cuando *Wrecking Ball* salió a la venta. Compuesta durante el Reunion Tour de 1999, se anticipa al gobierno de Bush, al 11-S, a las dos guerras, a los debates acerca de las torturas y las escuchas ilegales, al huracán Katrina, a la crisis financiera, a la esperanza que suscitó la elección de primer presidente estadounidense afroamericano y al ruidoso y cáustico revuelo cultural que llegó después.

Los elementos de los que se compone vienen de mucho tiempo atrás. En esa canción puede oírse el himno de los derechos civiles, «People Get Ready», de Curtis Mayfield. Y también «This Train Is Bound for Glory», popularizada sobre todo por Woody Guthrie, aunque interpretada, asimismo, de una forma memorable por Sister Rosetta Tharpe. En la obra de esta última se encuentran los primeros vestigios del rock 'n' roll.

Mientras que la admisión de la que se habla en «This Train» se limita a los justos, la tierra de «Land of Hope and Dreams» es para todos: santos, pecadores, ganadores, perdedores, prostitutas, jugadores, perdidos y aquellos que tienen el corazón roto. «La fe tendrá su recompensa», promete Springsteen. Y, dado que la canción contiene abundante historia, Springsteen pudo introducir a Clarence Clemons en el disco, que trata de lo que se ha perdido y ya no volverá, ya que para Springsteen The Big Man era la pérdida con la que lidiar.

La última actuación de Clemons no fue acompañado de Springsteen –había tenido lugar en 2010 en el pequeño Carousel House de Asbury Park–, sino con Lady Gaga en *American Idol*. Clemons tocó en dos canciones que formaban parte del disco de la cantante titulado *Born This Way*, y apareció en el videoclip de «The Edge of Glory». Sin embargo, no había podido volver a entrar en el estudio con Springsteen. Tras la muerte de Clemons, Aniello recopiló los estupendos solos que había tocado el saxofonista para «Land of Hope and Dreams», que estaban grabados en distintas cintas de directos.

A medida que se acercaba el 6 de marzo, que era la fecha de lanzamiento del álbum, Springsteen y el grupo decidieron establecerse en una base militar abandonada de Nueva Jersey para ensayar –base en la que el cantante había tocado con frecuencia durante su adolescencia–, y las elucubraciones acerca de cómo seguiría la carrera en directo de Springsteen sin Clemons se convirtieron en un tema de debate público. La respuesta llegó el 9 de marzo.

«Señoras y caballeros, ¿están preparados para el espectáculo?».

La E Street Band entró en escena.

«¡Bienvenidos al legendario Apollo Theater de Harlem!».

El grupo se elevó aún más.

En «el auténtico templo del soul», como lo llamaba, interpretó la emblemática introducción de «Star Time», de James Brown. Tras haber estudiado los movimientos de Brown en las cintas, Springsteen se vio con el propio hombre en el escenario.

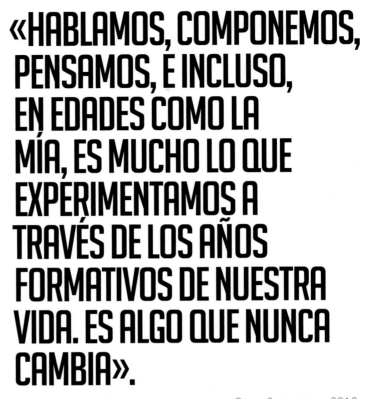

«HABLAMOS, COMPONEMOS, PENSAMOS, E INCLUSO, EN EDADES COMO LA MÍA, ES MUCHO LO QUE EXPERIMENTAMOS A TRAVÉS DE LOS AÑOS FORMATIVOS DE NUESTRA VIDA. ES ALGO QUE NUNCA CAMBIA».

Bruce Springsteen, 2012

«¡Ha nacido en Estados Unidos! ¡Ha llegado hasta aquí esta noche en un Cadillac rosa! [...] ¡El hombre que ha pagado el precio para ser el Jefe! ¡El *blanco* que más trabaja en el mundo del espectáculo!».

Max Weinberg dio la entrada para «We Take Care of Our Own», pero la banda estaba triste y Springsteen se tomó su tiempo aquella noche para reconocer las pérdidas del grupo, además de las que había experimentado la nación en los últimos años.

La tasa de desempleo era elevada, aunque no en la E Street, de donde habían salido los diecisiete músicos del grupo. Fue necesaria una sección de vientos con cinco músicos para sustituir a Clemons, aunque todas las miradas estaban centradas en su sobrino Jake, que había subido al escenario con su saxofón.

«Si estás aquí y nosotros también, entonces ellos también lo están», dijo Springsteen acerca de Clemons y Federici durante la interpretación de «My City of Ruins». En «Tenth Avenue Freeze-Out», donde dice «los cambios llegaron a la parte alta de la ciudad y The Big Man se unió al grupo», la música cesó y Springsteen comenzó

Izquierda: al iniciar el concierto del Apollo, Springsteen emuló a James Brown, su héroe de la infancia.

Derecha: con Jake, sobrino de Clarence Clemons, en el Cidade do Rock, Río de Janeiro, 21 de septiembre de 2013.

a cantar. La multitud coreó, hasta que, al final, el grupo interrumpió el canturreo y los instrumentos de viento tocaron la parte de Clemons.

Una semana, más tarde, en Austin, Texas, se encontraban en el Moody Theater, con un aforo para 2.750 personas. El día anterior, *Wrecking Ball* se hallaba en el primer puesto de la lista de *Billboard* dentro de los doscientos discos más vendidos, lo que hizo de Springsteen el cuarto artista con al menos diez discos que llegaron a lo más alto. Estaba al mismo nivel que Elvis, un puesto por debajo de Jay-Z y nueve por debajo de los Beatles.

Fueron miles los grupos que se habían desplazado hasta Austin para la conferencia anual de South by Southwest, y a las diez y media de la mañana del 15 de marzo, una hilera de personas serpenteaba alrededor de las esquinas de la planta superior del Austin Convention Center: todo el mundo esperaba a las puertas del enorme salón de baile para asegurarse un asiento para el discurso inaugural de Springsteen. «¿Qué importancia va a tener este discurso si se va a hacer al mediodía?», preguntó Springsteen.

Si en el Apollo se trataba del Springsteen del espectáculo, en el SXSW lo que interesaba era el Springsteen activista. En Harlem fue «Star Time». En Austin, Springsteen llevó al grupo al escenario y, puesto que ese mismo año se celebraba el centenario de Woody Guthrie, entonó un sencillo «Happy Birthday, Woody».

Comenzaron con «I Ain't Got No Home», de Guthrie. «El que apuesta es rico y el que trabaja es pobre», escribió Guthrie en 1938 para dicha canción. «Los que apuestan tiran los dados y los que trabajan pagan la factura», cantaba Springsteen setenta y cuatro años después en «Shackled and Drawn».

La gira empezó su recorrido, primero por Estados Unidos y luego por Europa, donde, en Finlandia, dio un concierto de cuatro horas. El primero, a pesar de las leyendas. Por primera vez en veinticinco años, Springsteen colaboró con un biógrafo, Peter Ames Carlin, y admitió que estaba luchando contra una depresión. Springsteen pasó un tiempo con David Remnick para realizar para *The New Yorker* un extenso perfil que abarcase toda su carrera.

En el transcurso del año, el peso de las canciones de Springsteen cobró vida en los titulares. Tocaron en Florida poco después de que un joven afroamericano desarmado fuera abatido a tiros mientras regresaba de una tienda a su casa. El capitán de la patrulla policial que disparó dijo que se debió, en parte, a que el muchacho llevaba una sudadera con capucha que había levantado sospechas. Sin mencionar directamente aquella tragedia, Springsteen hizo que entrase «American Skin (41 Shots)», y, con los ojos encendidos, comenzó a gritar: «Puede que te maten solo por vivir en... ».

A finales de octubre, mientras se iniciaba una segunda gira estadounidense, una descomunal tormenta procedente del océano Atlántico azotó la Costa Este y provocó graves inundaciones en Nueva York y en Nueva Jersey. Por la noche, «My City of Ruins», que se había compuesto pensando en Asbury Park y, tras el 11-S había pasado a hacer referencia a Nueva York, volvió a hablar de Asbury Park.

«Land of Hope and Dreams» era válida para todas las ocasiones. La Major League Baseball la usaba como banda sonora de los *playoffs*, y Springsteen la tocaba para cerrar los conciertos, así como cuando hizo campaña con el presidente Barack Obama, quien hizo que sonara «We Take Care of Our Own» en los mítines.

Tras la intención inicial de alejarse del circuito electoral, Springsteen volvió a la campaña el 6 de noviembre y el día de las elecciones. Apareció tres veces con el presidente el último día de la campaña en Madison (Wisconsin), Columbus (Ohio) y Des Moines (Iowa). En Columbus se les unió Jay-Z.

En la última parada en Des Moines, el clima era gélido. La multitud estaba abrigada. Springsteen llevaba la camisa remangada. «Lo que hago para ganarme la vida es imaginar Estados Unidos», dijo. Lo bueno y lo malo de Estados Unidos. *Wrecking Ball* tenía los dos aspectos: el daño que nos infligimos a causa de la codicia y la avaricia y el poder redentor de la comunidad. Lo que hay de cierto en el álbum es lo mismo que ha sido un hecho en toda la carrera de Springsteen: lo malo no tiene por qué hacer que abandonemos, sino que debe hacer que nos esforcemos más.

«Así que esta es la noche antes del gran día –dijo Springsteen en Iowa–. [Seguiremos] trabajando al día siguiente y al otro, que es cuando el trabajo realmente cuenta».

«EN MIS DISCOS, EL PESIMISMO Y EL OPTIMISMO CHOCAN DE FRENTE; DE LA TENSIÓN QUE EXISTE ENTRE ELLOS NACE TODO, ES DONDE SE ENCIENDEN LOS FUEGOS».

Bruce Springsteen, 2012

Izquierda: festival Hard Rock Calling, Hyde Park, Londres, 14 de julio de 2012. Paul McCartney se unió a Springsteen en los bises, aunque después de tocar «Twist and Shout» el sonido cesó de repente debido al toque de queda de las 22.30.

Superior: Springsteen volvió a hacer campaña por Barack Obama, quien fue reelegido.

HIGH HOPES

2014

«CUANDO ENTRO EN EL ESTUDIO,
ME RODEO DE TODA LA MÚSICA QUE AÚN
NO HE SACADO. INTENTO VER QUÉ ME DICE».

BRUCE SPRINGSTEEN, 2013

2014

13 de enero: sale *High Hopes* (Estados Unidos: n.º 1; Reino Unido: n.º 1).

16 de enero: *Rolling Stone* publica una lista con las cien mejores canciones de Bruce Springsteen de todos los tiempos: las tres primeras, en orden ascendente, son «Thunder Road», «Badlands» y «Born to Run».

26 de enero: comienza el High Hopes Tour en el Bellville Velodrome, Ciudad del Cabo. Se trata del primer concierto de Springsteen en Sudáfrica.

28 de enero: Springsteen toca «We Shall Overcome» en homenaje a Pete Seeger, que había fallecido el día anterior a los noventa y cuatro años.

2 de marzo: acaba la gira sudafricana-australiana-neozelandesa del High Hopes Tour en el Mt. Smart Stadium, Auckland, Nueva Zelanda.

25 de marzo: lanzamiento de *A MusiCares Tribute to Bruce Springsteen* en DVD.

4 de abril: sale el *making of* del documental *Bruce Springsteen's High Hopes*, de la HBO.

6 de abril: inicio de la gira en Estados Unidos en Reunion Park, Dallas.

10 de abril: quince años después de Springsteen, la E Street Band entra finalmente en el Rock and Roll Hall of Fame.

Página 259: aparición ante los medios de comunicación en Perth, Australia, 5 de febrero de 2014.

Superior: concierto benéfico Light of Day a favor de la investigación del párkinson, Paramount Theater, Asbury Park, 18 de enero de 2014.

Derecha: Springsteen y el presentador Jimmy Fallon caracterizado como el cantante durante una interpretación cómica de «Born to Run» con la que se burlan de Chris Christie, el gobernador de Nueva Jersey que había estado involucrado en un escándalo relacionado con el tráfico rodado. *Late Night with Jimmy Fallon*, 14 de enero de 2014.

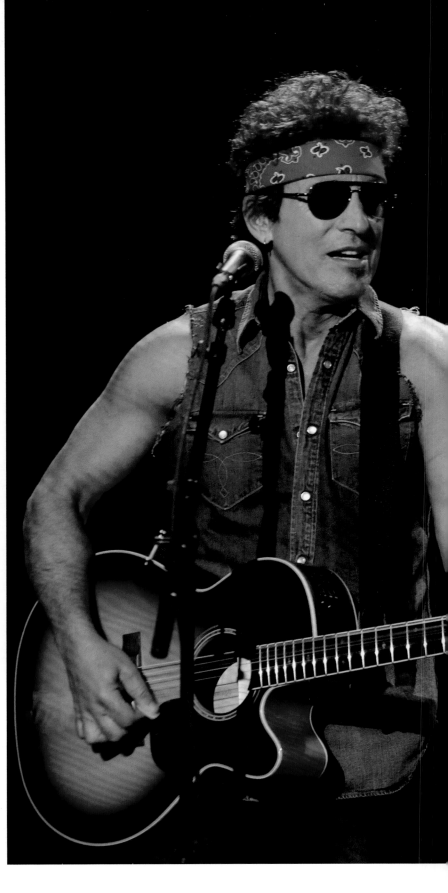

Hay cosas que nunca cambian. ¿Quién no se acuerda de 1975? Fue el año en el que el ingeniero Jimmy Iovine le dio a Springsteen una copia de prueba de *Born to Run*. Todos se reunieron en torno a un tocadiscos en una habitación de hotel en Pensilvania y bajaron la aguja. Depués, Springsteen arrojó el disco a la piscina. No sonaba bien. «El estéreo que había comprado era cutre –comentó Iovine en el documental de 2005 denominado *Wings For Wheels*–. Nadie sabía lo que hacía».

Durante el verano de 2013, Springsteen se encontraba en otra –suponemos que mejor– habitación de hotel, esta vez en Europa. Él y Ron Aniello, productor de *Wrecking Ball*, habían trabajado en unas cuantas canciones que se habían abierto paso de entre un montón de material inacabado que se había acumulado desde que la E Street Band se reuniera a finales de la década de 1990. Springsteen escuchaba las mezclas. No le emocionaba el sonido. «Le pregunté qué escuchaba», explicó Aniello a la *Rolling Stone* al rememorar la conversación. Springsteen tenía unos auriculares Beats by Dr. Dre de Beats Electronics, empresa cofundada por Iovine. «Bueno, es probable que esté escuchando muchos bajos que en realidad no existen», dijo Aniello. Este hizo que un ingeniero italiano se encargase de que el audio fuese adecuado. Una vez solucionado el problema, los dos prosiguieron con el proceso de montaje del decimoctavo álbum de estudio de Springsteen, *High Hopes*. «La mejor forma de describir este álbum sería referirse a él como cierta anomalía –dijo Springsteen a la *Rolling Stone*–. Aunque sin exagerar».

Como colección de versiones de otros artistas y de estudio de algunas de las canciones más aclamadas en directo y de temas que no se habían seleccionado para los últimos discos, la unidad de *High Hopes* no se debe tanto a un mensaje como a un músico –el guitarrista Tom Morello– y al espíritu del «todo vale» que acabó por definir el Wrecking Ball Tour. Era un Bruce Springsteen despreocupado. «En una noche cualquiera uno podría salir a la calle y estar en medio de una especie de multitud épica y en una actuación inesperada», le dijo Springsteen al personal de su emisora, E Street Radio, antes del lanzamiento del álbum. A finales de 2013, sacó en internet un gran número de vídeos de la gira en directo. Desde Leeds, Reino Unido, los vientos hacen acto de presencia en «Local Hero». Desde Leipzig, Alemania, una videograbación muestra a Springsteen y a Steve Van Zandt trabajando entre risas para hallar la clave adecuada y los arreglos de viento para «You Never Can Tell», de Chuck Berry.

Había una nota de agradecimiento para los fans, un montaje de tomas de la gira para una versión de estudio de «Dream Baby Dream», de Suicide, la canción que había sacado el acento emocional en tantos conciertos del Devils & Dust Tour. Las reglas por las que se había regido la vida laboral de Springsteen desde siempre –«Los que pensamos en exceso somos nosotros, esa es nuestra especialidad», decía– parecían haberse abolido para dar paso a un *ethos* hedonista. Así, el 18 de noviembre, la cuenta de Twitter de Springsteen anunció que se

«LA E STREET BAND ES COMO UNA CASA GRANDE, PERO CUANDO TOM SE SUBE AL ESCENARIO, SE CONSTRUYE OTRA HABITACIÓN».

Bruce Springsteen acerca de Tom Morello, 2013

lanzaría un nuevo single –«High Hopes»– la semana siguiente. La pregunta más obvia de los fans fue «¿Qué?», a la que le siguió «¿Y después qué?».

«High Hopes» se reconoció al instante como la canción que Springsteen grabó cuando reunió a la E Street Band en 1995 para trabajar en el material de *Greatest Hits*. El cantautor Tim Scott McConnell había escrito la canción para el debut homónimo de 1990 del grupo The Havalinas afincado en Los Ángeles. Desde su primer verso, «La mañana del lunes va hasta el sábado por la noche», «High Hopes» evoca la interminable rutina de la clase trabajadora como cualquiera de las canciones de Springsteen. Un sueño nocturno «sin miedos» y la oportunidad de mirar a los ojos a sus hijos «y saber que tendrán una oportunidad»: eso es lo único que quiere el narrador de la canción. El álbum se anunció el mismo día en el que salió el single.

En diciembre de 2012, Morello se encontraba en su automóvil conduciendo por Los Ángeles cuando la E Street Radio emitió una versión anterior de «High Hopes», de Springsteen. Morello se apresuró a enviar un mensaje de texto a Springsteen en el que le sugería que se incorporase la canción al *set list* en marzo, cuando la E Street Band se dirigiría a Australia con el propio Morello para sustituir a Van Zandt, que estaría filmando la serie de televisión *Lilyhammer* (en la que interpreta el papel de un mafioso neoyorquino que intenta empezar de nuevo en Noruega).

Pero ahí no empieza el álbum *High Hopes*: hay que remontarse a 2008, cuando Springsteen invitó a Morello a tocar una canción en Anaheim con la E Street Band. Optaron por «The Ghost of Tom Joad», para cuya interpretación Springsteen le pidió a Morello que llevase una guitarra acústica y otra eléctrica. El resto fue saliendo en una prueba de sonido que comenzó a las cuatro y media de la tarde. Springsteen le dijo a Morello que estuviera allí a las cinco. «No suelo ponerme muy nervioso con casi nada –confesó Morello en 2011–. Pero estaba aterrado». Su terror

Durante la aparición en el programa *Fallon*, Springsteen también promocionó *High Hopes*, disco que aparecía en Estados Unidos aquel día. Tom Morello (*derecha*), que figura como invitado especial en el álbum, aportó un espontáneo enfoque musical que se convirtió en una de las características definitorias del disco.

se convirtió en algo parecido a la mortificación cuando al llegar descubrió que habían cambiado la clave de la canción a otra de la que estaba convencido que nunca podría lograr con su voz de barítono. Van Zandt practicó, Morello trató de que no se le notara el pánico y Springsteen dijo que esa iba a ser la clave en la que tocarían la canción, y punto. «Y así, sin posibilidad de elegir, pasé por ello y superé mis temores», dijo Morello. Al menos temporalmente, hasta que sus temores entraron en el *backstage* y se sentaron junto a él mientras se acercaba el momento.

Y qué momento. En el escenario transformaron «The Ghost of Tom Joad» en lo que Springsteen había querido hacer en un principio, una canción rock. Springsteen y Morello intercambiaron versos y solos de guitarra antes de que todos retrocedieran y Morello fuera a por todas con casi todos los trucos que había aprendido en Rage Against the Machine, los cuales le habían servido para convertir esta misma canción en un torbellino cuando la grabó con su grupo a finales de 1990 y la incorporó en 2000 en el álbum de versiones titulado *Renegades*. En Anaheim, el resultado fue inmediato y devastador. El discurso de Tom Joad dejó de ser una promesa solemne. «Mírales a los ojos, mamá, y me verás a mí» sonaba, según Morello, como una amenaza.

Justo antes de partir hacia Australia, Morello fue al estudio con Max Weinberg y Aniello para hacer la nueva, a la vez que vieja versión de «Joad». Al llegar a Australia, la revitalizada «High Hopes» y una versión de «Just Like Fire», compuesta y grabada por el grupo punk australiano The Saints, funcionaban tan bien que Springsteen se llevó a la E Street Band al estudio para grabarlas, algo que antes jamás habría hecho en plena gira.

Springsteen viajaba con un ordenador repleto de material inédito. En los instantes de tranquilidad después de los conciertos y en los días libres comenzaba a trabajar en él en busca de lo que podía ser adecuado para ese momento. Y este es el motivo por el cual la anomalía anteriormente mencionada no lo fue tanto. Las canciones que no formaron parte de *Darkness* entraron en *The River*. Parte del material que iba a salir en *Nebraska* acabó en *Born in the U.S.A.* Pero *High Hopes* era una mezcla explícita cuya inspiración se le debe a Morello. Este participa en ocho de las doce canciones del álbum. «Tomó toda esa música y la condujo a la actualidad», dijo Springsteen en la *Rolling Stone*.

«Harry's Place» se compuso para *The Rising* y estuvo a punto de formar parte de *Magic*. En 2003, Springsteen, sentado en su casa, leyó el primer verso a Ted Koppel para una entrevista en *Nightline*. La casa de Harry es un «agujero de mierda en la esquina, sin luces ni señales», y él es un gángster local, el tipo al que uno acude para probar «un poco de esa pequeña debilidad que uno se puede permitir». Tiene cierto tinte de «Smuggler's Blues», de Glenn Frey, y cuenta con Clarence Clemons, que toca una sombría melodía de saxofón que solo se suele escuchar apoyado en un poste de luz en una noche lluviosa y brumosa en la parte equivocada de la ciudad. «Down in the Hole»,

«[LOS CONCIERTOS DE RAGE AGAINST THE MACHINE] FUERON AGOTADORES A NIVEL CARDIOVASCULAR, PERO LOS DE BRUCE SON AGOTADORES A NIVEL ORTOPÉDICO».

Tom Morello, 2014

una de las escasas canciones en las que no participa Morello, también fue descartada para *The Rising* (gracias a lo cual se incluyó «Empty Sky»), y destaca por el estribillo grabado con los hijos de Springsteen y por el órgano de Danny Federici.

En «Heaven's Wall» hay un coro de góspel y «This Is Your Sword» destaca por sus florituras celtas (dos de las obsesiones musicales más recientes de Springsteen). En «Frankie Fell in Love» aparecen Albert Einstein y William Shakespeare a punto de tomarse una cerveza. El científico está intentado hallar «la cifra que se suma a la felicidad». El poeta le dice que, sencillamente, «todo empieza con un beso». Se trata de una canción muy calibrada para que Springsteen y Van Zandt la interpreten (y sobreinterpreten) en directo.

En «Hunter of Invisible Game», se describe un paisaje postapocalíptico donde la «esperanza, la fe, el coraje y la confianza pueden surgir o desaparecer como el polvo en el polvo». La salvación, como siempre ha sido y siempre será, pasa por el amor.

Aunque es Joe Grushecky, viejo amigo de Springsteen, quien recibe el reconocimiento por la idea y el título de «The Wall», la canción pertenece a Walter Cichon, que fue miembro de The Motifs, el primer grupo de rock que Springsteen conoció de pequeño y que parecía componerse en su totalidad por estrellas del rock. «Era alguien al que todos temíamos, aunque tenía una personalidad activa y carismática –dijo Springsteen en la E Street Radio–.

No era del mismo». Desapareció en Vietnam en 1968. «Esta piedra negra y estas lágrimas duras son lo único que me queda ya de ti», escribió Springsteen tras visitar el Vietnam Veterans Memorial de Washington D. C. y descubrir el nombre de Cichon grabado en la pared.

«American Skin (41 Shots)» sigue siendo uno de los mejores momentos de Springsteen, además de tristemente relevante por el hecho de que la violencia con armas de fuego no deja de aumentar. Al igual que con «The Ghost of Tom Joad», se han grabado y lanzado versiones en directo de este tema que rozan la perfección. «Es muy difícil superar alguna de las grabaciones en directo que hizo la E Street Band de alguna de esas canciones», comentó Springsteen. Por otra parte, también ha dicho que una canción carece de autoridad si no cuenta con una adecuada grabación de estudio. Así, se la concedieron a una que, aunque no tiene el carisma de la versión en directo, cumple su función.

Springsteen dijo que no creía que hubiera llevado «Dream Baby Dream» al nivel de la interpretación en directo, pero cuando salió, fue del agrado de los fans, así que la añadió al final de *High Hopes*. «En mi opinión, todas se merecían un hogar y que fueran escuchadas», escribió Springsteen en las notas del álbum. Aunque la recepción por parte de los críticos fue ambivalente, casi nunca suele ser este el factor clave. Atesoraba los suficientes elogios como para durar muchas carreras. En su lugar, lo que parecía interesarle más era sacar toda la música que pudiera. «Es la vieja historia de que cuando la luz del tren se aproxima, la mente se centra», dijo a la *Rolling Stone*.

El disco aún no se había lanzado oficialmente cuando el cantante hizo saber que Aniello estaba trabajando en el álbum que Springsteen había estado haciendo antes de que se anunciase *Wrecking Ball*. También habló del disco con influencias electrónicas que grabó entre 1993 y 1994. Jon Landau afirmó que estaban trabajando en un *box set* que abordaría *The River*. Tras haberse hecho públicos en ciertas entrevistas los planes de lanzar material en vivo y de archivo a través de internet, la primera noche de la gira, el primer concierto sudafricano de Springsteen llegó a su página web a modo de descarga. Abría el concierto con el especial como «(Free) Nelson Mandela». Dos noches después, volvía a interpretar esa canción para abrir la actuación y, más tarde, como primer bis, rendía homenaje a otro hombre que a lo largo de toda su vida había abogado con obstinación por un mundo más justo: Pete Seeger. Este había fallecido la noche anterior a la edad de noventa y cuatro años. Al presentar «We Shall Overcome», Springsteen dijo lo siguiente: «Una vez que se ha escuchado esta canción, se está preparado para marcharse entre los fuegos del infierno».

Y, así, Springsteen comenzó a trabajar de nuevo. Hay cosas que nunca cambian.

Un momento de relajación con periodistas antes del inicio del High Hopes Tour, Bellville Velodrome, Ciudad del Cabo, 26 de enero de 2014.

EPÍLOGO

Jackson Browne diría que lo bueno de las canciones buenas es que no desaparecen. Y no es solo que no desaparezcan, es que tienen vida. Y la viven con nosotros. Son lo que definen los momentos de la noche en las que las oímos.

En diciembre de 2016, Kirsty Young, locutora del programa *Desert Island Discs*, de la BBC Radio 4, le preguntó por la canción «Born to Run» a Springsteen en una entrevista celebrada con motivo de la presentación del libro *Born to Run*, unas enormes memorias que había tardado siete años en redactar y que por aquel entonces eran ya un superventas internacional.

«¿Qué significado tiene hoy en día para ti?». Young le preguntaba por la canción, caballo de batalla del repertorio, llamada a la acción, testamento para la comunidad, aún hoy una tremenda canción de rock 'n' roll.

–Te transporta al pasado –respondió Springsteen–. Te lleva al futuro. Las canciones buenas te llevan en ambas direcciones. –Exactamente lo que habría dicho Jackson.

A lo largo de los últimos años, en lugar de elaborar himnos de la clase obrera, hablar sobre las relaciones entre hombres y mujeres o entre padres e hijos, en lugar de fijarse en la distancia que hay entre el sueño americano y la realidad americana, Springsteen se ha fijado en el tiempo: en su peso, en su poder, en la capacidad de transformar que tiene.

A finales de 2015 se publicó *The Ties that Bind*, la caja recopilatoria conmemorativa de *The River*. Reunió de nuevo a la E Street Band para hacer una gira con canciones antiguas, entre ellas todas las del álbum *The River*.

Cada noche se volvió a colocar en aquella cocina en penumbras delante de su padre para presentar «Independence Day», una canción sobre personas que se quieren pero que no se entienden.

–Es de esas canciones que uno escribe cuando es joven y le maravilla la humanidad de sus padres –comentó en el escenario de la actuación inaugural de la gira, en Pittsburgh–. Te sorprende darte cuenta de que tienen sus propios sueños y deseos, porque lo único que veías antes era el compromiso que como adultos tuvieron que adquirir. Y, cuando se es joven, no se ha tenido que adoptar ninguno todavía. La idea es aterradora. A mí me aterró. –Con el tiempo, sin embargo, uno crece y se da cuenta de los beneficios de las decisiones que tomaron.

Springsteen volvió a situarse en el umbral que da paso a «I Wanna Marry You» para observar a la anónima mujer que pasa por la calle y dejarse llevar por la ensoñación de un amor sencillo, de juventud, uno de esos amores que no trae consecuencias. –De esos que no existen –dijo en el escenario de Portland, Oregón–, pero que nos señalan el camino. –Aquel que con el tiempo recorreremos.

Y también regresó a la dura escena con la que cerró el álbum: «Wreck on the Highway», donde un hombre que, despierto en plena noche y atribulado, piensa en un hombre muerto en la autopista y aquellos a los que dejó atrás.

–*The River* hablaba sobre el tiempo –dijo sobre la evocadora coda con la que cerró el álbum–. Sobre cómo se nos va, sobre cómo, una vez que entras en la vida adulta y seleccionas a tu pareja, en qué vas a trabajar y a aquellos con los que vas a vivir, no solo caminas junto a ellos, sino que también caminas junto a tu propia mortalidad y te das cuenta de que el tiempo del que dispones es finito. Trabajar. Criar a tu familia. E intentar hacer algo bueno, y lograrlo.

–De eso trata de *The River*, –diría ante otro público antes de que se pusieran a bramar. E Street Band se lanzaría a interpretar los éxitos, la fiesta comenzaría rebosante de euforia y belleza, de costa a costa de Estados Unidos, por toda Europa y alrededor del mundo.

La pregunta central de esta historia, condenadamente maravillosa, sobre «la perpetua fascinación que ejerce Bruce [...] –como señaló Richard Ford, novelista galardonado con el Pulitzer, en la reseña que hizo de *Born to Run* en *The New York Times*– no es ni más ni menos que esta: ¿Cómo puede haber llegado hasta aquí desde Freehold, Nueva Jersey, en solo cincuenta años?».

Además, ¿a qué nos referimos con ese «hasta aquí»? Para definirlo, Springsteen necesitó las 500 páginas de *Born to Run*. Le ayudó, parafraseando a Ford, estar en posesión de una «alarmante autoconfianza a una edad absurdamente temprana». Con todo, había que acompañar esa autoconfianza de un impulso sobrehumano y rodearse de buenas personas para que la fórmula resultase efectiva. Springsteen dejó claro que no siempre era fácil tratar con él: era exigente, incluso dictatorial, autoconsciente (al menos ahora) y no hacía concesiones. Fue como tuvo que ser en cada una de las etapas de su historia.

Born to Run comenzó a gestarse cuando Springsteen llevó un diario de la preparación de la actuación de la Super Bowl de 2009, actuación con la que quiso resumir su historia en unos escasos 12 minutos. Fue en ese diario donde halló su propia voz. Fue trabajando en ella durante los siguientes siete años hasta que Simon & Schuster le pagó al parecer diez millones de dólares por un libro que era divertido, profano por momentos, lírico y generoso.

El Springsteen escritor resultó no ser distinto del Springsteen compositor ni del Springsteen *showman*: desbordante a la vez que, en cierto sentido, humilde. Una mezcla de James Brown, Ali, Elvis y el vecino de al lado.

–Mucho de lo que hace la E Street Band es como un truco muy usado que, por medio de la voluntad, el poder y una intensa comunicación con nuestro público, se transforma en algo trascendente –escribió Springsteen.

–Acerca de mi voz. En primer lugar –escribió–, no tengo demasiada–. Con todo, siempre creyó que la voz tenía el poder de elevarlo a él y a aquellos que la oyesen, así como la capacidad de transportarlos a un lugar mejor.

Como cuando el 16 de noviembre de 2016 Barack Obama les otorgó en la Casa Blanca la medalla de honor presidencial a varias personas, entre ellas Kareem Abdul-Jabbar, Ellen DeGeneres, Bill y Melinda Gates, Diana Ross, Frank Gehry, Michael Jordan, Robert De Niro y Springsteen.

El fotógrafo Pete Souza captó el momento en el que el presidente y la estrella del rock se dan la mano amistosamente antes de la ceremonia. Algunas semanas después, días antes de que Obama dejase su despacho y llegase Donald Trump, Springsteen volvió a hurtadillas a Washington D.C. e hizo una actuación acústica para el presidente y su personal, cerrando con «The Ghost of Tom Joad», «Long Walk Home», «Dancing in the Dark», y «Land of Hope and Dreams».

Algunos meses antes también había interpretado «Long Walk Home» y «Dancing in the Dark» sobre un escenario de Filadelfia y durante una esperanzada noche antes de las elecciones. Puso su voz y sus canciones al servicio de la candidatura de Hillary Clinton. Al día siguiente, los estadounidenses se levantaron e hicieron presidente a Donald Trump.

A comienzos de 2017, Springsteen y su banda se dirigieron a Australia, donde el cantante se declaró parte de la nueva resistencia estadounidense, algo parecido a cuando, en 1980, durante la primera actuación de la gira de *The River*, tras anunciar la «muy aterradora» elección de Ronald Reagan, abrió con «Badlands».

En el contexto de la elección de Trump, y sobre todo por el resultado, «Dancing in the Dark» no sonó tanto con el éxito pop que había sido durante la época de Reagan, sino como una llamada a la acción. A encontrar la chispa. A encender ese fuego. Las buenas canciones no desaparecen.

–Poco a poco emerge una nueva historia a partir de la antigua –escribió Springsteen en *Born to Run*–, una historia de vidas construidas de modos distintos, levantadas sobre la dura experiencia de aquellos que nos precedieron, pisoteando la carcasa de un pasado cansado de luchar. Así es como vivimos en un buen día. Esto es amor. De esto va la vida.

Se refería a su padre, al día en que, junto antes de que naciera el primer hijo de Springsteen, fuera hasta Los Ángeles para visitar a su hijo y pedirle que aquella vieja historia tuviera un final distinto. Springsteen describió la enfermedad mental de su padre suave y amorosamente, y con la misma sinceridad con la que abordó su propia lucha contra la depresión.

Durante la redacción del libro, condujo de nuevo por Freehold y se dio una vuelta. –Las calles en silencio. Mi iglesia de la esquina, callada e inmutable–. Los fantasmas y los recuerdos estaban allí.

El 27 de septiembre de 2016, el día en el que se publicó el libro *Born to Run*, Springsteen fue a la librería Barnes & Noble de su vieja ciudad natal de Freehold, por la Autopista 9. Más de dos mil fans hicieron cola para darle la mano, abrazarlo y darle las gracias, y él también se las dio a ellos. Hubo sonrisas por todas partes. Y si hubo lágrimas, fueron de alegría.

DISCOGRAFÍA

ÁLBUMES DE ESTUDIO

GREETINGS FROM ASBURY PARK, N.J.
1973

Grabado en 914 Sound Studios
34 Route 303, Blauvelt, Nueva York
Producido por Mike Appel y Jim Cretecos

Músicos
Bruce Springsteen: guitarra acústica, bajo, congas, guitarra
  eléctrica, armónica, teclados, piano, palmas y voz
  principal
Clarence Clemons: saxofón, coros y palmas
Vini Lopez: batería, coros y palmas
David Sancious: teclados, órgano y piano
Garry Tallent: bajo

Músicos adicionales
Richard Davis: contrabajo («The Angel»)
Steve Van Zandt: efectos de sonido («Lost in the Flood»)
Harold Wheeler: piano («Blinded by the Light»)

Portada
John Berg: diseño de la portada
Fred Lombardi: fotografía y diseño de la contraportada

Cara Uno
«Blinded by the Light»
«Growin' Up»
«Mary Queen of Arkansas»
«Does this Bus Stop at 82nd Street?»
«Lost in the Flood»

Cara Dos
«The Angel»
«For You»
«Spirit in the Night»
«It's Hard to Be a Saint in the City»

Fecha de lanzamiento
5 de enero de 1973

Sello discográfico y números de catálogo
Estados Unidos: Columbia KC 31903; Reino Unido:
  CBS S 65480

**Máxima posición en las listas para la fecha
  de lanzamiento**
Estados Unidos: n.º 60; Reino Unido: n.º 41

Notas
Todos los temas compuestos por Bruce Springsteen.
Reeditado en vinilo en 1975 (PC 31903) y en 1979
  en edición desplegable (JC 31903).
Reeditado en CD en 1990 (CK 31903).

THE WILD, THE INNOCENT
& THE E STREET SHUFFLE
1973

Grabado en 914 Sound Studios
34 Route 303, Blauvelt, Nueva York
Producido por Mike Appel y Jim Cretecos

Músicos
Bruce Springsteen: voz principal, guitarras, armónica,
  mandolina, grabadora y maracas
Clarence Clemons: saxofón y coros
Danny Federici: acordeón y coros (además de segundo
  piano en «Incident on 57th Street» y órgano en «Kitty's
  Back»)
Vini Lopez: batería y coros (además de corneta en «The
  E Street Shuffle»)
David Sancious: piano, órgano, piano eléctrico, clavicordio
  y coros (además de saxo soprano en «The E Street Shuffle»
  y arreglo de cuerdas en «New York City Serenade»)
Garry Tallent: bajo, tuba y coros

Músicos adicionales
Richard Blackwell: conga y percusión
Suki Lahav: voces del coro (sin acreditar)
Albany Al Tellone: saxofón barítono («The E Street Shuffle»)

Portada
Teresa Alfieri y John Berg: diseño
David Gahr: fotografía

Cara Uno
«The E Street Shuffle»
«4th of July, Asbury Park (Sandy)»
«Kitty's Back»
«Wild Billy's Circus Story»

Cara Dos
«Incident on 57th Street»
«Rosalita (Come Out Tonight)»
«New York City Serenade»

Fecha de lanzamiento
5 de noviembre de 1973

Sello discográfico y números de catálogo
Estados Unidos: Columbia KC 32432; Reino Unido:
  CBS S 65780

**Máxima posición en las listas para la fecha
  de lanzamiento**
Estados Unidos: n.º 59; Reino Unido: n.º 33

Notas
Todos los temas compuestos por Bruce Springsteen.
En la primera tirada británica, *Asbury* de «4th of July, Asbury
  Park (Sandy)» aparece mal escrita y pone *Ashbury*.
Reeditado en vinilo en 1975 (PC 32432) y en 1977
  (JC 32432).
Reeditado en CD en 1990 (CK 32432).

BORN TO RUN 1975

Grabado en Record Plant
321 West 44th Street, Nueva York
Grabaciones adicionales en 914 Sound Studios
34 Route 303, Blauvelt, Nueva York
Producido por Bruce Springsteen, Jon Landau y Mike Appel

Músicos
E Street Band
Bruce Springsteen: voz principal, guitarras, armónica
   y percusión
Roy Bittan: piano, Fender Rhodes, órgano, clavecín y coros
Clarence Clemons: saxofón, pandereta y coros
Danny Federici: órgano (además de glockenspiel
   en «Born to Run»)
David Sancious: teclados («Born to Run»)
Garry Tallent: bajo, tuba y coros
Max Weinberg: batería

Músicos adicionales
Wayne Andre: trombón
Mike Appel: coros
Michael Brecker: saxofón tenor
Randy Brecker: trompeta y fliscorno
Charles Calello: director de orquesta y arreglos de cuerda
   («Jungleland»)
Ernest *Boom* Carter: batería («Born to Run»)
Richard Davis: contrabajo («Meeting Across the River»)
Suki Lahav: violín («Jungleland»)
David Sanborn: saxofón barítono
Steve Van Zandt: coros («Thunder Road») y arreglos de viento

Portada
John Berg y Andy Engel: diseño
Eric Meola: fotografía

Cara Uno
«Thunder Road»
«Tenth Avenue Freeze-Out»
«Night»
«Backstreets»

Cara Dos
«Born to Run»
«She's the One»
«Meeting Across the River»
«Jungleland»

Fecha de lanzamiento
1 de septiembre de 1975

Sello discográfico y números de catálogo
Estados Unidos: Columbia PC 33795; Reino Unido:
   CBS S 69170

**Máxima posición en las listas para la fecha
   de lanzamiento**
Estados Unidos: n.º 3; Reino Unido: n.º 17

Notas
Todos los temas compuestos por Bruce Springsteen.
En una de las primeras tiradas estadounidenses,
el nombre de Jon Landau aparece mal escrito
   como *John*.
Reeditado en vinilo 1977 en edición desplegable (JC 33795)
y en 1980 en edición masterizada a media velocidad (
CBS MasterSound) (HC 33795).
Reeditado en CD en 1993 en disco remasterizado bañado
   en oro con caja de presentación de edición limitada
   (CK 52859).
Box set conmemorativo del trigésimo aniversario
   (C3K 94175) lanzado en noviembre de 2005; contiene
   lo siguiente: CD remasterizado completamente en
   negro del álbum original; documental en DVD, *Wings for
   Wheels: The Making of Born to Run* (con tres canciones
   extras grabadas en 1973 en el Ahmanson Theater,
   Los Ángeles: «Spirit in the Night», «Wild Billy's Circus
   Story» y «Thundercrack») y un directo en DVD de la
   actuación celebrada en el londinense Hammersmith
   Odeon el 18 de noviembre de 1975 (más tarde
   publicado en CD con el título de *Hammersmith
   Odeon London '75*). La edición exclusiva del *box set*,
   disponible solo a través de Best Buy, también incluía
   un facsímil en CD del single original de «Born to
   Run»/«Meeting Across the River».

DARKNESS ON THE EDGE OF TOWN
1978

Grabado en Record Plant
321 West 44th Street, Nueva York
Producido por Jon Landau y Bruce Springsteen

Músicos
E Street Band
Bruce Springsteen: voz principal, guitarra solista
   y armónica
Roy Bittan: piano
Clarence Clemons: saxofón y percusión
Danny Federici: órgano
Garry Tallent: bajo
Steve Van Zandt: guitarra
Max Weinberg: batería

Portada
Frank Stefanko: fotografía

Cara Uno
«Badlands»
«Adam Raised a Cain»
«Something in the Night»
«Candy's Room»
«Racing in the Street»

Cara Dos
«The Promised Land»
«Factory»
«Streets of Fire»
«Prove It All Night»
«Darkness on the Edge of Town»

Fecha de lanzamiento
2 de junio de 1978

Sello discográfico y números de catálogo
Estados Unidos: Columbia JC 35318; Reino Unido: CBS 32542

**Máxima posición en las listas para la fecha
   de lanzamiento**
Estados Unidos: n.º 5; Reino Unido: n.º 16

Notas
Todos los temas compuestos por Bruce Springsteen.
Se editó en 1978 a modo de *picture disc* promocional (35318).
Reeditado en vinilo 1982 en edición masterizada a media
   velocidad (CBS MasterSound) (HC 45318).
Reeditado en CD en 1990 (CK 35318).

THE RIVER 1980

Grabado en Power Station
441 West 53rd Street, Nueva York
Producido por Bruce Springsteen, Jon Landau
   y Steve Van Zandt

Músicos
E Street Band
Bruce Springsteen: voz principal, guitarra solista
   y armónica (además de piano en «Drive All Night»)
Roy Bittan: piano, órgano y coros
Clarence Clemons: saxofón, percusión y coros
Danny Federici: órgano y glockenspiel
Garry Tallent: bajo
Steve Van Zandt: guitarras, armonías vocales y coros
Max Weinberg: batería

Músicos adicionales
Flo & Eddie (Howard Kaylan y Mark Volman):
   armonías vocales («Hungry Heart»)

Portada
Frank Stefanko: fotografía

Cara Uno
«The Ties That Bind»
«Sherry Darling»
«Jackson Cage»
«Two Hearts»
«Independence Day»

Cara Dos
«Hungry Heart»
«Out in the Street»
«Crush on You»
«You Can Look (But You Better Not Touch)»
«I Wanna Marry You»
«The River»

Cara Tres
«Point Blank»
«Cadillac Ranch»
«I'm a Rocker»
«Fade Away»
«Stolen Car»

Cara Cuatro
«Ramrod»
«The Price You Pay»
«Drive All Night»
«Wreck on the Highway»

Fecha de lanzamiento
17 de octubre de 1980

Sello discográfico y números de catálogo
Estados Unidos: Columbia PC2 36854; Reino Unido:
CBS 88510

**Máxima posición en las listas para la fecha
de lanzamiento**
Estados Unidos: n.º 1; Reino Unido: n.º 2

Notas
Todos los temas compuestos por Bruce Springsteen.
También se editó en 1978 a modo de *picture disc*
promocional (35318).
Reeditado en CD en 1990 (C2K 36854).

NEBRASKA 1982
Grabado en Nueva Jersey por Mike Batlan en una grabadora
de cuatro pistas
Producido por Bruce Springsteen

Músicos
Bruce Springsteen: voz, guitarra, armónica, mandolina,
glockenspiel, pandereta y órgano

Portada
David Kennedy: fotografía
Andrea Klein: diseño

Cara Uno
«Nebraska»
«Atlantic City»
«Mansion on the Hill»
«Johnny 99»
«Highway Patrolman»
«State Trooper»

Cara Dos
«Used Car»
«Open All Night»
«My Father's House»
«Reason to Believe»

Fecha de lanzamiento
20 de septiembre de 1982

Sello discográfico y números de catálogo
Estados Unidos: Columbia QC 38358; Reino Unido: CBS
25100

**Máxima posición en las listas para la fecha
de lanzamiento**
Estados Unidos: n.º 3; Reino Unido: n.º 3

Notas
Todos los temas compuestos por Bruce Springsteen.
Se lanzó primero en CD en Japón en 1985
(CBS/SONY 32DP 357). En esta versión rara
se utilizó por error un máster alternativo, que incluía
28 segundos de una coda de sintetizador de «My Father's
House».
Reeditado en CD en Estados Unidos en 1990 (CK 38358).

BORN IN THE U.S.A. 1984
Grabado en Power Station
441 West 53rd Street, Nueva York
Grabaciones adicionales en Hit Factory
421 West 54th Street, Nueva York
Producido por Bruce Springsteen, Jon Landau,
Chuck Plotkin y Steve Van Zandt

Músicos
E Street Band
Bruce Springsteen: voz principal y guitarra solista
Roy Bittan: sintetizador, piano y coros
Clarence Clemons: saxofón, percusión y coros
Danny Federici: órgano y glockenspiel
(además de piano en «Born in the U.S.A.»)
Garry Tallent: bajo y coros
Steve Van Zandt: guitarra acústica, mandolina
y armonías vocales
Max Weinberg: batería

Músicos adicionales
Ruth Jackson: coros («My Hometown»)
Richie *La Bamba* Rosenberg: coros («Cover Me»
y «No Surrender»)

Portada
Annie Leibovitz: fotografía

Cara Uno
«Born in the U.S.A.»
«Cover Me»
«Darlington County»
«Working on the Highway»
«Downbound Train»
«I'm on Fire»

Cara Dos
«No Surrender»
«Bobby Jean»
«I'm Goin' Down»
«Glory Days»
«Dancing in the Dark»
«My Hometown»

Fecha de lanzamiento
4 de junio de 1984

Sello discográfico y números de catálogo
Vinilo: Estados Unidos: Columbia QC 38653;
Reino Unido: CBS 86304
CD: Estados Unidos: Columbia CK 38653;
Reino Unido: CDCBS 86304

**Máxima posición en las listas para la fecha
de lanzamiento**
Estados Unidos: n.º 1; Reino Unido: n.º 1

Notas
Todos los temas compuestos por Bruce Springsteen.
Este álbum fue el primer disco editado comercialmente
que se fabricó en Estados Unidos. Se repartieron copias
de prueba a los que asistieron a la inauguración
oficial de la fábrica en 1984. Dichas copias son
extremadamente raras en la actualidad.
En la reedición europea en vinilo de 2007 (SONY/
BMG 88697159531) apareció «I'm Free» en lugar
de «I'm on Fire» en la etiqueta de la cara uno.

TUNNEL OF LOVE 1987
Grabado en Thrill Hill East (el estudio casero de Springsteen
en Nueva Jersey)
Grabaciones adicionales en A&M Studios
1416 North La Brea Avenue, Hollywood, California
Producido por Bruce Springsteen, Jon Landau
y Chuck Plotkin

Músicos
E Street Band
Bruce Springsteen: voz principal, guitarra, bajo,
teclados, efectos de sonido y armónica
Roy Bittan: piano («Brilliant Disguise») y sintetizador
(«Tunnel of Love»)
Clarence Clemons: coros («When You're Alone»)
Danny Federici: órgano
Nils Lofgren: guitarra («Tunnel of Love») y coros
(«When You're Alone»)
Patti Scialfa: coros
Garry Tallent: bajo («Spare Parts»)
Max Weinberg: batería y percusión

Músicos adicionales
Familia Schiffer: coros de la montaña rusa
(«Tunnel of Love»)
James Wood: armónica («Spare Parts»)

Portada
Sandra Choron: dirección artística
Annie Leibovitz: fotografía

Cara Uno
«Ain't Got You»
«Tougher than the Rest»
«All That Heaven Will Allow»
«Spare Parts»
«Cautious Man»
«Walk Like A Man»

Cara Dos
«Tunnel of Love»
«Two Faces»
«Brilliant Disguise»
«One Step Up»
«When You're Alone»
«Valentine's Day»

Fecha de lanzamiento
9 de octubre de 1987

Sello discográfico y números de catálogo
Vinilo: Estados Unidos: Columbia C 40999; Reino Unido:
  CBS 460270 1
CD: Estados Unidos: Columbia CK 40999; Reino Unido:
  CBS COL 460270 2

**Máxima posición en las listas para la fecha
  de lanzamiento**
Estados Unidos: n.º 1; Reino Unido: n.º 1

Notas
Todos los temas compuestos por Bruce Springsteen.
Reeditado en CD en 2003 en Europa con formato
  mejorado (COL 511304 2).

HUMAN TOUCH 1992
Grabado en A&M Studios
1416 North La Brea Avenue, Hollywood, California
Producido por Bruce Springsteen, Jon Landau, Chuck
  Plotkin y Roy Bittan

Músicos
Bruce Springsteen: voz principal y guitarra
  (además de bajo en «57 Channels [and Nothin' On]»)
Roy Bittan: teclados
Randy Jackson: bajo
Jeff Porcaro: batería y percusión

Músicos adicionales
Michael Fisher: percusión («Soul Driver»)
Bobby Hatfield: armonía vocal («I Wish I Were Blind»)
Mark Isham: trompeta («With Every Wish»)
Bobby King: coros («Roll of the Dice» y «Man's Job»)
Douglas Lunn: bajo («With Every Wish»)
Ian McLagan: piano («Real Man»)
Sam Moore: coros («Soul Driver», «Roll of the Dice»,
  «Real World» y «Man's Job»)
Tim Pierce: guitarra («Soul Driver» y «Roll of the Dice»)
David Sancious: órgano Hammond («Soul Driver»
  y «Real Man»)
Patti Scialfa: coros («Human Touch» y «Pony Boy»)
Kurt Wortman: percusión («With Every Wish»)

Portada
Sandra Choron: dirección artística
David Rose: fotografía

Cara Uno
«Human Touch»
«Soul Driver»
«57 Channels (and Nothin' On)»
«Cross My Heart»
«Gloria's Eyes»
«With Every Wish»
«Roll of the Dice»

Cara Dos
«Real World»
«All or Nothin' at All»
«Man's Job»
«I Wish I Were Blind»
«The Long Goodbye»
«Real Man»
«Pony Boy»

Fecha de lanzamiento
31 de marzo de 1992

Sello discográfico y números de catálogo
Vinilo: Estados Unidos: Columbia C 53000; Reino Unido:
  CBS COL 471423 1
CD: Estados Unidos: Columbia CK 53000; Reino Unido:
  CBS COL 471423 2

**Máxima posición en las listas para la fecha
  de lanzamiento**
Estados Unidos: n.º 2; Reino Unido: n.º 1

Notas
Todos los temas compuestos por Bruce Springsteen
  excepto los siguientes: «Cross My Heart» (por Bruce
  Springsteen y Sonny Boy Williamson); «Roll of the Dice»
  y «Real World» (por Bruce Springsteen y Roy Bittan), y
  «Pony Boy» (tradicional).
Editado en Europa en 1992 junto a *Lucky Town* en
  una edición limitada de dos CD en estuche de caoba
  (COL SAMPCD 1630).

LUCKY TOWN 1992
Grabado en Thrill Hill West (el estudio casero
  de Springsteen en Beverly Hills)
Grabaciones adicionales en A&M Studios
1416 North La Brea Avenue, Hollywood, California
Producido por Bruce Springsteen, Jon Landau y Chuck
  Plotkin (Roy Bittan coprodujo «Leap of Faith», «The Big
  Muddy» y «Living Proof»)

Músicos
Bruce Springsteen: voz principal, guitarra y varios
  instrumentos
Gary Mallaber: batería

Músicos adicionales
Roy Bittan: teclados («Leap of Faith», «The Big Muddy»
  y «Living Proof»)
Randy Jackson: bajo («Better Days»)
Lisa Lowell: coros («Better Days», «Local Hero»
  y «Leap of Faith»)
Ian McLagan: órgano («My Beautiful Reward»)
Patti Scialfa: coros («Better Days», «Local Hero»
  y «Leap of Faith»)
Soozie Tyrell: coros («Better Days», «Local Hero»
  y «Leap of Faith»)

Portada
Sandra Choron: dirección artística
David Rose: fotografía

Cara Uno
«Better Days»
«Lucky Town»
«Local Hero»
«If I Should Fall Behind»
«Leap of Faith»

Cara Dos
«The Big Muddy»
«Living Proof»
«Book of Dreams»
«Souls of the Departed»
«My Beautiful Reward»

Fecha de lanzamiento
31 de marzo de 1992

Sello discográfico y números de catálogo
Vinilo: Estados Unidos: Columbia C 53001; Reino Unido:
  CBS COL 471424 1
CD: Estados Unidos: Columbia CK 53001; Reino Unido:
  CBS COL 471424 2

**Máxima posición en las listas para la fecha
  de lanzamiento**
Estados Unidos: n.º 3; Reino Unido: n.º 2

Notas
Todos los temas compuestos por Bruce Springsteen.
Editado en Europa en 1992 junto a *Human Touch* en
  una edición limitada de dos CD en estuche de caoba
  (COL SAMPCD 1630).

THE GHOST OF TOM JOAD 1995
Grabado en Thrill Hill West (el estudio casero
  de Springsteen en Beverly Hills)
Producido por Bruce Springsteen y Chuck Plotkin

Músicos
Bruce Springsteen: voz principal, guitarra, teclados
  y armónica

Músicos adicionales
Jennifer Condos: bajo («Across the Border»)
Danny Federici: acordeón («Across the Border») y teclado
  («The Ghost of Tom Joad», «Straight Time», «Dry
  Lightning» y «Across the Border»)
Jim Hanson: bajo («Straight Time» y «Youngstown»)
Lisa Lowell: coros («Across the Border»)
Gary Mallaber: batería («The Ghost of Tom Joad»,
  «Straight Time», «Youngstown», «Dry Lightning»
  y «Across the Border»)
Chuck Plotkin: teclado («Youngstown»)
Marty Rifkin: *pedal steel guitar* («The Ghost of Tom Joad»,
  «Straight Time», «Youngstown» y «Across the Border»)
Patti Scialfa: coros («Across the Border»)
Garry Tallent: bajo («The Ghost of Tom Joad» y «Dry
  Lightning»)
Soozie Tyrell: violín («Straight Time», «Youngstown», «Dry
  Lightning» y «Across the Border») y coros («Across the
  Border»)

Portada

Sandra Choron: dirección artística
Eric Dinyer: ilustración

Cara Uno

«The Ghost of Tom Joad»
«Straight Time»
«Highway 29»
«Youngstown»
«Sinaloa Cowboys»
«The Line»

Cara Dos

«Balboa Park»
«Dry Lightning»
«The New Timer»
«Across the Border»
«Galveston Bay»
«My Best Was Never Good Enough»

Fecha de lanzamiento

21 de noviembre de 1995

Sello discográfico y números de catálogo

Vinilo: Estados Unidos: y UK Columbia C 67484
CD: Estados Unidos: Columbia CK 67484; Reino Unido:
CBS COL 481650 2

**Máxima posición en las listas para la fecha
de lanzamiento**

Estados Unidos: n.º 11; Reino Unido: n.º 16

Notas

Todos los temas compuestos por Bruce Springsteen.

THE RISING 2002

Grabado en Southern Tracks
3051 Clairmont Road NE, Atlanta, Georgia
Grabaciones adicionales en Thrill Hill East
(el estudio casero de Springsteen en Nueva Jersey)
Sound Kitchen Studios
112 Seaboard Lane, Franklin, Tennessee
Henson Studios
1416 North La Brea Avenue, Hollywood, California
Producido por Brendan O'Brien

Músicos

E Street Band
Bruce Springsteen: voz principal, guitarra solista,
guitarra acústica, guitarra barítono y armónica
Roy Bittan: teclados, piano, melotrón, Kurzweil,
órgano de fuelle, Korg M1 y Crumar
Clarence Clemons: saxofón y coros
Danny Federici: órgano B3, Vox Continental y Farfisa
Nils Lofgren: guitarra eléctrica, dobro, *slide guitar*,
banjo y coros
Patti Scialfa: coros
Garry Tallent: bajo
Steve Van Zandt: guitarra eléctrica, mandolina y coros
Max Weinberg: batería

Músicos adicionales

The Alliance Singers: coro («Let's Be Friends [Skin to Skin]»
y «Mary's Place»)
Asif Ali Khan and Group: invitados vocales especiales
(«Worlds Apart»)
Jere Flint: chelo («Lonesome Day» y «You're Missing»)
Larry Lemaster: chelo («Lonesome Day» y «You're Missing»)
Ed Manion: saxofón barítono («Mary's Place»)
Nashville String Machine: cuerdas («Countin' on a Miracle»
y «You're Missing»)
Brendan O'Brien: zanfonía, glockenspiel y campanas
orquestales
Mark Pender: trompeta («Mary's Place»)
Rich Rosenberg: trompeta («Mary's Place»)
Jane Scarpantoni: chelo («Into the Fire», «Mary's Place»,
«The Rising» y «My City of Ruins»)
Mike Spengler: trompeta («Mary's Place»)
Soozie Tyrell: violín y coros
Jerry Vivino: saxofón tenor («Mary's Place»)

Portada

Chris Austopchuk: dirección artística
Dave Bett: diseño y dirección artística
Danny Clinch: fotografía
Michelle Holme: diseño

Temas

«Lonesome Day»
«Into the Fire»
«Waitin' on a Sunny Day»
«Nothing Man»
«Countin' on a Miracle»
«Empty Sky»
«Worlds Apart»
«Let's Be Friends (Skin to Skin)»
«Further on (up the Road)»
«The Fuse»
«Mary's Place»
«You're Missing»
«The Rising»
«Paradise»
«My City of Ruins»

Fecha de lanzamiento

30 de julio de 2002

Sello discográfico y números de catálogo

Estados Unidos: Columbia CK 86600; Reino Unido:
COL 508000 2

**Máxima posición en las listas para la fecha
de lanzamiento**

Estados Unidos: n.º 1; Reino Unido: n.º 1

Notas

Todos los temas compuestos por Bruce Springsteen.
También publicado en Estados Unidos y Europa en vinilo
con formato de álbum doble (Estados Unidos: Columbia
C2 86600/Europa: COL 508000 1).
La «Tour Edition» se publicó en Europa y Australia
en 2003 (COL 508000 3). Cuenta con un DVD extra
con la interpretación en los MTV Video Awards de «The
Rising», el videoclip promocional de «Lonesome Day»
y grabaciones de «Waitin' for a Sunny Day», «Mary's
Place», y «Dancing in the Dark», interpretadas
en Barcelona el 16 de octubre de 2002.

DEVILS & DUST 2005

Grabado en Thrill Hill East y Thrill Hill West
(los estudios caseros de Springsteen en Nueva
Jersey y Beverly Hills)
Grabaciones adicionales en Southern Tracks
3051 Clairmont Road NE, Atlanta, Georgia
Masterfonics
28 Music Square E, Nashville, Tennessee
Producido por Brendan O'Brien («All the Way Home»
y «Long Time Comin'» por Brendan O'Brien, Bruce
Springsteen y Chuck Plotkin)

Músicos

Bruce Springsteen: voz principal, guitarra, teclados,
bajo, batería, armónica, pandereta y percusión
Steve Jordan: batería
Brendan O'Brien: zanfonía, sarangi eléctrico, sitar,
bajo y tambora
Patti Scialfa: coros
Soozie Tyrell: violín y coros

Músicos adicionales

Brice Andrus: sección de vientos
Danny Federici: teclados («Long Time Comin'»)
Lisa Lowell: coros («Jesus Was an Only Son»
y «All I'm Thinkin' about»)
Nashville String Machine: cuerdas
Mark Pender: trompeta («Leah»)
Chuck Plotkin: piano («All the Way Home»)
Marty Rifkin: *steel guitar* («All the Way Home»
y «Long Time Comin'»)
Donald Strand: sección de vientos
Susan Welty: sección de vientos
Thomas Witte: sección de vientos

Portada

Chris Austopchuk: dirección artística
Dave Bett: diseño y dirección artística
Anton Corbijn: fotografía
Michelle Holme: diseño y dirección artística

Temas

«Devils & Dust»
«All the Way Home»
«Reno»
«Long Time Comin'»
«Black Cowboys»
«Maria's Bed»
«Silver Palomino»
«Jesus Was an Only Son»
«Leah»
«The Hitter»
«All I'm Thinkin' about»
«Matamoros Banks»

Fecha de lanzamiento
25 de abril de 2005

Sello discográfico y números de catálogo
Estados Unidos: Columbia CN 93900; Reino Unido:
  COL 520000 2

Máxima posición en las listas para la fecha del lanzamiento
Estados Unidos: n.º 1; Reino Unido: n.º 1

Notas
Todos los temas compuestos por Bruce Springsteen.
También publicado en Estados Unidos en vinilo
  con formato de álbum doble (C2 93900).
La edición normal en CD cuenta con un DVD
  extra que contiene videograbaciones de
  interpretaciones acústicas de «Devils & Dust»,
  «Long Time Comin'»,
  «Reno», «All I'm Thinkin' about» y «Matamoros Banks».

WE SHALL OVERCOME: THE SEEGER SESSIONS 2006
Grabado en Thrill Hill East (el estudio casero
  de Springsteen en Nueva Jersey)
Producido por Bruce Springsteen

Músicos
Seeger Sessions Band
Bruce Springsteen: voz principal, guitarra, mandolina,
  órgano B3, piano, percusión, armónica y pandereta
Sam Bardfield: violín y coros
Art Baron: tuba
Frank Bruno: guitarra y coros
Jeremy Chatzky: contrabajo y coros
Mark Clifford: banjo y coros
Larry Eagle: batería, percusión y coros
Charles Giordano: órgano B3, acordeón, piano y órgano
  de fuelle
Lisa Lowell: coros («Jacob's Ladder», «Eyes on the Prize»
  y «Froggie Went a Courtin'»)
Ed Manion: saxofón y coros
Mark Pender: trompeta y coros
Richie *La Bamba* Rosenberg: trombón y coros
Patti Scialfa: coros
Soozie Tyrell: violín y coros

Portada
Chris Austopchuk: dirección artística
Danny Clinch: fotografía
Meghan Foley: diseño
Michelle Holme: diseño y dirección artística

Temas
«Old Dan Tucker»
«Jesse James»
«Mrs. McGrath»
«O Mary Don't You Weep»
«John Henry»
«Erie Canal»
«Jacob's Ladder»

«My Oklahoma Home»
«Eyes on the Prize»
«Shenandoah»
«Pay Me My Money Down»
«We Shall Overcome»
«Froggie Went a Courtin'»

Fecha de lanzamiento
25 de abril de 2006

Sello discográfico y números de catálogo
Estados Unidos: Columbia 82876 82867 2; Reino Unido:
  82876 83074 2

Máxima posición en las listas para la fecha de lanzamiento
Estados Unidos: n.º 3; Reino Unido: n.º 3

Notas
Todos los temas son tradicionales/de dominio público,
  excepto los siguientes: «Jesse James» (de Billy Gashade),
  «Erie Canal» (de Thomas S. Allen), «Jacob's Ladder»
  (letras añadidas por Pete Seeger), «My Oklahoma Home»
  (de Bill y Agnes Sis Cunningham), «Eyes on the Prize»
  (letras añadidas por Alice Wine) y «We Shall Overcome»
  (adaptadación de Guy Carawan, Frank Hamilton,
  Zilphia Horton y Pete Seeger). Todos los temas arreglados
  por Bruce Springsteen.
También publicado en Estados Unidos en vinilo con
  formato de álbum doble (82876 83439 1).
La edición normal en CD cuenta con un DVD extra que
  contiene el disco entero en estéreo PCM, dos temas
  más –«Buffalo Gals» y «How Can I Keep from Singing»
  (letras adicionales de Doris Plenn)– y una videograbación
  de treinta minutos acerca de la grabación del disco, en el
  cual se incluyen filmaciones de interpretaciones de «John
  Henry», «Pay Me My Money Down», «Buffalo Gals», «Erie
  Canal», «O Mary Don't You Weep» y «Shenandoah».
La «American Land Edition» se publicó en Estados Unidos y
  Europa en octubre de 2006 (Estados Unidos: 82876 82867
  2/Europa 88697009162). Además de contar con todo
  el material de la edición normal, incluye tres temas
  extras: «How Can a Poor Man Stand Such Times and
  Live» (por *Blind* Alfred Reed, con letras adicionales de
  Bruce Springsteen), «Bring 'Em Home» (por Pete Seeger
  con letras adicionales de Jim Musselman) y «American
  Land» (por Bruce Springsteen). La filmación cuenta
  con diez minutos adicionales, además de videoclips
  promocionales de «American Land» y «Pay Me My Money
  Down» y grabaciones en directo de «How Can a Poor
  Man Stand Such Times and Live» y «Bring 'Em Home».

MAGIC 2007
Grabado en Southern Tracks
3051 Clairmont Road NE, Atlanta, Georgia
Producido por Brendan O'Brien

Músicos
E Street Band
Bruce Springsteen: voz principal, guitarras, órgano de
  fuelle, armónica, sintetizador, glockenspiel y percusión

Roy Bittan: piano y órgano
Clarence Clemons: saxofón y coros
Danny Federici: órgano y teclados
Nils Lofgren: guitarra y coros
Patti Scialfa: coros
Garry Tallent: bajo
Steve Van Zandt: guitarras, mandolina y coros
Max Weinberg: batería

Músicos adicionales
Jeremy Chatzky: contrabajo («Magic»)
Daniel Laufer: chelo («Devil's Arcade»)
Soozie Tyrell: violin
Patrick Warren: Chamberlin y harpsipiano
Sección de cuerdas («Your Own Worst Enemy»
  y «Girls in Their Summer Clothes»):
Justin Bruns, Jay Christy, Sheela Lyengar, John Meisner,
  William Pu, Christopher Pulgram, Olga Shpitko
  y Kenn Wagner: violines
Amy Chang, Tania Maxwell Clements y Lachlan McBane:
  violas
Karen Freer, Charae Kruege, Daniel Laufer: chelos

Portada
Chris Austopchuk: dirección artística
Danny Clinch: fotografía
Michelle Holme: dirección artística
Mark Seliger: fotografía

Temas
«Radio Nowhere»
«You'll Be Comin' Down»
«Livin' in the Future»
«Your Own Worst Enemy»
«Gypsy Biker»
«Girls in Their Summer Clothes»
«I'll Work for Your Love»
«Magic»
«Last to Die»
«Long Walk Home»
«Devil's Arcade»
«Terry's Song»

Fecha de lanzamiento
2 de octubre de 2007

Sello discográfico y número de catálogo
Columbia 88697 17060 2

Máxima posición en las listas para la fecha de lanzamiento
Estados Unidos: n.º 1; Reino Unido: n.º 1

Notas
Todos los temas compuestos por Bruce Springsteen.
  «Terry's Song» es un tema oculto.
También publicado en Estados Unidos y Europa
  en vinilo (88697 17060 1).

WORKING ON A DREAM 2009

Grabado en Southern Tracks
3051 Clairmont Road NE, Atlanta, Georgia
Grabaciones adicionales en Avatar Studios
441 West 53rd Street, Nueva York
Clinton Studios
180 West 80th Street, Nueva York
Henson Studios
1416 North La Brea Avenue, Hollywood, California
Thrill Hill East (el estudio casero de Springsteen
en Nueva Jersey)
Producido por Brendan O'Brien

Músicos

E Street Band
Bruce Springsteen: voz principal, guitarras,
    armónica, teclados, glockenspiel y percusión
Roy Bittan: piano, órgano y acordeón
Clarence Clemons: saxofón y coros
Danny Federici: órgano
Nils Lofgren: guitarra y coros
Patti Scialfa: coros
Garry Tallent: bajo
Steve Van Zandt: guitarras y coros
Max Weinberg: batería

Músicos adicionales
Jason Federici: acordeón («The Last Carnival»)
Eddie Horst: arreglos de cuerda y vientos («Outlaw
    Pete», «Tomorrow Never Knows», «Kingdom of Days»,
    y «Surprise, Surprise»)
Soozie Tyrell: violín y coros
Patrick Warren: órgano («Outlaw Pete»), piano («This Life»)
    y teclados («Tomorrow Never Knows»)

Portada

Chris Austopchuk: dirección artística
Dave Bett: dirección artística
Danny Clinch: fotografía
Michelle Holme: dirección artística
Jennifer Tzar: fotografía

Temas

«Outlaw Pete»
«My Lucky Day»
«Working on a Dream»
«Queen of the Supermarket»
«What Love Can Do»
«This Life»
«Good Eye»
«Tomorrow Never Knows»
«Life Itself»
«Kingdom of Days»
«Surprise, Surprise»
«The Last Track»
«The Wrestler»

Fecha de lanzamiento

27 de enero de 2009

Sello discográfico y número de catálogo

Columbia 88697 41355 2

Máxima posición en las listas para la fecha de lanzamiento

Estados Unidos: n.º 1; Reino Unido: n.º 1

Notas

Todos los temas compuestos por Bruce Springsteen.
    «The Wrestler» figura como *bonus track*.

También publicado en Estados Unidos y Europa en vinilo
con formato de álbum doble (Estados Unidos: 88697
41355 1/Europa 88697 45316 1).
La «Deluxe Edition» (88697 43931 2) cuenta con el extra
del «Sessions DVD», el cual contiene un videoclip de
un tema adicional –«A Night with the Jersey Devil»
(de Bruce Springsteen con elementos de «Baby Blue», de
Robert Jones y Gene Vincent)– y una videograbación
de cuarenta minutos acerca de la gestación del disco,
en la cual se incluyen filmaciones de interpretaciones de
estudio «My Lucky Day», «Queen of the Supermarket»,
«Kingdom of Days», «Tomorrow Never Knows/What Love
Can Do/This Life», «Life Itself», «Working on a Dream»
y «The Last Carnival».

WRECKING BALL 2012

Grabado en Stone Hill Studio (el estudio casero
de Springsteen en Nueva Jersey)
Grabaciones adicionales en MSR Studios (Studio B)
168 West 48th Street, Nueva York
Producido por Ron Aniello y Bruce Springsteen

Músicos

Bruce Springsteen: voz principal, guitarra, banjo, piano,
    órgano, batería, percusión y *loops*
Ron Aniello: guitarra, bajo, teclados, piano, batería, *loops*
    y coros
Art Baron: bombardino, tuba, sousafón y flauta metálica
    irlandesa
Clarence Clemons: saxofón («Wrecking Ball» y «Land
    of Hope and Dreams»)
Clark Gayton: trombón
Charles Giordano: acordeón, piano y órgano B3
Stan Harrison: clarinete, saxofón alto y saxofón tenor
Dan Levine: trompa alto y bombardino
Lisa Lowell: coros
Ed Manion: saxofón tenor y saxofón barítono
Curt Ramm: trompeta y corneta
Patti Scialfa: coros y arreglos vocales
Soozie Tyrrell: violín y coros
Max Weinberg: batería («Wrecking Ball» y «We Are Alive»)

Músicos adicionales
Tiffeny Andrews: coros («Easy Money»)
Lilly Brown: coros («Easy Money»)
Kevin Buell: batería y coros («Death to My Hometown»)
Corinda Carford: coros («Easy Money»)
Matt Chamberlain: batería y percusión («Shackled and
    Drawn», «Death to My Hometown» y «You've Got It»)
Soloman Cobbs: coros («Easy Money»)
Steve Jordan: percusión («Easy Money»)
Rob Lebret: guitarra eléctrica («Wrecking Ball»), coros («Death
    to My Hometown», «Wrecking Ball» y «You've Got It»)

Greg Leisz: banjo, mandola y *lap steel* («We Are Alive»
    y «You've Got It»)
Darrell Leonard: trompeta y trompeta bajo («We Are Alive»)
Cindy Mizelle: coros («Shackled and Drawn»)
Michelle Moore: coros («Easy Money», «Rocky Ground»
    y «Land of Hope and Dreams»)
Tom Morello: guitarra eléctrica («Jack of All Trades»
    y «This Depression»)
Marc Muller: *pedal steel guitar* («Wrecking Ball»)
New York Chamber Consort: cuerdas («We Take Care
    of Our Own», «Jack of All Trades» y «Wrecking Ball»)
Clif Norrell: coros
Ross Peterson: coros
Antoinette Savage: coros («Easy Money»)
Victorious Gospel Choir: coro («Rocky Ground»
    y «Land of Hope and Dreams»)

Portada

Dave Bett: diseño y dirección artística
Danny Clinch: fotografía
Michelle Holme: diseño y dirección artística

Temas

«We Take Care of Our Own»
«Easy Money»
«Shackled and Drawn»
«Jack of All Trades»
«Death to My Hometown»
«This Depression»
«Wrecking Ball»
«You've Got It»
«Rocky Ground»
«Land of Hope and Dreams»
«We Are Alive»

Fecha de lanzamiento

6 de marzo de 2012

Sello discográfico y número de catálogo

Columbia 88691 94254 2

Máxima posición en las listas para la fecha de lanzamiento

Estados Unidos: n.º 1; Reino Unido: n.º 1

Notas

Todos los temas compuestos por Bruce Springsteen.
    «Shackled and Drawn» contiene elementos de
    «Me and My Baby Got Our Own Thing Going» (de
    James Brown, Lyn Collins, Fred Wesley y Charles Bobbitt);
    «Death To My Hometown» contiene fragmentos de
    «The Last Words of Copernicus» (Alabama Sacred Harp
    Convention); «Rocky Ground» contiene un fragmento
    de «I'm a Soldier in the Army of the Lord» (tradicional);
    «Land of Hope and Dreams» contiene elementos
    de «People Get Ready» (de Curtis Mayfield).
También publicado en Estados Unidos y Europa
    en vinilo con formato de álbum doble (88691 94254 1).
    Incluía una copia del álbum normal en CD.
La «Special Edition» (88691 94836 2) cuenta con
    dos temas extras: «Swallowed Up (in the Belly
    of the Whale» y «American Land» (inspirada en

«He Lies in the American Land», de Andrew Kovaly y Pete Seeger).

HIGH HOPES 2014

Grabado en los siguientes lugares:
Thrill Hill Recording/Stone Hill Studio (el estudio casero de Springsteen en Nueva Jersey), Very Loud House (Los Ángeles), Renegade Studio (Nueva York), Veritas Studio (el estudio casero de Tom Morello en Los Ángeles), Southern Tracks (Atlanta), East West Studios (Los Ángeles), NRG Studios (Los Ángeles), Village Studios (Los Ángeles), Studios 301 (Byron Bay y Sídney, Australia), Record Plant (Los Ángeles), Electric Lady Studios (Nueva York), Avatar Studios (Nueva York), Sear Sound (Nueva York) y Berkeley Street Studio (Santa Mónica)
Producido por Ron Aniello con Bruce Springsteen («Harry's Place», «Down in the Hole» y «Hunter of Invisible Game» por Brendan O'Brien; «Heaven's Wall» por Brendan O'Brien, Ron Aniello y Bruce Springsteen)

Músicos
E Street Band
Bruce Springsteen: voz principal, guitarra, bajo, banjo, mandolina, órgano, piano, sintetizador, vibráfono, armonio, batería y *loops* de percusión
Roy Bittan: piano y órgano
Clarence Clemons: saxofón («Harry's Place» y «Down in the Hole»)
Danny Federici: órgano («Down in the Hole» y «The Wall»)
Nils Lofgren: guitarra y coros
Patti Scialfa: coros
Garry Tallent: bajo
Steve Van Zandt: guitarras y coros
Max Weinberg: batería

Invitado especial
Tom Morello: guitarra y coros (además de voz principal en «The Ghost of Tom Joad»)

Músicos adicionales
Tawatha Agee: coros («Heaven's Wall»)
Ron Aniello: batería y *loops* de percusión, bajo, sintetizadores, guitarra, guitarra de doce cuerdas, percusión, órgano, Farfisa, acordeón y vibráfono
Atlanta Strings: cuerdas («Harry's Place» y «Hunter of Invisible Game»)
Sam Bardfeld: violín («Heaven's Wall», «Frankie Fell in Love» y «This Is Your Sword»)
Everett Bradley: coros y percusión
Jake Clemons: saxofón y coros
Barry Danielian: trompeta
Keith Fluitt: coros («Heaven's Wall»)
Josh Freese: batería («This Is Your Sword»)
Clark Gayton: trombón y tuba
Charles Giordano: órgano, acordeón y teclados
Stan Harrison: saxofón
John James: coros («Heaven's Wall»)

Jeff Kievit: trompeta barroca («Just Like Fire Would»)
Curtis King: coros
Ed Manion: saxofón
Cindy Mizelle: coros
Michelle Moore: coros
New York Chamber Consort: cuerdas («Just Like Fire Would», «Heaven's Wall» y «Dream Baby Dream»)
Curt Ramm: trompeta y corneta
Evan, Jessie y Sam Springsteen: coros («Down in the Hole»)
Al Thornton: coros («Heaven's Wall»)
Scott Tibbs: orquestación de vientos
Soozie Tyrell: violín y coros
Cillian Vallely: gaita irlandesa, *high whistle* y *low whistle* («This Is Your Sword»)
Brenda White: coros («Heaven's Wall»)

Portada
Danny Clinch: fotografía
Michelle Holme: diseño y dirección artística

Temas
«High Hopes»
«Harry's Place»
«American Skin (41 Shots)»
«Just Like Fire Would»
«Down in the Hole»
«Heaven's Wall»
«Frankie Fell in Love»
«This Is Your Sword»
«Hunter of Invisible Game»
«The Ghost of Tom Joad»
«The Wall»
«Dream Baby Dream»

Fecha de lanzamiento
8 de enero de 2014

Sello discográfico y número de catálogo
Columbia 88843 01546 2

Máxima posición en las listas para la fecha de lanzamiento
Estados Unidos: n.º 1; Reino Unido: n.º 1

Notas
Todos los temas compuestos por Bruce Springsteen, excepto los siguientes: «High Hopes» (por Tim Scott McConnell), «Just Like Fire Would» (por Chris J. Bailey) y «Dream Baby Dream» (por Martin Rev y Alan Vega).
También publicado en Estados Unidos y Europa en vinilo con formato de álbum doble (88843 01546 1). Incluía una copia del álbum normal en CD.
La «Limited Edition» (88843 03210 2) cuenta con un DVD extra –*Born in the U.S.A. Live* (88843 02903 2)– en el cual se recoge la interpretación del álbum completo en el londinense Hard Rock Calling, Queen Elizabeth Olympic Park, del 30 de junio de 2013.

ÁLBUMES EN DIRECTO

LIVE/1975–85 1986

Grabado en distintos conciertos realizados entre octubre de 1975 y septiembre de 1985
Producido por Jon Landau, Chuck Plotkin y Bruce Springsteen

Músicos
E Street Band
Bruce Springsteen: voz principal, guitarra eléctrica, armónica y guitarra acústica
Roy Bittan: piano, sintetizador y coros
Clarence Clemons: saxofón, percusión y coros
Danny Federici: órgano, acordeón, glockenspiel, piano, sintetizador y coros
Nils Lofgren (desde 1984): guitarra eléctrica, guitarra acústica y coros
Patti Scialfa (desde 1984): coros y sintetizador
Garry Tallent: bajo y coros
Steve Van Zandt (hasta 1981): guitarra eléctrica, guitarra acústica y coros
Max Weinberg: batería

Músicos adicionales
Flo & Eddie (Howard Kaylan y Mark Volman): coros («Hungry Heart»)
The Miami Horns: vientos («Tenth Avenue Freeze-Out»)

Portada
Sandra Choron: dirección artística
Neal Preston: fotografía de portada

Cara Uno
«Thunder Road»
«Adam Raised a Cain»
«Spirit in the Night»
«4th of July, Asbury Park (Sandy)»

Cara Dos
«Paradise by The 'C'»
«Fire»
«Growin' Up»
«It's Hard to Be a Saint in the City»

Cara Tres
«Backstreets»
«Rosalita (Come Out Tonight)»
«Raise Your Hand»

Cara Cuatro
«Hungry Heart»
«Two Hearts»
«Cadillac Ranch»
«You Can Look (But You Better Not Touch)»
«Independence Day»

Cara Cinco
«Badlands»
«Because the Night»
«Candy's Room»

«Darkness on the Edge of Town»
«Racing in the Street»

Cara Seis
«This Land Is Your Land»
«Nebraska»
«Johnny 99»
«Reason to Believe»

Cara Siete
«Born in the U.S.A.»
«Seeds»
«The River»

Cara Ocho
«War»
«Darlington County»
«Working on the Highway»
«The Promised Land»

Cara Nueve
«Cover Me»
«I'm on Fire»
«Bobby Jean»
«My Hometown»

Cara Diez
«Born to Run»
«No Surrender»
«Tenth Avenue Freeze-Out»
«Jersey Girl»

Fecha de lanzamiento
19 de noviembre de 1986

Sello discográfico y números de catálogo
Vinilo: Estados Unidos: Columbia C5X 40558;
    Reino Unido: CBS 450227 1
CD: Estados Unidos: Columbia C3K 40558;
    Reino Unido: CBS 450227 2

**Máxima posición en las listas para la fecha
    de lanzamiento**
Estados Unidos: n.º 1; Reino Unido: n.º 4

Notas
Todos los temas compuestos por Bruce Springsteen,
    excepto los siguientes: «Raise Your Hand» (por Steve
    Cropper, Eddie Floyd y Alvertis Isbell), «Because the
    Night» (por Bruce Springsteen y Patti Smith), «This
    Land Is Your Land» (por Woody Guthrie), «War» (por
    Barrett Strong y Norman Whitfield) y «Jersey Girl»
    (por Tom Waits).
Reeditado con un nuevo formato en Estados Unidos
    en 1997 (C3K 65328) y en Estados Unidos y Europa en
    2002 (Estados Unidos: C3K 86570; Europa: 508125 2).

IN CONCERT/MTV PLUGGED 1993
Grabado en Warner Hollywood Studios, Los Ángeles,
    22 de septiembre de 1992
Producido por Jon Landau y Bruce Springsteen

Músicos
Bruce Springsteen: voz principal, guitarra solista
    y rítmica y armónica
Zachary Alford: batería
Roy Bittan: teclados
Gia Ciambotti: coros
Carol Dennis: coros
Shane Fontayne: guitarra solista y rítmica
Cleopatra Kennedy: coros
Bobby King: coros
Angel Rogers: coros
Patti Scialfa: guitarra acústica y armonías vocales
    («Human Touch»)
Tommy Sims: bajo
Crystal Taliefero: guitarra acústica, percusión y coros

Portada
Sandra Choron: dirección artística
Neal Preston: fotografía de portada

Cara Uno
«Red Headed Woman»
«Better Days»
«Atlantic City»
«Darkness on the Edge of Town»

Cara Dos
«Man's Job»
«Human Touch»
«Lucky Town»

Cara Tres
«I Wish I Were Blind»
«Thunder Road»
«Light of Day»

Cara Cuatro
«If I Should Fall Behind»
«Living Proof»
«My Beautiful Reward»

Fecha de lanzamiento
12 de abril de 1993

Sello discográfico y números de catálogo
Vinilo: solo en Europa COL 473860 1
CD: Estados Unidos: COL CK 68730; Europa: COL 473860 2

**Máxima posición en las listas para la fecha
    de lanzamiento**
Estados Unidos: n.º 189; Reino Unido: n.º 4

Notas
Todos los temas compuestos por Bruce Springsteen.
Publicado primero en Estados Unidos en agosto
    de 1997.
La videograbación de esta actuación se publicó primero
    en una cinta VHS de 120 minutos en diciembre de 1992
    con el siguiente repertorio: «Red headed Woman»/«Better
    Days»/«Local Hero»/«Atlantic City»/«Darkness on the
    Edge of Town»/«Man's Job»/«Growin' Up»/«Human
    Touch»/«Lucky Town»/«I Wish I Were Blind»/«Thunder

Road»/«Light of Day»/«The Big Muddy»/«57 Channels
    (and Nothin' On)»/«My Beautiful Reward»/«Glory Days»,
    además de los siguientes temas que no figuraban en
    el concierto de la MTV: «Living Proof», «If I Should Fall
    Behind» y «Roll Of The Dice». Se reeditó en DVD
    en noviembre de 2004.

LIVE IN NEW YORK CITY 2001
Grabado en el Madison Square Garden, Nueva York,
    29 de junio y 1 de julio de 2000
Producido por Bruce Springsteen y Chuck Plotkin

Músicos
E Street Band
Bruce Springsteen: voz principal, guitarras y armónica
Roy Bittan: teclados
Clarence Clemons: percusión y saxofón
Danny Federici: teclados
Nils Lofgren: guitarra eléctrica y coros
Patti Scialfa: coros y guitarra acústica
Garry Tallent: bajo
Steve Van Zandt: guitarra eléctrica y coros
Max Weinberg: batería

Portada
Sandra Choron: dirección artística
Neal Preston: fotografía de portada

Disco Uno
«My Love Will Not Let You Down»
«Prove It All Night»
«Two Hearts»
«Atlantic City»
«Mansion on the Hill»
«The River»
«Youngstown»
«Murder Incorporated»
«Badlands»
«Out in the Street»
«Born to Run»

Disco Dos
«Tenth Avenue Freeze-Out»
«Land of Hope and Dreams»
«American Skin (41 Shots)»
«Lost in the Flood»
«Born in the U.S.A.»
«Don't Look Back»
«Jungleland»
«Ramrod»
«If I Should Fall Behind»

Fecha de lanzamiento
27 de marzo de 2001

Sello discográfico y números de catálogo
Estados Unidos: COL C2K 85490; Europa: COL 500000 2

**Máxima posición en las listas para la fecha
    de lanzamiento**
Estados Unidos: n.º 5; Reino Unido: n.º 12

Notas

Todos los temas compuestos por Bruce Springsteen. «Two Hearts» incluye una breve interpretación de «It Takes Two» (de Sylvia Moy y William *Mickey* Stevenson); «Tenth Avenue Freeze-Out» incorpora partes de «Take Me to the River» (de Al Green y Mabon *Teenie* Hodges), «It's All Right» (de Curtis Mayfield) y «Rumble Doll» (de Patti Scialfa).

También lanzado en 2001 en vinilo con formato de álbum triple (Estados Unidos: COL C3 85490; Europa: COL 500000 1).

La versión homónima en dos DVD (SONY 54071 9) contenía en el primer disco una entrevista especial que Bob Costas hizo al grupo, además de videograbaciones de los siguientes temas: «My Love Will Not Let You Down»/«Prove It All Night"/«Two Hearts»/«Atlantic City»/«Mansion on the Hill»/«The River»/«Youngstown»/«Murder Incorporated»/«Badlands»/«Out in the Street»/«Tenth Avenue Freeze-Out»/«Born to Run»/«Land of Hope and Dreams»/«American Skin (41 Shots)». En el segundo disco se incluyeron actuaciones nunca antes vistas de los siguiente temas: «Backstreets»/«Don't Look Back»/«Darkness on the Edge of Town»/«Lost in the Flood»/«Born in the U.S.A.»/«Jungleland»/«Light of Day»/«The Promise»/«Thunder Road»/«Ramrod»/«If I Should Fall Behind». En la misma caja que el DVD se incluía un CD extra de edición limitada con «My Hometown» y «This Hard Land».

HAMMERSMITH ODEON LONDON '75
2006

Grabado en el Hammersmith Odeon, Londres, 18 de noviembre de 1975
Producido por Bruce Springsteen y Jon Landau

Músicos

E Street Band
Bruce Springsteen: voz principal, guitarras y armónica
Roy Bittan: piano y coros
Clarence Clemons: percusión y saxofón
Danny Federici: teclados
Garry Tallent: bajo
Steve Van Zandt: guitarras, *slide guitar* y coros
Max Weinberg: batería

Portada

Christopher Austopchuk: dirección artística
Dave Bett: dirección artística
Michelle Holme: dirección artística

Disco Uno

«Thunder Road»
«Tenth Avenue Freeze-Out»
«Spirit in the Night»
«Lost in the Flood»
«She's the One»
«Born to Run»
«The E Street Shuffle»
«It's Hard to Be a Saint in the City»
«Kitty's Back»
«Backstreets»

Disco Dos

«Jungleland»
«Rosalita (Come Out Tonight)»
«4th of July, Asbury Park (Sandy)»
«Detroit Medley»
«For You»
«Quarter to Three»

Fecha de lanzamiento

28 de febrero de 2006

Sello discográfico y número de catálogo

Columbia 82876 77995 2

Máxima posición en las listas para la fecha de lanzamiento

Estados Unidos: n.º 93; Reino Unido: n.º 33

Notas

Todos los temas compuestos por Bruce Springsteen, excepto los siguientes: «Detroit Medley» –que consiste en «Devil with a Blue Dress On» (de William Stevenson y Frederick *Shorty* Long), «C. C. Rider» (de Gertrude *Ma* Rainey y Lena Arant), «Good Golly Miss Molly» (de Robert Blackwell y John Marascalco) y «Jenny Takes a Ride» (de Bob Crewe, Enotris Johnson y Richard Penniman)– y «Quarter to Three» (de Gene Barge, Frank J. Guida, Joseph F. Royster y Gary Anderson). «Spirit in the Night» contiene una sección de «Stagger Lee» (tradicional); «The E Street Shuffle» contiene una parte de «Having a Party» (de Sam Cooke); «Kitty's Back» contiene una parte de «Moondance» (de Van Morrison); «Rosalita (Come Out Tonight)» contiene partes de «Come a Little Closer» (de Tommy Boyce, Bobby Hart y Wes Ferrell) y «Theme From *Shaft*» (de Isaac Hayes).

Publicado primero a modo de DVD en noviembre de 2005 como parte del *box set* conmemorativo del trigésimo aniversario de *Born to Run* (C3K 94175).

LIVE IN DUBLIN 2007

Grabado en el Point Theatre, Dublín, 17-19 de noviembre de 2006
Producido por Bruce Springsteen y Jon Landau

Músicos

The Sessions Band
Bruce Springsteen: voz principal, guitarra y armónica
Sam Bardfield: violín y coros
Art Baron: sousafón, trombón, mandolina, flauta metálica irlandesa y bombardino
Frank Bruno: guitarra acústica, tambor de marcha y coros
Jeremy Chatzky: contrabajo y bajo
Larry Eagle: batería y percusión
Clark Gayton: trombón, percusión y coros
Charles Giordano: acordeón, piano, órgano Hammond y coros
Curtis King hijo: percusión y coros
Greg Leisz: banjo y coros
Lisa Lowell: coros y percusión

Ed Manion: saxofón tenor, saxofón barítono, percusión y coros
Cindy Mizelle: coros y percusión
Curt Ramm: trompeta, percusión y coros
Marty Rifkin: *steel guitar*, dobro y mandolina
Patti Scialfa: guitarra acústica y coros
Soozie Tyrell: violín y coros

Portada

Christopher Austopchuk: dirección artística
Michelle Holme: diseño y dirección artística

Disco Uno

«Atlantic City»
«Old Dan Tucker»
«Eyes on the Prize»
«Jesse James»
«Further on (up the Road)»
«O Mary Don't You Weep»
«Erie Canal»
«If I Should Fall Behind»
«My Oklahoma Home»
«Highway Patrolman»
«Mrs. McGrath»
«How Can a Poor Man Stand Such Times and Live»
«Jacob's Ladder»

Disco Dos

«Long Time Comin'»
«Open All Night»
«Pay Me My Money down»
«Growin' Up»
«When the Saints Go Marching In»
«This Little Light of Mine»
«American Land»
«Blinded by the Light»
«Love of the Common People»
«We Shall Overcome»

Fecha de lanzamiento

5 de junio de 2007

Sello discográfico y números de catálogo

Estados Unidos: COL 886970958226; Europa: COL 88697095822

Máxima posición en las listas para la fecha de lanzamiento

Estados Unidos: n.º 23; Reino Unido: n.º 21

Notas

Consúltese el listado de *We Shall Overcome: The Seeger Sessions* para ver los créditos de ese álbum. Todos los demás temas compuestos por Bruce Springsteen, excepto los siguientes: «When the Saints Go Marching In» y «This Little Light of Mine» (tradicionales), y «Love Of the Common People» (de John Hurley y Ronnie Wilkins). Los tres últimos temas del segundo disco figuran como extras.

También publicado en formato DVD (Estados Unidos: COL 886971013924; Europa: COL 88697108762).

Existe una edición especial del DVD con el que se gratificó a quienes realizaron donativos a la cadena de televisión PBS. Contiene las siguientes canciones extras: «Bobby Jean»/«The Ghost of Tom Joad»/«Johnny 99»/«For You»/«My City of Ruins».

ÁLBUMES RECOPILATORIOS

GREATEST HITS

Lanzado el 28 de febrero de 1995
Estados Unidos: COL C2 67060; Europa:
COL 478555 2
Estados Unidos: n.º 1; Reino Unido: n.º 1

Temas
«Born to Run»
«Thunder Road»
«Badlands»
«The River»
«Hungry Heart»
«Atlantic City»
«Dancing in the Dark»
«Born in the U.S.A.»
«My Hometown»
«Glory Days»
«Brilliant Disguise»
«Human Touch»
«Better Days»
«Streets of Philadelphia»
«Secret Garden»
«Murder Incorporated»
«Blood Brothers»
«This Hard Land»

Notas
Todos los temas compuestos por Bruce Springsteen.

TRACKS

Lanzado el 10 de noviembre de 1998
Estados Unidos: COL CXK 69475; Europa: COL 492605 2
Estados Unidos: n.º 27; Reino Unido: n.º 50

Disco Uno
«Mary Queen of Arkansas»
«It's Hard to Be a Saint in the City»
«Growin' Up»
«Does this Bus Stop at 82nd Street?»
«Bishop Danced»
«Santa Ana»
«Seaside Bar Song»
«Zero and Blind Terry»
«Linda Let Me Be the One»
«Thundercrack»
«Rendezvous»
«Give the Girl a Kiss»
«Iceman»
«Bring On the Night»
«So Young and in Love»

«Hearts of Stone»
«Don't Look Back»

Disco Dos
«Restless Night»
«A Good Man Is Hard to Find (Pittsburgh)»
«Roulette»
«Dollhouse»
«Where the Bands Are»
«Loose Ends»
«Living on the Edge of the World»
«Wages of Sin»
«Take 'Em as They Come»
«Be True»
«Ricky Wants a Man of Her Own»
«I Wanna Be with You»
«Mary Lou»
«Stolen Car»
«Born in the U.S.A.»
«Johnny Bye-Bye»
«Shut Out the Light»

Disco Tres
«Cynthia»
«My Love Will Not Let You Down»
«This Hard Land»
«Frankie»
«TV Movie»
«Stand On It»
«Lion's Den»
«Car Wash»
«Rockaway the Days»
«Brothers Under the Bridges ('83)»
«Man at the Top»
«Pink Cadillac»
«Two for the Road»
«Janey, Don't You Lose Heart»
«When You Need Me»
«The Wish»
«The Honeymooners»
«Lucky Man»

Disco Cuatro
«Leavin' Train»
«Seven Angels»
«Gave It a Name»
«Sad Eye»
«My Lover Man»
«Over the Rise»
«When the Lights Go Out»
«Loose Change»
«Trouble in Paradise»
«Happy»
«Part Man, Part Monkey»
«Goin' Cali»
«Back in Your Arms»
«Brothers Under the Bridge»

Notas
Todos los temas compuestos por Bruce Springsteen.

18 TRACKS

Lanzado el 13 de abril de 1999
COL 494200 2
Estados Unidos: n.º 64; Reino Unido: n.º 23

Temas
«Growin' Up»
«Seaside Bar Song»
«Rendezvous»
«Hearts of Stone»
«Where the Bands Are»
«Loose Ends»
«I Wanna Be with You»
«Born in the U.S.A.»
«My Love Will Not Let You Down»
«Lion's Den»
«Pink Cadillac»
«Janey, Don't You Lose Heart»
«Sad Eyes»
«Part Man, Part Monkey»
«Trouble River»
«Brothers Under the Bridge»
«The Fever»
«The Promise»

Notas
Todos los temas compuestos por Bruce Springsteen.

THE ESSENTIAL BRUCE SPRINGSTEEN

Lanzado el 11 de noviembre de 2003
Estados Unidos: COL C2K 90773; Europa: COL 513700 9
Estados Unidos: n.º 14; Reino Unido: n.º 28

Disco Uno
«Blinded by the Light»
«For You»
«Spirit in the Night»
«4th of July, Asbury Park (Sandy)»
«Rosalita (Come Out Tonight)»
«Thunder Road»
«Born to Run»
«Jungleland»
«Badlands»
«Darkness on the Edge of Town»
«The Promised Land»
«The River»
«Hungry Heart»
«Nebraska»
«Atlantic City»

Disco Dos
«Born in the U.S.A.»
«Glory Days»
«Dancing in the Dark»
«Tunnel of Love»
«Brilliant Disguise»
«Human Touch»
«Living Proof»
«Lucky Town»
«Streets of Philadelphia»
«The Ghost of Tom Joad»

«The Rising»
«Mary's Place»
«Lonesome Day»
«American Skin (41 Shots) (Live)»
«Land of Hope and Dreams (Live)»

Disco extra
«From Small Things (Big Things One Day Come)»
«The Big Payback»
«Held Up Without a Gun (Live)»
«Trapped (Live)»
«None But the Brave»
«Missing»
«Lift Me Up»
«Viva Las Vegas»
«County Fair»
«Code of Silence (Live)»
«Dead Man Walkin'»
«Countin' on a Miracle (Acoustic)»

Notas
Todos los temas compuestos por Bruce Springsteen, excepto los siguientes: «Trapped (Live)» (de Jimmy Cliff), «Viva Las Vegas» (de Doc Pomus y Mort Shuman) y «Code of Silence (Live)» (de Bruce Springsteen and Joe Grushecky).
Reeditado en Europa en formato de CD doble sin el disco extra en 2003 (COL 513700 2) y 2011 (COL 88697973592).

GREATEST HITS (BRUCE SPRINGSTEEN AND THE E STREET BAND)
Lanzado el 13 de enero de 2009
Estados Unidos: COL 88697439302; Europa: COL 88697532812
Estados Unidos: n.º 43; Reino Unido: n.º 3

Temas
«Blinded by the Light»
«Rosalita (Come Out Tonight)»
«Born to Run»
«Thunder Road»
«Badlands»
«Darkness on the Edge of Town»
«Hungry Heart»
«The River»
«Born in the U.S.A.»
«Glory Days»
«Dancing in the Dark»
«The Rising»
«Lonesome Day»
«Radio Nowhere»

Notas
Todos los temas compuestos por Bruce Springsteen.
La edición estadounidense se distribuyó al principio en exclusiva para Wal-Mart. La European Limited tour edition incluye «Long Walk Home» como último tema, así como dos canciones extra: «Because the Night (Live)» (de Bruce Springsteen y Patti Smith) y «Fire (Live)».
Asimismo, el tema «Blinded by the light» aparece solo en la edición europea.

THE PROMISE
Lanzado el 16 de noviembre de 2010
COL 88697 76177 2
Estados Unidos: n.º 16; Reino Unido: n.º 7

Disco Uno
«Racing in the Street ('78)»
«Gotta Get that Feeling»
«Outside Looking In»
«Someday (We'll Be Together)»
«One Way Street»
«Because the Night»
«Wrong Side of the Street»
«The Brokenhearted»
«Rendezvous»
«Candy's Boy»

Disco Dos
«Save My Love»
«Ain't Good Enough for You»
«Fire»
«Spanish Eye»
«It's a Shame»
«Come On (Let's Go Tonight)»
«Talk to Me»
«The Little Things (My Baby Does)»
«Breakaway»
«The Promise»
«City of Night»

Notas
Todos los temas compuestos por Bruce Springsteen, excepto «Because the Night» (por Bruce Springsteen y Patti Smith).
Al final del segundo disco hay un tema oculto: «The Way».
El estuche de seis discos titulado *The Promise: The Darkness on the Edge of Town Story* (Estados Unidos: 88697 76525 2; Europa: 88697 78230 2) se publicó el mismo día. Además del recopilatorio de dos CD descrito, incluía lo siguiente: CD remasterizado del álbum original; documental en DVD, *The Promise: The Making of Darkness on the Edge of Town*; un DVD con un directo de 2009 en el que tocaron el disco entero en el Paramount Theater, Asbury Park, así como videograbaciones de archivo con ensayos, sesiones y conciertos entre 1976 y 1978, y un DVD con un concierto completo: *Houston '78 Bootleg: House Cut*.

COLLECTION: 1973-2012
Lanzado el 8 de marzo de 2013
Australia/Europa: COL 88765 453852
En Estados Unidos no se publicó y en el Reino Unido no entró en las listas

Temas
«Rosalita (Come Out Tonight)»
«Thunder Road»
«Born to Run»
«Badlands»
«The Promised Land»
«Hungry Heart»
«Atlantic City»

«Born in the U.S.A.»
«Dancing in the Dark»
«Brilliant Disguise»
«Human Touch»
«Streets of Philadelphia»
«The Ghost of Tom Joad»
«The Rising»
«Radio Nowhere»
«Working on a Dream»
«We Take Care of Our Own»
«Wrecking Ball»

Notas
Todos los temas compuestos por Bruce Springsteen.
Publicado al principio solo en Australia a modo de edición limitada de la gira. En Europa salió en abril de 2013. Aunque no se publicó de manera oficial en Estados Unidos, sí que se repartió de manera gratuita (88765 456062) entre los asistentes a los premios MusiCares Person of the Year de 2013.

CHAPTER AND VERSE
Publicado el 23 de septiembre de 2016
COL 88985358211
Estados Unidos: n.º 5; Reino Unido: n.º 2

Temas
«Baby I» (interpretado por The Castiles y compuesto por Bruce Springsteen y George Theiss)
«You Can't Judge a Book by the Cover» (interpretado por The Castiles y compuesto por Willie Dixon)
«He's Guilty (The Judge Song)» (interpretado por Steel Mill)
«Ballad of Jesse James» (interpretado por The Bruce Springsteen Band)
«Henry Boy»
«Growin' Up»
«4th of July, Asbury Park (Sandy)»
«Born to Run»
«Badlands»
«The River»
«My Father's House»
«Born in the U.S.A.»
«Brilliant Disguise»
«Living Proof»
«The Ghost of Tom Joad»
«The Rising»
«Long Time Comin'»
«Wrecking Ball»

Notas
Todos los temas compuestos por Bruce Springsteen excepto los siguientes: «Baby I», compuesto por Bruce Springsteen y George Theiss, y «You Can't Judge a Book by the Cover», por Willie Dixon.
Este álbum se publicó de modo que coincidiera con la autobiografía de Springsteen, titulada *Born to Run*.
Los primeros cinco temas no se habían publicado con anterioridad.

SINGLES Y EP

Esta selección no pretende ser exhaustiva y no se incluyen en ella, por ejemplo, promos, reediciones ni todas las caras B alternativas.

1973

«Blinded by the Light»/«The Angel» (en Estados Unidos no entró en las listas)

«Spirit in the Night»/«For You» (en Estados Unidos no entró en las listas)

1974

«4th of July, Asbury Park (Sandy)»/«The E Street Shuffle» (Alemania)

1975

«Born to Run»/«Meeting Across the River» (Estados Unidos: n.º 23; Reino Unido: n.º 93)

«Tenth Avenue Freeze-Out»/«She's the One» (Estados Unidos: n.º 83; en el Reino Unido no entró en las listas)

«Rosalita (Come Out Tonight)»/«Night» (Países Bajos)

1978

«Prove It All Night»/«Factory» (Estados Unidos: n.º 33; en el Reino Unido no entró en las listas)

«Badlands»/«Streets of Fire» (Estados Unidos: n.º 42; en el Reino Unido no entró en las listas)

«The Promised Land»/«Streets of Fire» (Europa)

1980

«Hungry Heart»/«Held Up Without a Gun» (Estados Unidos: n.º 5; Reino Unido: n.º 44)

1981

«Fade Away»/«Be True» (Estados Unidos: n.º 20)

«Sherry Darling»/«Be True» (en el Reino Unido no entró en las listas)

«Cadillac Ranch»/«Wreck on the Highway» (en el Reino Unido no entró en las listas)

«I Wanna Marry You»/«Be True» (Japón)

«The River»/«Independence Day» (Reino Unido: n.º 35)

«Point Blank»/«Ramrod» (Europa)

«The Ties That Bind»/«I'm a Rocker» (Sudáfrica)

1982

«Atlantic City»/«Mansion on the Hill» (Europa y Canadá)

«Open All Night»/«The Big Payback» (Europa)

1984

«Dancing in the Dark»/«Pink Cadillac» (Estados Unidos: n.º 2; Reino Unido: n.º 4)

«Cover Me»/«Jersey Girl (Live)» (Estados Unidos: n.º 7; Reino Unido: n.º 16)

«Born in the U.S.A.»/«Shut Out the Light» (Estados Unidos: n.º 9)

1985

«I'm on Fire»/«Johnny Bye Bye» (Estados Unidos: n.º 6)

«I'm on Fire»/«Born in the U.S.A» (cara A doble; Estados Unidos: n.º 5)

«Glory Days»/«Stand On It» (Estados Unidos: n.º 5; Reino Unido: n.º 17)

«I'm Going Down»/«Janey, Don't You Lose Heart» (Estados Unidos: n.º 9)

«My Hometown»/«Santa Claus Is Coming to Town (Live)» (Estados Unidos: n.º 6; Reino Unido: n.º 9)

1986

«War (Live)»/«Merry Christmas Baby (Live)» (Estados Unidos: n.º 8; Reino Unido: n.º 18)

1987

«Fire (Live)»/«Incident on 57th Street (Live)» (Estados Unidos: n.º 46)

«Fire (Live)»/«Incident on 57th Street (Live)» (Estados Unidos: n.º 54)

«Born to Run (Live)»/«Johnny 99 (Live)» (Reino Unido: n.º 16)

«Brilliant Disguise»/«Lucky Man» (Estados Unidos: n.º 5; Reino Unido: n.º 20)

«Tunnel of Love»/«Two for the Road» (Estados Unidos: n.º 9; Reino Unido: n.º 45)

1988

«One Step Up»/«Roulette» (Estados Unidos: n.º13)

«Tougher than the Rest»/«Tougher than the Rest (Live)» (Reino Unido: n.º 13)

EP *Chimes of Freedom*: «Tougher than the Rest (Live)»/«Be True (Live)»/«Chimes Of Freedom (Live)»/«Born to Run (Live)»

«Spare Parts»/«Spare Parts (Live)» (Reino Unido: n.º 32)

1992

«Human Touch»/«Better Days» (cara A doble; Estados Unidos: n.º 16)

«Human Touch»/«Souls of the Departed» «Better Days»/«Tougher than the Rest (Live)» (Reino Unido: n.º 34)

«57 Channels (and Nothin' On)»/«Part Man, Part Monkey» (Estados Unidos: n.º 68)

«57 Channels (and Nothin' On)»/«Stand On It» (Reino Unido: n.º 32)

«Leap of Faith»/«Leap of Faith (Live)» (Reino Unido: n.º 46)

«If I Should Fall Behind»/If I Should Fall Behind» (en el Reino Unido no entró en las listas)

1993

«Lucky Town»/«Leap of Faith (Live)» (Europa)

«Lucky Town (Live)»/«Lucky Town» (Reino Unido: n.º 48)

1994

«Streets of Philadelphia»/«If I Should Fall Behind (Live)» (Estados Unidos: n.º 9; Reino Unido: n.º 2)

1995

«Murder Incorporated»/«Because the Night (Live)» (Europa)

«Secret Garden»/«Thunder Road (Live)» (Estados Unidos: n.º 63; Reino Unido: n.º 44)

«Hungry Heart»/«Streets of Philadelphia (Live)» (Reino Unido: n.º 28)

1996

«The Ghost of Tom Joad»/«Straight Time (Live)» (Reino Unido: n.º 26)

«Dead Man Walkin'»/«This Hard Land (Live)» (Europa)

«Missing»/«Darkness on the Edge of Town (Live)» (Europa)

EP *Blood Brothers*: «Blood Brothers»/«High Hopes»/«Murder Incorporated (Live)»/«Secret Garden (String Version)»/«Without You»

1999

«Sad Eyes»/«Missing» (Europa)

«I Wanna Be with You»/«Where the Bands Are»/«Born in the U.S.A.»/«Back in Your Arms Again» (Europa y Japón)

2002

«The Rising»/«Land of Hope and Dreams (Live)» (Estados Unidos: n.º 52; Reino Unido: n.º 94)

«Lonesome Day»/«Spirit in the Night (Live)»/«The Rising (Live)»/«Lonesome Day (Vídeo)» (en Estados Unidos no entró en las listas; Reino Unido: n.º 39)

2003

«Waitin' on a Sunny Day»/«Born to Run (Live)»/«Darkness on the Edge of Town (Live)»/«Thunder Road (Live)» (en el Reino Unido no entró en las listas)

2005

«Devils & Dust» (formato descargable; Estados Unidos: n.º 72)

2007

«Radio Nowhere» (formato descargable; Estados Unidos: n.º 102; Reino Unido: n.º 96)

2008

«Girls in Their Summer Clothes (Winter Mix)»/«Girls in Their Summer Clothes (Album Version)»/«Girls in Their Summer Clothes (Vídeo)» (paquete descargable; Estados Unidos: n.º 52; Reino Unido: n.º 94)

EP *Magic Tour Highlights*: «Always a Friend (with Alejandro Escovedo)»/«The Ghost of Tom Joad (with Tom Morello)»/«Turn! Turn! Turn! (with Roger McGuinn)»/«4th of July, Asbury Park (Sandy)» (último concierto de Danny Federici con la E Street Band; Estados Unidos: n.º 48)

«Working on a Dream» (formato descargable; Estados Unidos: n.º 95; Reino Unido: n.º 133)

«My Lucky Day» (formato descargable; en Estados Unidos no entró en las listas; en el Reino Unido no entró en las listas)

«The Wrestler» (formato descargable; Estados Unidos: n.º 120; Reino Unido: n.º 93)

2009

«What Love Can Do»/«A Night with the Jersey Devil» (single de siete pulgadas en edición limitada para el Record Store Day de 2009)

2010

«Wrecking Ball (Live)»/«The Ghost of Tom Joad (Live with Tom Morello)» (single de diez pulgadas en edición limitada para el Record Store Day de 2010)

«Save My Love»/«Because the Night» (single de siete pulgadas en edición limitada para el Record Store Day de 2010)

2011

Live from the Carousel: «Gotta Get That Feeling»/«Racing in the Street ('78) (single de siete pulgadas en edición limitada para el Record Store Day de 2011)

2012

«We Take Care of Our Own» (formato descargable; Estados Unidos: n.º 106; Reino Unido: n.º 111)

«Death to My Hometown» (formato descargable; en Estados Unidos no entró en las listas; en el Reino Unido no entró en las listas)

«Rocky Ground»/«The Promise (Live)» (single de siete pulgadas en edición limitada para el Record Store Day de 2012)

2013

«High Hopes» (formato descargable; en Estados Unidos no llegó a las listas; Reino Unido: n.º 167)

2014

«Just Like Fire Would» (formato descargable; Estados Unidos: no llegó a las listas; Reino Unido: no llegó a las listas)

American Beauty: «American Beauty»/Mary Mary»/ «Hurry Up Sundown»/«Hey Blue Eyes» (edición limitada 12 EP 2014 Record Store Day)

GRABACIONES CON OTROS ARTISTAS

Se incluyen en esta lista las grabaciones de Springsteen que no se encuentran en sus propios discos.

1979

No Nukes (Musicians United for Safe Energy)
«Stay» (con Jackson Browne y Rosemary Butler) y «Devil with the Blue Dress Medley»

1987

A Very Special Christmas
«Merry Christmas Baby»

1988

Folkways: A Vision Shared
«I Ain't Got No Home» y «Vigilante Man»

1990

Harry Chapin Tribute
«Remember When the Music»

1991

For Our Children
«Chicken Lips and Lizard Hips»

1994

A Tribute to Curtis Mayfield
«Gypsy Woman»

1996

The Concert for the Rock and Roll Hall of Fame
«Shake, Rattle and Roll», «Great Balls of Fire» y «Whole Lotta Shakin' Goin' On» (todas con Jerry Lee Lewis)

1998

Where Have All the Flowers Gone: The Songs of Pete Seeger
«We Shall Overcome»

2000

Til We Outnumber 'Em
«Riding My Car» y «Deportee (Plane Wreck at Los Gatos)»

2001

America: A Tribute to Heroes
«My City of Ruins (Live)»

2002

Kindred Spirits: A Tribute to the Songs of Johnny Cash
«Give My Love to Rose»

2004

Enjoy Every Sandwich: The Songs of Warren Zevon
«My Ride's Here»

2007

We All Love Ennio Morricone
«Once Upon a Time in the West»
Sowing the Seeds: The 10th Anniversary
«The Ghost of Tom Joad» (con Pete Seeger)
Give Us Your Poor
«Hobo's Lullaby» (con la Sessions Band y Pete Seeger)

2010

The 25th Anniversary Rock & Roll Hall Of Fame Concerts (box set)
«The Ghost of Tom Joad» (con Tom Morello), «Fortunate Son» (con John Fogerty), «Oh, Pretty Woman» (con John Fogerty), «Jungleland», «A Fine Fine Boy» (con Darlene Love), «London Calling» (con Tom Morello), «New York State of Mind» (con Billy Joel), «Born to Run» (con Billy Joel), «(Your Love Keeps Lifting Me) Higher and Higher» (con Darlene Love, John Fogerty, Sam Moore, Billy Joel y Tom Morello), «Because the Night» (con U2, Patti Smith y Roy Bittan) y «I Still Haven't Found What I'm Looking For» (con U2)
Hope for Haiti Now
«We Shall Overcome (Live)»

2011

The Bridge School Concerts 25th Anniversary Edition
«Born in the U.S.A. (Live)»

2013

12-12-12: The Concert for Sandy Relief
«Land of Hope and Dreams (Live)»
«Wrecking Ball (Live)»

2014

Looking into You: A Tribute to Jackson Browne
«Linda Paloma» (con Patti Scialfa)

APARICIONES COMO INVITADO

1977

Ronnie Spector y la E Street Band: «Say Goodbye to Hollywood»/«Baby, Please Don't Go» guitarra acústica

1978

Robert Gordon con Link Wray: *Fresh Fish Special* piano en «Fire»
The Dictators: *Bloodbrothers*, voz en «Faster and Louder»
Lou Reed: *Street Hassle*, texto recitado en «Street Hassle»

1980

Graham Parker: *The Up Escalator*, coros en «Endless Night» y «Paralyzed»

1981

Gary U.S. Bonds: *Dedication*, coproductor y cocantante principal en «Jolé Blon» y guitarra y voz en «This Little Girl»

1982

Gary U.S. Bonds: *On the Line*, coproductor
Donna Summer: *Donna Summer*, guitarra y coros en «Protection»
Little Steven and The Disciples of Soul: *Men Without Women*, armonías vocales en «Men without Women», «Angel Eyes» y «Until the Good Is Gone»

1983

Clarence Clemons and The Red Bank Rockers: *Rescue* productor, guitarra en «Savin' Up» y en «Summer on Signal Hill»

1985

U.S.A for Africa: *We Are the World*, participación vocal en «We Are the World»
Artists United Against Apartheid: *Sun City*, participación vocal en «Sun City»

1986

Jersey Artists for Mankind: «We've Got the Love», solo de guitarra

1987

Little Steven: *Freedom–No Compromise*, cocantante principal en «Native American»

1989

Roy Orbison and Friends: *A Black and White Night Live,* guitarra y coros

L. Shankar with The Epidemics: *Eye Catcher,* armónica en «Up to You»

1991

Nils Lofgren: *Silver Lining,* coros en «Valentine»

Southside Johnny and The Asbury Jukes: *Better Days,* cocantante principal en «It's Been a Long Time» y teclados, guitarras y coros en «All the Way Home»

John Prine: *The Missing Years,* coros en «Take a Look at My Heart»

1993

Patti Scialfa: *Rumble Doll,* guitarra y teclados

1995

Elliott Murphy: *Selling the Gold,* cantante invitado en «Everything I Do (Leads Me Back to You)»

Joe Ely: *Letter to Laredo,* coros en «All Just to Get to You» y «I'm a Thousand Miles from Home»

Joe Grushecky and The Houserockers: *American Babylon* productor y coros

1999

Mike Ness: *Cheating at Solitaire,* voz y guitarra en «Misery Loves Company»

Joe Grushecky and The Houserockers: *Down the Road Apiece–Live,* guitarra y voz en «Talking to the King», «Pumping Iron» y «Down the Road Apiece»

2000

Emmylou Harris: *Red Dirt Girl,* armonía vocal en «Tragedy»

John Wesley Harding: *Awake,* cocantante principal en «Wreck on the Highway»

2002

Marah: *Float Away with the Friday Night Gods,* coros y solo de guitarra en «Float Away»

2003

Soozie Tyrell: *White Lines,* guitarra en «White Lines» y coros en «Ste. Genevieve»

Warren Zevon: *The Wind,* guitarra y coros en «Disorder in the House» y coros en «Prison Grove»

2004

Clarence Clemons: *Live in Asbury Park Vol. II,* guitarra y voz en «Raise Your Hand»

Patti Scialfa: *23rd Street Lullaby,* guitarra y teclados en «You Can't Go Back», «Rose» y «Love (Stand Up)»

Gary U.S. Bonds: *Back in 20,* cantante invitado en «Can't Teach an Old Dog New Tricks»

Jesse Malin: *Messed Up Here Tonight,* guitarra y voz en «Wendy»

2006

Joe Grushecky: *A Good Life,* voz y guitarra en «Code of Silence», «Is She the One», «A Good Life» y «Searching For My Soul»

Sam Moore: *Overnight Sensational,* cantante invitado en «Better to Have and Not Need»

Jerry Lee Lewis: *Last Man Standing,* coros en «Pink Cadillac»

2007

Jesse Malin: *Glitter in the Gutter,* voz en «Broken Radio»

Patti Scialfa: *Play it as it Lays,* guitarra

2009

Bernie Williams: *Moving Forward,* guitarra y voz en «Glory Days»

John Fogerty: *The Blue Ridge Rangers Rides Again,* voz en «When Will I Be Loved»

Roseanne Cash: *The List,* voz en «Sea of Heartbreak»

2010

Alejandro Escovedo: *Street Songs of Love,* voz en «Faith»

Ray Davies: *See My Friends,* cocantante principal en «Better Things»

2011

Dropkick Murphys: *Going out in Style,* cocantante principal en «Peg O' My Heart»

Stewart Francke: *Heartless World,* voz en «Summer Soldiers (Holler If Ya Hear Me)»

2012

Pete Seeger & Lorre Wyatt: *A More Perfect Union,* cocantante principal en «God's Counting On Me ... God's Counting On You»

Jimmy Fallon: *Blow Your Pants off,* cocantante principal en «Neil Young Sings "Whip My Hair"»

2013

Dropkick Murphys: *Rose Tattoo–For Boston Charity EP,* cantante principal en «Rose Tattoo»

Páginas siguientes: Atlanta, 2007.

Página 288: Amnesty International Gira Human Rights Now!, 1988.

FUENTES

LIBROS

Alterman, Eric, *Ain't No Sin to Be Glad You're Alive: The Promise of Bruce Springsteen*, Nueva York, Little, Brown, 1999 [ed. en español: *Bruce Springsteen: nacido para el rock*, Barcelona, Ma Non Troppo, 2010].

Burger, Jeff (ed), *Springsteen on Springsteen: Interviews, Speeches, and Encounters*, Chicago, Chicago Review Press, 2013.

Carlin, Peter Ames, *Bruce*, Nueva York, Touchstone, 2012. [ed. en español: *Bruce*, Barcelona, Cúpula, 2013]

Clemons, Clarence; Reo, Don, *Big Man: Real Life & Tall Tales*. Nueva York, Grand Central, 2009.

Cross, Charles R, *Backstreets: Springsteen, the Man and His Music*, Nueva York, Harmony, 1989.

Dylan, Bob, *Chronicles: Volume One*. Nueva York: Simon & Schuster, 2004 [ed. en español: *Crónicas*, Barcelona, Global Rhythm Press, 2005].

Gilmore, Mikal, *Night Beat: A Shadow History of Rock & Roll*, Nueva York, Doubleday, 1998.

Maharidge, Dale; Williamson Michael S., *Journey to Nowhere: The Saga of the New Underclass*, Ed. rev. NuevaYork, Hyperion, 1996.

——— *Someplace Like America: Tales from the Great Depression*, Ed. rev. Berkeley y Los Ángeles, University of California Press, 2011.

Marcus, Greil, *Mystery Train: Images of America in Rock 'n' Roll Music*, Rev. ed. Nueva York, Plume, 2008 [ed. en español: *Mystery train: imágenes de América en la música rock & roll*, Barcelona, Contra, 2014].

Marks, Craig; Tannenbaum, Rob, *My MTV: The Uncensored Story of the Music Video Revolution*, Nueva York, Plume, 2012.

Marsh, Dave, *Born to Run: The Bruce Springsteen Story*, Nueva York, Thunder's Mouth Press, 1979.

Masur, Louis P.; Phillips, Christopher (eds), *Talk about a Dream: The Essential Interviews of Bruce Springsteen*, Nueva York, Bloomsbury, 2013.

O'Connor, Flannery, *A Good Man Is Hard to Find and Other Stories*, Nueva York, Harcourt, Brace & Company, 1955 [ed. en español: *Cuentos completos*, Barcelona, Editorial Lumen, 2005].

Rolling Stone **(revista), ed** *Bruce Springsteen: The Ultimate Compendium of Interviews, Articles, Facts, and Opinions from the Files of* Rolling Stone, Boston, Hyperion, 1996.

Santelli, Robert, *Greetings from E Street: The Story of Bruce Springsteen and the E Street Band*, San Francisco, Chronicle, 2006 [ed. en español: *Greetings from E Street: la historia de Bruce Springsteen and The Street Band*, Barcelona, Caelus Books, 2006].

Spera, Keith. *Groove Interrupted: Loss, Renewal, and the Music of New Orleans*, Nueva York, St. Martin's Press, 2011.

Springsteen, Bruce, *Songs*, Nueva York, HarperCollins, 1998.

——— *Born to Run*, Nueva York, Simon & Schuster, 2016. [ed. en español, Barcelona, Penguin Random House, 2016]

St. John, Lauren, *Hardcore Troubadour: The Life and Near Death of Steve Earle*, Nueva York, Fourth Estate, 2003.

ARTÍCULOS Y ENTREVISTAS

Arax, Mark; Gorman, Tom, «California's Illicit Farm Belt Export», *Los Angeles Times*, 13 de marzo de 1995.

Bangs, Lester, reseña de *Greetings from Asbury Park, N.J. Rolling Stone*, 5 de julio de 1973.

——— reseña de *Born to Run*, *Creem*, noviembre de 1975.

Binelli, Mark, «Bruce Springsteen's American Gospel», *Rolling Stone*, 22 de agosto de 2002.

Block, Melissa, «Springsteen Speaks: The Music of Pete Seeger», *All Things Considered*, NPR, 26 de abril de 2006.

Caramanica, Jon, «Everything Old Is Praised Again», *The New York Times*, 14 de febrero de 2012.

Colbert, Stephen, comentarios acerca de Bruce Springsteen, *Colbert Report*, Comedy Central, 10 de octubre de 2007.

Corn, David, «Bruce Springsteen Tells the Story of the Secret America», *Mother Jones*, marzo-abril de 1996.

Crouch, Ian, «The Original Wrecking Ball: Bruce Springsteen's *Nebraska*», *The New Yorker*, 6 de marzo de 2012.

DiMartino, Dave, «Bruce Springsteen Takes It to the River», *Creem*, enero de 1981.

Einstein, Damian, entrevista con Bruce Springsteen, WHFS-FM, 2 de junio de 1973.

Flanagan, Bill, «Bruce Springsteen: Interview», *Musician*, noviembre de 1984.

——— «Ambition, Lies, and the Beautiful Reward: Bruce Springsteen's Family Values», *Musician*, noviembre de 1992.

Flippo, Chet, entrevista con Bruce Springsteen, *Musician*, noviembre de 1984.

Fricke, David, «Bruce Springsteen: Bringing It All Back Home», *Rolling Stone*, 5 de febrero de 2009.

——— «Q&A: Bruce Springsteen on Touring Europe, the E Street Band and a Half-Century of Rock», *Rolling Stone*, 20 de junio de 2013.

Fussman, Cal, «Bruce Springsteen: It Happened in Jersey», *Esquire*, 1 de agosto de 2005.

Gibbons, Fiachra, «Bruce Springsteen: "What Was Done to My Country was Un-American"», *The Guardian*, 17 de febrero de 2012.

Gilmore, Mikal, «The *Rolling Stone* 20th Anniversary Interview: Bruce Springsteen», *Rolling Stone*, 5 de noviembre de 1987.

Greene, Andy, «Bruce Springsteen on "Anomaly" of New Album *High Hopes*: Exclusive», *Rolling Stone*, 17 de diciembre de 2013.

——— «Tom Morello: "Springsteen Concerts Are Orthopedically Exhausting"», *Rolling Stone*, 3 de enero de 2014.

Hagen, Mark, «Meet the New Boss», *The Observer*, 18 de enero de 2009.

Henke, James, «The *Rolling Stone* Interview: Bruce Springsteen Leaves E Street», *Rolling Stone*, 6 de agosto de 1992.

Hepworth, David, entrevista con Bruce Springsteen, *Q*, agosto de 1992.

Herman, Dave, entrevista con Bruce Springsteen, *King Biscuit Flower Hour*, DIR Radio Network, 9 de julio de 1978.

Hilburn, Robert, entrevista con Bruce Springsteen, *Melody Maker*, 24 de agosto de 1974.

Humphries, Patrick; Scott, Roger, entrevista con Bruce Springsteen, *Hot Press*, 2 de noviembre de 1984.

Kandell, Steve, «The Feeling's Mutual: Bruce Springsteen and Win Butler Talk about the Early Days, the Glory Days and Even the End of Days», *Spin*, diciembre de 2007.

Knobler, Peter; Mitchell, Greg, «Who Is Bruce Springsteen and Why Are We Saying All These Wonderful Things About Him?», *Crawdaddy!*, marzo de 1973.

Koppel, Ted, entrevista con Bruce Springsteen, *Nightline*, ABC, 4 de agosto de 2004.

Landau, Jon, «Loose Ends», *The Real Paper*, 22 de mayo de 1974.

Lauer, Matt. «"The Boss" Is Back with a New CD», *Today*, NBC, 25 de abril de 2005.

Letterman, David, entrevista con Bruce Springsteen, *Late Show with David Letterman*, CBS, 1 de agosto de 2002.

Lillianthal, Steven B., «More than One Balloon», *The New York Times*, 8 de diciembre de 2002.

Loder, Kurt., «The *Rolling Stone* Interview: Bruce Springsteen on *Born in the U.S.A.*», *Rolling Stone*, 6 de diciembre de 1984.

Lombardi, John, «The Sanctification of Bruce Springsteen and the Rise of Mass Hip», *Esquire*, diciembre de 1988.

Lustig, Jay, «The Boss Says It Feels Good to Be Home», *Star-Ledger*, 19 de marzo de 1999.

Marcus, Greil, reseña de *Born to Run*, *Rolling Stone*, 9 de octubre de 1975.

——— «The Great Pretender: Bruce Springsteen Appears at Once as the Anointed Successor to Elvis and as an Impostor Who Expects to Be Asked for His Stage Pass», *New West*, 22 de diciembre de 1980.

Marsh, Dave, «A Rock Star Is Born: Bruce Springsteen and the E Street Band at the Bottom Line», *Rolling Stone*, 25 de septiembre de 1975.

——— entrevista con Bruce Springsteen, *Musician*, febrero de 1981.

——— entrevista con Bruce Springsteen, *Live from E Street Nation*, E Street Radio, 10 de enero de 2014.

Martin, Gavin, «Hey Joad, Don't Make It Sad … (Oh, Go on Then)»., *New Musical Express*, 9 de marzo de 1996.

Nelson, Paul, reseña de *The River*, *Rolling Stone*, 11 de diciembre de 1980.

O'Reilly, Bill, comentarios acerca de Bruce Springsteen, *The O'Reilly Factor*, Fox News, 3 de octubre de 2007.

Pareles, Jon, «Music: His Kind of Heroes, His Kind of Songs», *The New York Times*, 14 de julio de 2002.

——— «Bruce Almighty», *The New York Times*, 24 de abril de 2005.

——— «The Rock Laureate», *The New York Times*, 28 de enero de 2009.

Pelley, Scott, entrevista con Bruce Springsteen, *60 Minutes*, CBS News, 7 de octubre de 2007.

Percy, Will, «Rock and Read: Will Percy Interviews Bruce Springsteen», *DoubleTake*, primavera de 1998.

Pond, Steve, reseña de *Nebraska*, *Rolling Stone*, 28 de octubre de 1982.

——— reseña de *Tunnel of Love*, *Rolling Stone*, 3 de octubre de 1987.

Rockwell, John, «Rock: Bruce Springsteen at the Garden», *The New York Times*, 29 de noviembre de 1980.

Rose, Charlie, entrevista con Bruce Springsteen, *Charlie Rose*, PBS, 20 de noviembre de 1998.

Rotella, Sebastian, «Children of the Border», *Los Angeles Times*, 3 de abril de 1993.

Schruers, Fred, «Bruce Springsteen and the Secret of the World», *Rolling Stone*, 5 de febrero de 1981.

Sciaky, Ed, entrevista con Bruce Springsteen, 93.3 WMMR (Filadelfia), 3 de noviembre de 1974.

Scott, A. O., «The Poet Laureate of 9/11», *Slate*, 6 de agosto de 2002.

——— «In Love with Pop, Uneasy with the World», *The New York Times*, 30 de septiembre de 2007.

Smith, R. J., «Springsteen Looks Back and Drives On», *Michigan Daily*, 5 de octubre de 1980.

Springsteen, Bruce, «A Statement from Bruce Springsteen», brucespringsteen.net, 22 de abril de 2003.

——— «Chords for Change», *The New York Times*, 5 de agosto de 2004.

Stewart, Jon, «Bruce Springsteen's State of the Union», *Rolling Stone*, 29 de marzo de 2012.

Sutcliffe, Phil, entrevista con Bruce Springsteen, *MOJO*, enero de 2006.

Sweeting, Adam, «Bruce Springsteen: "I Think I Just Want to Be Great"», *Uncut*, septiembre de 2002.

Tucker, Ken, reseña de *Nebraska*, *The Philadelphia Inquirer*, 3 de octubre de 1982.

———— «Springsteen Talks», *Entertainment Weekly*, 28 de febrero de 2003.

Tyler, Andrew, «Bruce Springsteen and the Wall of Faith», *New Musical Express*, 15 de noviembre de 1975.

Tyrangiel, Josh, «Reborn in the USA». *Time*, 5 de agosto de 2002.

Werbin, Stuart, «Bruce Springsteen: It's Sign Up a Genius Month», *Rolling Stone*, 26 de abril de 1973.

Wilkinson, Alec, «The Protest Singer: Pete Seeger and American Folk Music», *The New Yorker*, 17 de abril de 2006.

Will, George, «Bruce Springsteen: "The Blue-Collar Troubadour"», *Observer-Reporter* (Washington), 15 de septiembre de 1984.

Wolcott, James, «The Hagiography of Bruce Springsteen», *Vanity Fair*, diciembre de 1985.

«Bruce Springsteen: The Seeger Sessions», PRX, 30 de junio de 2006.

«Q&A: Pete Seeger», *Billboard*, 26 de junio de 2006.

«Random Notes», *Rolling Stone*, 25 de noviembre de 1982.

———— *Rolling Stone*, 12 de mayo de 1983.

———— *Rolling Stone*, 1 de septiembre de 1983.

———— *Rolling Stone*, 2 de febrero de 1984.

———— *Rolling Stone*, 17 de marzo de 1984.

«Rock Concert Rocks Community», *Courier*, 17 de septiembre de 1970.

VH1 Storytellers, «Bruce Springsteen», VH1, 23 de abril de 2005.

«Working on a Dream: A Super Bowl Journal», NFL Network, 7 de septiembre de 2009.

DISCURSOS Y CONFERENCIAS DE PRENSA

Earle, Justin Townes; Pug, Joe, discurso durante una actuación en Carrboro, Carolina del Norte, 9 de marzo de 2010.

Kerry, John, «How Do You Ask a Man to Be the Last Man to Die in Vietnam?», Declaración ante la Comisión de Relaciones Exteriores del Senado, 23 de abril de 1971.

Obama, Barack, discurso del XXXII Kennedy Center Honors, Washington D. C., 6 de diciembre de 2009.

Seeger, Pete, comparecencia ante el Comité de Actividades Antiestadounidenses, 18 de agosto de 1955.

Springsteen, Bruce, discurso por la entrada de Bob Dylan en el Rock and Roll Hall of Fame, 29 de enero de 1988.

———— Conferencia de prensa de la 43.ª Super Bowl, Tampa, Florida, 29 de enero de 2009.

———— Panegírico por Clarence Clemons (pronunciado el 21 de julio de 2011), publicado en *Rolling Stone*, 29 de junio de 2011.

———— Conferencia de prensa, Théâtre Marigny, París, 16 de febrero de 2012.

———— Discurso inaugural, festival de música SXSW, NPR, 15 de marzo de 2012.

———— Discurso de la campaña presidencial estadounidense de Obama, Des Moines, Iowa, C-SPAN, 5 de noviembre de 2012.

CD y DVD

Springsteen, Bruce. Notas. *Tracks*. Estuche recopilatorio, Columbia, publicado el 10 de noviembre de 1998.

———— Comentarios. *Devils & Dust*. DVD extra, dirigido por Danny Clinch, Columbia, publicado el 15 de abril de 2005.

———— Notas. *Bruce Springsteen and the E Street Band: Hammersmith Odeon, London '75*. DVD, dirigido por Derek Burbidge, Columbia, publicado el 15 de noviembre de 2005.

———— Notas. *We Shall Overcome: The Seeger Sessions*. CD/DVD, Columbia, publicado el 24 de abril de 2006.

———— «Behind the Scenes», *We Shall Overcome: The Seeger Sessions*. DVD extra, dirigido por Thom Zimny, Columbia, publicado el 24 de abril de 2006.

———— «The Sessions», *Working on a Dream*, deluxe edition. DVD extra, dirigido por Thom Zimny, Columbia, publicado el 27 de enero de 2009.

———— Notas. *High Hopes*. CD, Columbia, publicado el 14 de enero de 2014.

In Concert: MTV Plugged. Grabado el 22 de septiembre de 1992. DVD, Columbia, publicado el 9 de noviembre de 2004.

The Promise: The Making of Darkness on the Edge of Town. DVD, dirigido por Thom Zimny, Columbia, publicado el 16 de noviembre de 2010.

Wings for Wheels: The Making of Born to Run. DVD, dirigido por Thom Zimny, Columbia, publicado el 15 de noviembre de 2005.

CRÉDITOS DE LAS IMÁGENES

Se ha hecho todo lo posible por identificar y acreditar a los titulares de los derechos de autor. No obstante, pedimos disculpas por cualquier omisión que se hubiera podido producir y que estaremos encantados de añadir en futuras ediciones de este libro.

S: superior; I: inferior; IZ: izquierda; D: derecha; C: centro

Corbis: guardas, 128-129 (Brooks Kraft); 13, 24 IZ, 83, 90 I, 91, 96 (Lynn Goldsmith); 28-29, 37 IZ y D (Found Image Press); 45, 48 S (Jeff Albertson); 75 (Bettmann); 113 (Aaron Rapoport); 182 (Albert Ferreira/Reuters); 206 IZ, 241 S (Saed Hindash/*Star-Ledger*); 209 IZ; 237 (Andy Mills/ *Star-Ledger*); 240 (Ron Sachs/Pool/CNP); 242-243 (Joe Skipper/Reuters); 247 S (Julia Robinson/ Reuters); **Getty Images:** 1, 53 I, 268-269 (Tom Hill/WireImage); 2, 3, 9, 191, 192 IZ, 196, 199, 200-201, 205, 206-207, 211, 222-223, 228-229, 231, 233, 240 I, 284-285 (Danny Clinch); 15, 39, 40-41, 42, 46, 49, 52-53, 88-89, 94, 118, 120 (herederos de David Gahr); 19 C, 27, 31, 43 IZ, 109 IZ (Michael Ochs Archives); 30 (Bob Parent/Hulton Archive); 51 (Terry O'Neill); 53 C, 74 (Fin Costello/ Redferns); 66-67 (Chalkie Davis); 77, 105 D (*New York Daily News*); 82 (Donna Santisi/ Redferns); 90 S (Chris Walter/WireImage); 109 D (Eric Schaal/*LIFE* Picture Collection); 110, 245 (AFP); 121 (Janette Beckman/Redferns); 136 (Jim Steinfeldt); 141 (Ron Galella/WireImage); 151 (Brian McLaughlin); 155, 168 S (Ebet Roberts); 158 IZ, 181 S, 184, 185, 194, 198, 202, 203, 208, 212, 226, 234, 235 IZ y D, 247 I (Kevin Mazur Archive/WireImage); 168 I (*Washington Post*); 177 (Mitch Jenkins); 178-179 (Bob King); 181 I (Doug Kanter/AFP); 186 (Peter Pakvis/Redferns); 188-189 (Justin Sullivan); 192-193 (Harry Scott/Redferns); 195 (Timothy A. Clary); 213 (David Redfern/Redferns); 215 (Paul Bergen/Redferns); 218-219 (Edd Westmacott/Photoshot); 227 (Joe Raedle); 232 S (Roger Kisby); 232 C (Peter Still/Redferns); 246 (Barry Chin/*Boston Globe*); 247 C (Heidi Gutman/NBCUniversal); 248 (John Shearer/WireImage); 249 (James Nielsen/AFP); 250 (John Cohen); 251, 260-261, 262 (Lloyd Bishop/NBC/NBCU Photo Bank); 252-253, 254 (Kevin Mazur/WireImage/SiriusXM); 255 (Buda Mendes); 256 (Kevin Nixon/*Classic Rock Magazine*/ TeamRock); 257 (Jewel Samad/AFP); 259 (Will Russell); 260 IZ (Debra L. Rothenberg); 265 (Leaane Stander/Foto24/Gallo Images); © **Neal Preston:** 10, 24-25, 98-99, 114, 115, 116, 119, 122, 123, 124-125, 126, 131, 132-133, 134 I, 137, 138-139, 142-143, 150, 152-153, 157, 158-159, 161, 163, 166-167, 169, 170, 288; **Photoshot:** 19 B (MPTV); 55 (Michael Putland/Retna); 105 IZ (UPPA); 135 (HBO-Cinemax/Photofest/Retna); 164 (Neal Preston/Retna); 174-175 (Caserta/ DALLE/ Idols); 209 D (Starstock); 232 I (InfoPhoto/Retna); © **Chuck Pulin/DavidMcGough.com:** 32, 35, 48 I; © **Peter Cunningham:** 33; © **Art Mailett:** 36; © **Carl Dunn:** 40 IZ; © **Barbara Pyle:** 53 S, 58-59, 64; © **Eric Meola:** 56, 57, 60-61, 62-63, 72, 81, 84-85; © **Frank Stefanko:** 69, 70-71, 76-77, 87, 92, 96 S y C, 97, 102 IZ, 104, 111, 172-173; **Rex Features:** 79-80 (Andre Csillag); 165 (Everett Collection); © **David Michael Kennedy:** 101, 102-103, 107, 108; **PA Images:** 106, 140, 146-147, 149, 187, 220 I, 222 IZ; **Eyevine:** 145 (Keith Meyers/*The New York Times*); 217, 224 (ToddHeisler/*The New York Times*); **Alpha:** 156; **Heidi Gutman/NBC NewsWire:** 221; © **Michael Gallagher:** 266.

Portadas de los álbumes: Columbia (*véase* Discografía para obtener más información sobre la dirección creativa y la fotografía).

Nos gustaría dar las gracias, sobre todo, a Ian Whent por su inestimable ayuda en la localización de las imágenes, así como a Guy White, de Snap Galleries, Londres, y a Aaron Zych, del Morrison Hotel Gallery, Nueva York.

AGRADECIMIENTOS

Nos gustaría dar las gracias, ante todo, a Bruce Springsteen por tener una carrera sobre la que ha sido tan divertido escribir. Aunque este libro también habría visto la luz sin Peter Ames Carlin, su escritura no habría sido tan placentera. Gracias por una amistad que ha ido mucho más allá de lo esperable (y por el acceso a sus archivos). Zachary Schisgal me dispensó calma y amabilidad cuando las necesitaba. Quisiera dar las gracias también a Colin Webb, de Palazzo Editions, por haberme confiado este concierto. James Hodgson se enfrentó a los husos horarios en su meticulosa edición de estas palabras. He consultado una y otra vez los sitios web www.backstreets.com y brucebase.wikispaces.com, recursos de inestimable valor para cualquier fan de Springsteen. Se ha escrito un gran número de fantásticas palabras sobre Springsteen, de las cuales he leído la mayoría a lo largo de los años. Los miembros del equipo legal Tom Johnson y Yoona Park (mis amigos) han trabajado pro bono. Helen Jung y Patrick Green me brindaron su apoyo moral (y su cerveza). A mi madre y a mi padre se les da muy bien cumplir su papel. Siempre ha sido así. Y Abril y Stella: esto es para vosotras. Gracias por todo. Siempre y por siempre.
Ryan White

Palazzo Editions desea mostrar su agradecimiento a David Costa, de Wherefore Art?, por sus presentaciones iniciales y su constante inspiración en el diseño.

«¿POR QUÉ QUERRÍA UN HOMBRE DE MI EDAD SALIR PARA EMPAPARSE Y AGOTARSE A ESTAS ALTURAS? SOLO PUEDE HABER UN MOTIVO: PORQUE TIENE QUE HACERLO».

Bruce Springsteen, 2014